**이 책을 만드신 선생님**

최문섭  최희영  한송이  고길동  송낙천  최영욱  김종군  박민선

**이 책을 검토하신 선생님**

'수학나눔연구회' 선생님들


**최상위수학 중 1-2**

**펴낸날**  [개정판 1쇄] 2020년 1월 2일 [개정판 9쇄] 2024년 3월 1일
**펴낸이**  이기열
**펴낸곳**  (주)디딤돌 교육
**주소**  (03972) 서울특별시 마포구 월드컵북로 122 청원선와이즈타워
**대표전화**  02-3142-9000
**구입문의**  02-322-8451
**내용문의**  02-336-7918
**팩시밀리**  02-335-6038
**홈페이지**  www.didimdol.co.kr
**등록번호**  제10-718호
구입한 후에는 철회되지 않으며 잘못 인쇄된 책은 바꾸어 드립니다.

# 최상위 수학

중 $\dfrac{1}{2}$

디딤돌

# Structure

## 상위권을 위한 심화 학습 교재, 최상위 수학

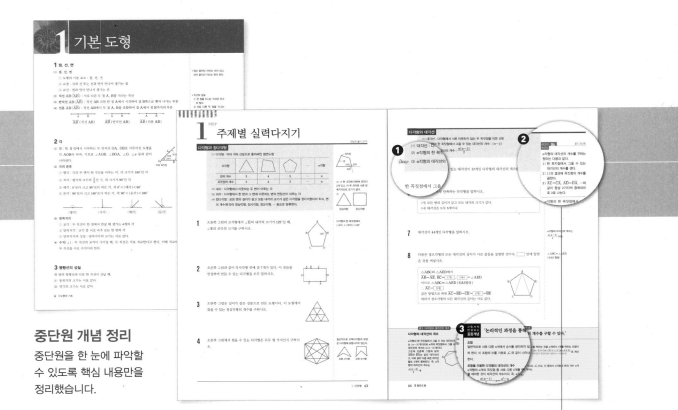

**중단원 개념 정리**

중단원을 한 눈에 파악할
수 있도록 핵심 내용만을
정리했습니다.

**1STEP 주제별 실력 다지기**

고난도 문제 유형들을 주제별로 정리하여
차근차근 실력을 쌓을 수 있도록 하였습니다.

**❶, ❷** DEEP의 심화 주제와 최상위 NOTE를
통해서 최상위 실력을 쌓을 수 있는 바탕을
마련하였습니다.

**❸** 학년별 연계를 통하여 내용의 흐름을
파악하고, 연계된 내용 안에서의 핵심을 볼 수
있도록 하였습니다.

**정답과 해설**

정답과 해설에서 최상위 NOTE를
심도 있게 다루어 원리에 대한
이해를 더욱더 견고히 할 수
있도록 하였습니다.

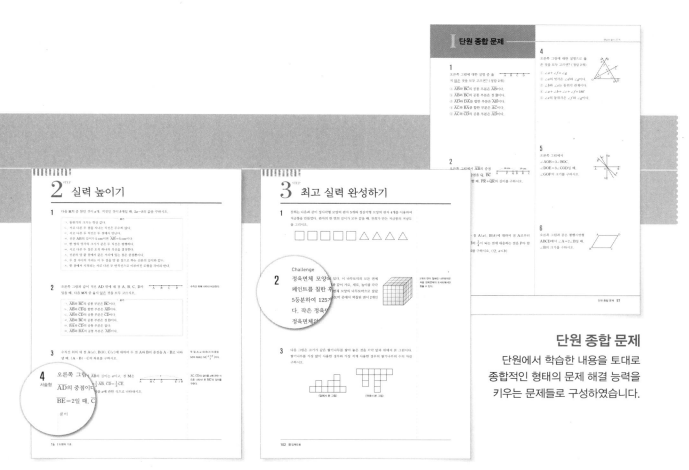

## 2STEP 실력 높이기

특목고 시험 등에 잘 나오는 문제들을 통해
실전 감각을 익히고, 서술형 문항을 통해
논리적인 사고를 키울 수 있도록 하였습니다.

## 3STEP 최고 실력 완성하기

문제해결력을 요구하는 심화문제들을 통해서
최고의 실력을 완성할 수 있도록 하였고,
Challenge에서는 최상위 문제들을 실었습니다.

## 단원 종합 문제

단원에서 학습한 내용을 토대로
종합적인 형태의 문제 해결 능력을
키우는 문제들로 구성하였습니다.

# Contents

# I 도형의 기초

# 1 기본 도형

## 1 점, 선, 면

(1) **점, 선, 면**

 ① 도형의 기본 요소 : 점, 선, 면

 ② 교점 : 선과 선 또는 선과 면이 만나서 생기는 점

 ③ 교선 : 면과 면이 만나서 생기는 선

(2) **직선 AB($\overleftrightarrow{AB}$)** : 서로 다른 두 점 A, B를 지나는 직선

(3) **반직선 AB($\overrightarrow{AB}$)** : 직선 AB 위의 한 점 A에서 시작하여 점 B쪽으로 뻗어 나가는 부분

(4) **선분 AB($\overline{AB}$)** : 직선 AB에서 두 점 A, B를 포함하여 점 A에서 점 B까지의 부분

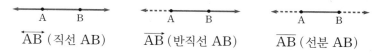

$\overleftrightarrow{AB}$ (직선 AB)   $\overrightarrow{AB}$ (반직선 AB)   $\overline{AB}$ (선분 AB)

> ■ 점이 움직인 자리는 선이 되고, 선이 움직인 자리는 면이 된다.
>
> ■ 직선의 성질
>  ① 한 점을 지나는 직선은 무수히 많다.
>  ② 서로 다른 두 점을 지나는 직선은 오직 하나뿐이다.
> ■ $\overrightarrow{AB} \neq \overrightarrow{BA}$
> ■ 두 점 A, B를 잇는 가장 짧은 선인 선분 AB의 길이를 두 점 A, B 사이의 거리라 한다.
> ■ 선분의 길이는 측정할 수 있지만 직선과 반직선의 길이는 측정할 수 없다.

## 2 각

(1) **각** : 한 점 O에서 시작하는 두 반직선 OA, OB로 이루어진 도형을 각 AOB라 하며, 기호로 ∠AOB, ∠BOA, ∠O, ∠$a$ 등과 같이 나타낸다.

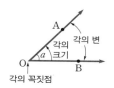

(2) **각의 분류**

 ① 평각 : 각의 두 변이 한 직선을 이루는 각, 즉 크기가 180°인 각

 ② 직각 : 평각의 크기의 $\frac{1}{2}$인 각, 즉 크기가 90°인 각

 ③ 예각 : 0°보다 크고 90°보다 작은 각, 즉 0°<(예각)<90°

 ④ 둔각 : 90°보다 크고 180°보다 작은 각, 즉 90°<(둔각)<180°

〈평각〉   〈직각〉   〈예각〉   〈둔각〉

(3) **맞꼭지각**

 ① 교각 : 두 직선이 한 점에서 만날 때 생기는 4개의 각

 ② 맞꼭지각 : 교각 중 서로 마주 보는 한 쌍의 각

 ③ 맞꼭지각의 성질 : 맞꼭지각의 크기는 서로 같다.

(4) **수직(⊥)** : 두 직선의 교각이 직각일 때, 두 직선은 서로 직교한다고 한다. 이때 직교하는 두 직선을 서로 수직이라 한다.

> ■ $n$개의 직선이 한 점에서 만날 때 생기는 맞꼭지각의 개수
>  : $n(n-1)$쌍

## 3 평행선의 성질

한 쌍의 평행선과 다른 한 직선이 만날 때,

(1) 동위각의 크기는 서로 같다.

(2) 엇각의 크기는 서로 같다.

> ■ 한 평면 위에 있는 두 직선 $l$, $m$이 만나지 않을 때, 이 두 직선을 평행이라 하고 $l \parallel m$과 같이 나타낸다. 이때 두 직선 $l$, $m$을 평행선이라 한다.

# 1 STEP 주제별 실력다지기

정답과 풀이 3쪽

## 점, 선, 면

(1) 도형의 기본 요소 : 점, 선, 면
(2) 교점 : 선과 선 또는 선과 면이 만나서 생기는 점
(3) 교선 : 면과 면이 만나서 생기는 선
(4) 평면과 곡면 : 도형을 이루고 있는 면에는 평평한 면과 굽은 면이 있는데, 평평한 면을 평면, 굽은 면을 곡면이라 한다.

면이 움직인 자리는 입체가 된다.

**1** 다음 설명 중 옳은 것은?

① 점이 움직인 자리는 면이 된다.
② 직선 위에는 무수히 많은 점들이 있다.
③ 한 점을 지나는 평면은 오직 하나뿐이다.
④ 평면과 평면이 만나면 교점이 생긴다.
⑤ 평면도형은 점, 선, 면으로 이루어져 있다.

**2** 직육면체에서 교점의 개수를 $a$, 교선의 개수를 $b$라 할 때, $2a-b$의 값을 구하시오.

**3** 원기둥에서 평면의 개수를 $a$, 곡면의 개수를 $b$, 교점의 개수를 $c$, 교선의 개수를 $d$라 할 때, $a+b+c+d$의 값을 구하시오.

원기둥

교선
교선

**4** 다음 **보기** 중 교점이 없는 도형이 $a$개, 평면만으로 이루어진 도형이 $b$개, 평면과 곡면으로 둘러싸인 도형이 $c$개, 곡면만으로 둘러싸인 도형이 $d$개일 때, $a+b-c+d$의 값을 구하시오.

┌─────────── 보기 ───────────┐
ㄱ. 원기둥    ㄴ. 원뿔대    ㄷ. 사면체    ㄹ. 사각기둥
ㅁ. 삼각뿔    ㅂ. 반구      ㅅ. 구       ㅇ. 팔면체
└───────────────────────────┘

(1) 직선 AB : 서로 다른 두 점 A, B를 지나는 직선
   ① 기호로 나타내면 $\overleftrightarrow{AB}$
   ② 그림으로 나타내면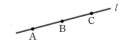
(2) 성질
   ① 한 점을 지나는 직선은 무수히 많다.
   ② 서로 다른 두 점을 지나는 직선은 오직 하나뿐이다.
(3) 한 평면 위의 서로 다른 $n$개의 점 중 어느 세 점도 한 직선 위에 있지 않을 때, 두 점을 지나는
   직선의 개수 : $\dfrac{n(n-1)}{2}$

최상위 01
NOTE

풀이 2쪽

어느 세 점도 한 직선 위에 있지 않을 때, 두 점을 지나는 직선의 개수를 구하는 원리는 다음과 같다.
1) 한 점에서 그을 수 있는 직선의 개수를 파악한다.
2) 1)의 결과에 점의 총 개수를 곱한다.
3) $\overleftrightarrow{AB}=\overleftrightarrow{BA}$, $\overleftrightarrow{AC}=\overleftrightarrow{CA}$, ⋯와 같이 항상 2가지씩 중복이 발생하므로 2로 나눈다.

**5** 다음 중 오른쪽 그림의 직선 $l$을 나타낸 것으로 옳지 <u>않은</u> 것은?

① $\overleftrightarrow{AB}$  ② $\overleftrightarrow{BC}$  ③ $\overleftrightarrow{BA}$
④ $\overleftrightarrow{CA}$  ⑤ $\overleftrightarrow{lA}$

**6** 한 평면 위에 서로 다른 점들이 다음과 같은 위치에 있을 때, 두 점을 지나는 직선은 모두 몇 개 그을 수 있는지 구하시오.

한 평면 위의 서로 다른 $n$개의 점 중 어느 세 점도 한 직선 위에 있지 않을 때, 두 점을 지나는 직선은 $\dfrac{n(n-1)}{2}$개이다.

(1)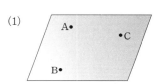

(2)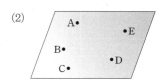

(3)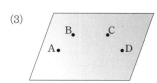

(4)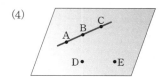

(단, 세 점 A, B, C는 일직선 위에 있다.)

**반직선**

(1) 반직선 AB : 직선 AB 위의 한 점 A에서 시작하여 점 B쪽으로 뻗어 나가는 부분
  ① 기호로 나타내면 $\overrightarrow{AB}$
  ② 그림으로 나타내면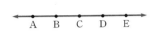
(2) 성질
  ① 두 반직선의 시작점과 뻗어 나가는 방향이 모두 같을 때, 두 반직선은 같다.
  ② $\overrightarrow{AB} \neq \overrightarrow{BA}$
(3) 한 평면 위의 서로 다른 $n$개의 점 중 어느 세 점도 한 직선 위에 있지 않을 때, 두 점을 지나는 반직선의 개수 : $n(n-1)$

위의 그림에서 반직선은
$\overrightarrow{AB}(=\overrightarrow{AC})$, $\overrightarrow{BC}$,
$\overrightarrow{CB}(=\overrightarrow{CA})$, $\overrightarrow{BA}$

**7** 오른쪽 그림과 같이 직선 AE 위에 5개의 점 A, B, C, D, E가 있다. 다음 중 $\overrightarrow{CA}$에 포함되는 것은?

① $\overrightarrow{AB}$　　　　② $\overrightarrow{CD}$　　　　③ $\overrightarrow{BA}$
④ $\overrightarrow{DC}$　　　　⑤ $\overrightarrow{AC}$

수직선 위에 나타내어 비교한다.

**8** 오른쪽 그림과 같이 직선 AE 위에 5개의 점 A, B, C, D, E가 있을 때, 다음 중 옳은 것은?

① $\overrightarrow{AB}$와 $\overrightarrow{CD}$를 합한 부분은 $\overrightarrow{CD}$이다.　② $\overrightarrow{BA}$와 $\overrightarrow{DE}$의 공통 부분은 $\overline{BD}$이다.
③ $\overrightarrow{BE}$와 $\overrightarrow{CB}$의 공통 부분은 $\overline{BC}$이다.　④ $\overrightarrow{DE}$와 $\overrightarrow{DC}$의 공통 부분은 $\overline{CE}$이다.
⑤ $\overrightarrow{DA}$와 $\overrightarrow{BA}$의 공통 부분은 $\overrightarrow{BA}$이다.

**9** 한 평면 위에 서로 다른 점들이 다음과 같은 위치에 있을 때, 두 점을 지나는 직선이 $a$개, 반직선이 $b$개라 하자. 이때 $a+b$의 값을 구하시오.

한 평면 위의 서로 다른 $n$개의 점 중에서 두 점을 지나는
$\begin{cases} \text{직선} : \dfrac{n(n-1)}{2}\text{개} \\ \text{반직선} : n(n-1)\text{개} \end{cases}$
(단, 어느 세 점도 한 직선 위에 있지 않다.)

(1)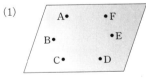

(2)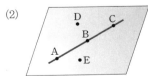
(단, 세 점 A, B, C는 일직선 위에 있다.)

(1) 선분 AB : 직선 AB에서 두 점 A, B를 포함하여 점 A에서 점 B까지의 부분

    ① 기호로 나타내면 $\overline{AB}$

    ② 그림으로 나타내면     •——————•
                            A       B

(2) 성질

    ① 선분 AB의 길이를 두 점 A, B 사이의 거리라 한다.

    ② 두 선분 AB, CD의 길이가 같을 때, $\overline{AB} = \overline{CD}$와 같이 나타낸다.

    ③ $\overline{AB} = \overline{BA}$

(3) 중점 : 선분 AB의 길이를 이등분하는 점 M을 $\overline{AB}$의 중점이라 한다.

    즉, $\overline{AM} = \overline{BM} = \dfrac{1}{2}\overline{AB}$

(4) 한 평면 위의 서로 다른 $n$개의 점 중 어느 세 점도 한 직선 위에 있지 않을 때, 두 점을 지나는 선분의 개수 : $\dfrac{n(n-1)}{2}$

선분 AB의 길이가 10 cm일 때, 기호로 나타내면 $\overline{AB} = 10$ cm

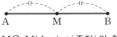

M은 Midpoint(중점)의 첫 글자이다.

---

**10** 오른쪽 그림과 같이 직선 AE 위에 5개의 점 A, B, C, D, E가 있을 때, 다음 중 옳은 것은?

    ←—•—•—•—•—•—→
       A B C D E

① $\overline{AC}$와 $\overline{AD}$를 합한 부분은 $\overline{AC}$이다.

② $\overline{BC}$와 $\overline{BE}$의 공통 부분은 $\overline{BD}$이다.

③ $\overline{AB}$와 $\overline{BC}$의 공통 부분은 $\overline{AC}$이다.

④ $\overline{AB}$와 $\overline{CD}$의 공통 부분은 $\overline{AD}$이다.

⑤ $\overline{BD}$와 $\overline{CE}$의 공통 부분은 $\overline{CD}$이다.

수직선 위에 나타내 비교한다.

---

**11** 오른쪽 그림과 같이 $\overline{AB}$의 중점을 D, $\overline{AC}$의 중점을 E, $\overline{BC}$의 중점을 F라 할 때, $\overline{DF} + \overline{EF}$의 길이를 구하시오.

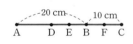

중점은 선분을 이등분한다.

---

**12** 직선 EF 위의 두 점 A($a$), B($b$)에 대하여 $\overline{AB}$의 중점을 C라 하고, $\overline{AC}$의 중점을 D라 할 때, 점 D의 좌표를 구하시오.

두 점 A($a$)와 B($b$)의 중점은 C$\left(\dfrac{a+b}{2}\right)$이다.

---

**13** 오른쪽 그림과 같이 직선 PS 위에 네 점 P, Q, R, S가 있을 때, 다음 중 옳은 것을 모두 고르면? (정답 2개)

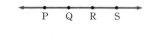

① $\overrightarrow{QR}$는 $\overrightarrow{QP}$에 포함된다.

② $\overrightarrow{RS}$는 $\overleftrightarrow{RS}$에 포함되고, $\overleftrightarrow{RS}$는 $\overrightarrow{RS}$에 포함된다.

③ $\overrightarrow{PR}$와 $\overrightarrow{QP}$의 공통 부분은 $\overline{PR}$이다.

④ $\overrightarrow{PS}$와 $\overleftarrow{RS}$의 공통 부분은 $\overrightarrow{RS}$이다.

⑤ $\overline{QR}$와 $\overrightarrow{RS}$의 공통 부분은 없다.

수직선 위에 나타내 비교한다.

**각**

(1) 각 : 한 점 O에서 시작하는 두 반직선 OA, OB로 이루어진 도형

① 기호 : ∠AOB, ∠BOA, ∠O, ∠$a$

② ∠AOB의 크기 : ∠AOB에서 $\overrightarrow{OA}$가 점 O를 중심으로 $\overrightarrow{OB}$까지 회전한 양

③ 각의 단위 : 1°(도)=60′(분)=3600″(초)

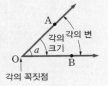

(2) 각의 분류

① 평각 : 각의 두 변이 한 직선을 이루는 각, 즉 크기가 180°인 각

② 직각 : 평각의 크기의 $\frac{1}{2}$인 각, 즉 크기가 90°인 각

③ 예각 : 0°보다 크고 90°보다 작은 각, 즉 0°<(예각)<90°

④ 둔각 : 90°보다 크고 180°보다 작은 각, 즉 90°<(둔각)<180°

(3) 여각과 보각

① 여각 : 합이 90°인 두 각

② 보각 : 합이 180°인 두 각

1°=60′
1′=60″

---

**14** 다음 **보기** 중 예각의 개수가 $a$, 둔각의 개수가 $b$일 때, $a-b$의 값을 구하시오.

보기
ㄱ. 89°          ㄴ. 90°
ㄷ. 180°         ㄹ. 270°
ㅁ. 0°<$x$<45°인 한 각 $x$     ㅂ. 0°<$y-90$°<90°인 한 각 $y$

0°<(예각)<(직각)<(둔각)
<(평각)

---

**15** 다음 중 옳지 <u>않은</u> 것은?

① (직각)+(직각)=(평각)     ② (직각)+(예각)=(둔각)

③ (예각)+(예각)=(둔각)     ④ (직각)-(예각)=(예각)

⑤ (평각)-(예각)=(둔각)

반례를 들어 본다.

---

**16** 오른쪽 그림에서 ∠AOC=$\frac{3}{4}$∠AOD, ∠EOB=$\frac{3}{4}$∠DOB

일 때, ∠COE의 크기를 구하시오.

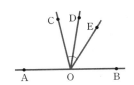

∠AOD+∠DOB=180°

**17** 오른쪽 그림에서 $\angle AOC = \angle BOD = 90°$, $\angle x + \angle z = 70°$일 때, $\angle y$의 크기를 구하시오.

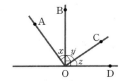

**18** 다음 중 옳지 <u>않은</u> 것은?

① $3° = 180'$      ② $2°15'10'' = 8110''$      ③ $5°30' = 330'$

④ $7530'' = 2°10'10''$      ⑤ $90° = 5400'$

**19** $\dfrac{5}{6} \times$ (직각)의 여각을 $\angle a$라 하고, $\dfrac{3}{2} \times$ (직각)의 보각을 $\angle b$라 할 때, $\angle a + \angle b$의 크기를 구하시오.

**20** 시계가 2시 40분을 가리키고 있을 때, 시침과 분침이 이루는 각 중 작은 각의 크기를 구하시오.

**21** 5시와 6시 사이에서 시침과 분침이 이루는 각이 67.5°인 시각을 모두 구하시오.

## 맞꼭지각

두 직선이 한 점에서 만날 때 생기는 4개의 각 중 $\angle a$와 $\angle c$, $\angle b$와 $\angle d$ 처럼 서로 마주 보는 한 쌍의 교각을 맞꼭지각이라 한다.

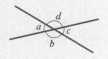

(1) 성질 : 맞꼭지각의 크기는 서로 같다.

$\angle a = \angle c$, $\angle b = \angle d$

(2) $n$개의 서로 다른 직선이 한 점에서 만날 때 생기는 맞꼭지각의 개수 : $n(n-1)$쌍

> 교각 : 두 직선이 한 점에서 만날 때 생기는 네 개의 각

**22** 다음은 두 직선이 한 점에서 만날 때, 맞꼭지각의 크기는 서로 같음을 설명한 것이다. ☐ 안에 알맞은 것을 써넣으시오.

> $\angle x = \angle y$임을 설명한다.

$\angle x + \angle z = \boxed{\text{(가)}}$ 이고, $\angle y + \angle z = \boxed{\text{(나)}}$ 이므로

$\angle x = \boxed{\text{(다)}}$

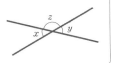

**23** 오른쪽 그림과 같이 서로 다른 5개의 직선이 한 점에서 만날 때, 맞꼭지각은 모두 몇 쌍이 생기는지 구하시오.

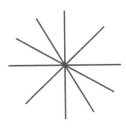

> $n$개의 서로 다른 직선이 한 점에서 만날 때 생기는 맞꼭지각의 개수 : $n(n-1)$쌍

**24** 오른쪽 그림과 같이 서로 다른 7개의 직선이 한 점에서 만날 때, $\angle a + \angle b + \angle c + \angle d + \angle e + \angle f + \angle g$의 크기를 구하시오.

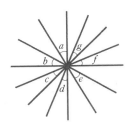

> 맞꼭지각의 크기는 서로 같다.

**25** 오른쪽 그림과 같이 서로 다른 6개의 직선이 한 점에서 만날 때, $2\angle x + \angle y$의 크기를 구하시오.

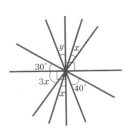

(1) 수직과 수선 : 두 직선 AB, CD의 교각이 직각일 때, 두 직선은 직교한 다고 하고, 이것을 기호로 $\overleftrightarrow{AB} \perp \overleftrightarrow{CD}$와 같이 나타낸다.
이때 두 직선은 서로 수직이라 하고, 한 직선은 다른 직선의 수선이라 한다.

(2) 수선의 발 : 직선 $l$ 위에 있지 않은 점 P에서 직선 $l$에 수선을 그었을 때 생기는 교점 H

(3) 점과 직선 사이의 거리 : 한 점에서 한 직선에 그은 수선의 발까지의 거리

(4) 수직이등분선 : 한 선분의 중점을 지나고 이 선분에 수직인 직선

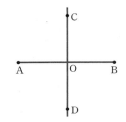

(2), (3)
점 P와 직선 $l$ 사이의 거리
수선의 발

(4)

$\overleftrightarrow{AB} \perp \overleftrightarrow{PQ}$, $\overline{AM} = \overline{BM}$일 때, $\overleftrightarrow{PQ}$를 $\overline{AB}$의 수직이등분선이라 한다.

**26** 오른쪽 그림에서 $\overleftrightarrow{CD}$가 $\overline{AB}$의 수직이등분선일 때, 다음 중 옳은 것은?

① $\overline{OA} = \overline{OB} = \overline{OC} = \overline{OD}$
② $\overline{AB} \perp \overleftrightarrow{CD}$, $\overline{OA} = \overline{OB}$
③ $\overline{OA} = \overline{OB}$, $\overline{OC} = \overline{OD}$
④ $\overline{AB} \perp \overleftrightarrow{CD}$, $\overline{OC} = \overline{OD}$
⑤ $\overline{OA} = \overline{OC}$, $\overline{OB} = \overline{OD}$

**27** 오른쪽 그림에서 $\overleftrightarrow{PQ}$가 $\overline{AB}$의 수직이등분선일 때, 다음 물음에 답하시오.

(1) $\angle POD$의 크기를 구하시오.

(2) $\overline{BO}$의 길이를 구하시오.

(3) $\overline{PQ} = 10$ cm이고, $\overline{AB}$가 $\overline{PQ}$를 수직이등분할 때, 점 Q에서 $\overline{AB}$까지의 거리를 구하시오.

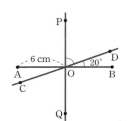

$\overleftrightarrow{PQ}$가 $\overline{AB}$의 수직이등분선이므로 $\overline{AB} \perp \overleftrightarrow{PQ}$, $\overline{OA} = \overline{OB}$

**28** 오른쪽 그림에서 $\overleftrightarrow{AB} \perp \overleftrightarrow{CO}$, $\angle AOD = 10 \angle COD$, $\angle BOE = 3 \angle DOE$일 때, $\angle COE$의 크기를 구하시오.

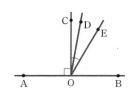

## 평행선 – 동위각과 엇각

(1) 평행선의 성질

평행선과 다른 한 직선이 만날 때,

① 동위각의 크기는 서로 같다. 즉, $\angle a = \angle b$

② 엇각의 크기는 서로 같다. 즉, $\angle b = \angle c$

(2) 평행선이 되는 조건

서로 다른 두 직선이 다른 한 직선과 만날 때,

① 동위각의 크기가 같으면 두 직선은 서로 평행하다.

② 엇각의 크기가 같으면 두 직선은 서로 평행하다.

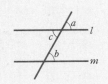

한 평면 위의 두 직선 $l$, $m$이 만나지 않을 때, 두 직선 $l$, $m$을 평행이라 하고, 기호로 $l /\!/ m$과 같이 나타낸다. 이때 평행인 두 직선을 평행선이라 한다.

**29** 오른쪽 그림에 대하여 다음 물음에 답하시오.

(1) $\angle a$의 동위각을 모두 찾으시오.

(2) $\angle a$의 엇각을 모두 찾으시오.

(3) $\angle c$의 동위각의 개수를 $x$, $\angle b$의 엇각의 개수를 $y$라 할 때, $x - y$의 값을 구하시오.

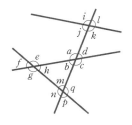

(i) 동위각 : 같은 위치에 있는 두 각
⇨ $\angle a$와 $\angle e$, $\angle b$와 $\angle f$, $\angle c$와 $\angle g$, $\angle d$와 $\angle h$

(ii) 엇각 : 엇갈린 위치에 있는 두 각
⇨ $\angle b$와 $\angle h$, $\angle c$와 $\angle e$

**30** 다음 그림에서 $l /\!/ m$일 때, $\angle x$의 크기를 구하시오.

(1)
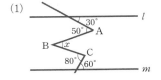

(2)
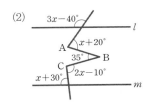

세 점 A, B, C에서 두 직선 $l$, $m$에 평행한 직선을 긋는다.

**31** 다음 그림과 같이 직사각형 모양의 종이를 접었을 때, $\angle x$와 $\angle y$의 크기를 각각 구하시오.

(1)
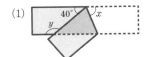

(2)
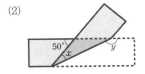

접은 각의 크기는 서로 같고, 평행선에서 엇각의 크기는 서로 같다.

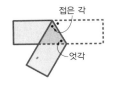

**32** 오른쪽 그림에서 $l /\!/ m$일 때, $\angle x - \angle y$의 크기를 구하시오.

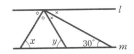

평행선에서 엇각의 크기는 서로 같다.

# 실력 높이기

**1** 다음 **보기** 중 참인 것이 $a$개, 거짓인 것이 $b$개일 때, $2a-b$의 값을 구하시오.

┌─ **보기** ─┐
ㄱ. 동위각의 크기는 항상 같다.
ㄴ. 서로 다른 두 점을 지나는 직선은 무수히 많다.
ㄷ. 서로 다른 두 직선은 두 점에서 만난다.
ㄹ. 선분 AB의 길이가 5 cm이면 $\overrightarrow{AB}=5$ cm이다.
ㅁ. 한 쌍의 엇각의 크기가 같은 두 직선은 평행하다.
ㅂ. 서로 다른 두 점은 오직 하나의 직선을 결정한다.
ㅅ. 선분의 양 끝 점에서 같은 거리에 있는 점은 중점뿐이다.
ㅇ. 두 점 사이의 거리는 이 두 점을 양 끝 점으로 하는 선분의 길이와 같다.
ㅈ. 한 점에서 시작되는 서로 다른 두 반직선으로 이루어진 도형을 각이라 한다.

**2** 오른쪽 그림과 같이 직선 AD 위에 네 점 A, B, C, D가 있을 때, 다음 **보기** 중 옳지 <u>않은</u> 것을 모두 고르시오.

수직선 위에 나타내 비교한다.

┌─ **보기** ─┐
ㄱ. $\overline{AB}$와 $\overline{BC}$의 공통 부분은 $\overline{BC}$이다.
ㄴ. $\overrightarrow{AB}$와 $\overleftarrow{CD}$를 합한 부분은 $\overleftrightarrow{AB}$이다.
ㄷ. $\overrightarrow{AB}$와 $\overleftarrow{CD}$의 공통 부분은 $\overline{CD}$이다.
ㄹ. $\overrightarrow{AB}$와 $\overleftarrow{BC}$의 공통 부분은 점 B이다.
ㅁ. $\overrightarrow{BA}$와 $\overrightarrow{CD}$의 공통 부분은 없다.
ㅂ. $\overleftrightarrow{AB}$와 $\overleftrightarrow{BA}$의 공통 부분은 $\overleftrightarrow{AB}$이다.

**3** 수직선 위의 세 점 A($a$), B($b$), C($c$)에 대하여 두 점 A와 B의 중점을 A∘B로 나타낼 때, (A∘B)∘C의 좌표를 구하시오.

두 점 A($a$)와 B($b$)의 중점 M의 좌표는 M$\left(\dfrac{a+b}{2}\right)$이다.

**4** 서술형

오른쪽 그림과 같이 $\overline{AB}$의 길이는 $a$이고, 점 M은 $\overline{AD}$의 중점이다. $\overline{AC}=\dfrac{1}{3}\overline{AB}$, $\overline{CD}=\dfrac{1}{3}\overline{CE}$, $\overline{BE}=2$일 때, $\overline{CM}$의 길이를 $a$에 관한 식으로 나타내시오.

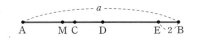

$\overline{AC}$, $\overline{CD}$의 길이를 $a$에 관한 식으로 나타낸 후 $\overline{MC}$의 길이를 구한다.

풀이

**5** 한 평면 위에 서로 다른 점들이 오른쪽 그림과 같이 있을 때, 이들 중 두 점을 지나는 직선의 개수를 $a$, 반직선의 개수를 $b$, 선분의 개수를 $c$라 하자. 이때 $a+b+c$의 값을 구하시오.

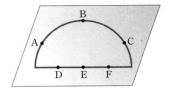

한 평면 위의 서로 다른 $n$개의 점 중 두 점을 지나는 선분의 개수 : $\dfrac{n(n-1)}{2}$

**6** 2시와 3시 사이에서 시계의 시침과 분침이 반대 방향으로 일직선이 되는 시각을 구하시오.

시침과 분침이 이루는 각의 크기는
$|30° \times (\text{시}) - 5.5° \times (\text{분})|$

**7**
서술형

5시와 6시 사이에 시침과 분침이 이루는 각의 크기가 60°일 때의 시각을 모두 구하시오.

5시와 6시 사이에서 문제의 조건에 맞는 경우는 2가지이다.

풀이

**8** 오른쪽 그림과 같이 서로 다른 6개의 직선이 한 점에서 만날 때, $\angle x + \angle y$의 크기를 구하시오.

맞꼭지각의 크기는 서로 같다.

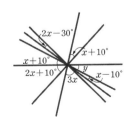

**9** 오른쪽 그림과 같이 서로 다른 4개의 직선이 한 점 O에서 만나
서술형  고, ∠AOC=9∠BOC, ∠COE=9∠COD이다. 이때
∠x+∠y의 크기를 구하시오.

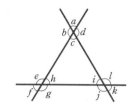

풀이

맞꼭지각의 크기는 같다.


**10** 오른쪽 그림에서 ∠b의 동위각과 ∠c의 엇각을 각각 구하시
오.

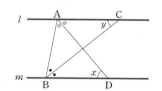

같은 위치에 있는 각과 엇갈린
위치에 있는 각을 찾아본다.


**11** 오른쪽 그림에서 $l /\!/ m$, ∠CAB : ∠ABD=5 : 4이고,
서술형  $\overline{AD}$, $\overline{BC}$는 각각 ∠CAB, ∠ABD의 이등분선이다. 이때
∠x−∠y의 크기를 구하시오.

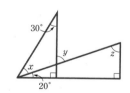

풀이

평행선과 다른 한 직선이 만날
때, 엇각의 크기는 같다.


**12** 오른쪽 그림에서 ∠x+∠y+∠z의 크기를 구하시오.

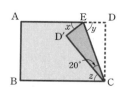

삼각형의 내각의 크기의 합은
180°이다.


**13** 오른쪽 그림은 직사각형 ABCD의 일부분을 접은 것이다. 이
때 ∠x+∠y−∠z의 크기를 구하시오.

접은 각의 크기는 같으므로
∠DEC=∠D'EC,
∠DCE=∠D'CE

**14** 오른쪽 그림에서 $l /\!/ m$일 때, $\angle x + \angle y$의 크기를 구하시오.

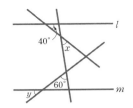

삼각형의 세 내각의 크기의 합은 180°이다.

**15** 오른쪽 그림에서 $l /\!/ m$이고, $\angle x : \angle y = 3 : 2$일 때, $\angle x - \angle y$의 크기를 구하시오.

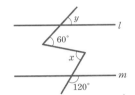

꺾인 점에서 평행선을 그어, 평행선의 성질을 이용한다.

**16**
서술형
오른쪽 그림은 점 O를 중심으로 하는 반원을 그린 것이다. $\overline{OA} = \overline{CD}$, $\overline{BC} /\!/ \overline{OZ}$일 때,
$\angle XOZ : \angle YOZ$를 가장 간단한 자연수의 비로 나타내시오.

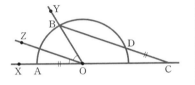

보조선 OD를 긋는다.

풀이

**17** 오른쪽 그림에서 $l /\!/ m$일 때, $\angle a + \angle b + \angle c + \angle d$의 크기를 구하시오.

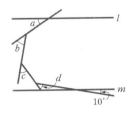

**18** 오른쪽 그림에서 $\overline{AB} /\!/ \overline{CD}$이고, $\overline{BC} /\!/ \overline{DE}$일 때, $2\angle a - \angle b$의 크기를 구하시오.

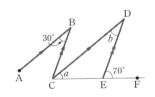

평행선의 성질을 이용한다.

**19** 오른쪽 그림은 직사각형 ABCD를 꼭짓점 A는 A′, 꼭짓점 C는 C′, 꼭짓점 D는 D′에 오도록 접은 것이다. 이때 ∠$x$의 크기를 구하시오.

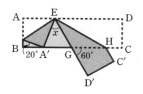

**20** 오른쪽 그림에서 $l /\!/ m$일 때, ∠$x$ + ∠$y$의 크기를 구하시오. (단, 꺾인 점을 동시에 지나는 직선은 $l$, $m$과 평행하다.)

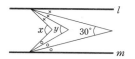

꺾인 점에서 두 직선 $l$, $m$과 평행한 직선을 그어 본다.

**21** 오른쪽 그림에서 $l /\!/ m$이고 △ABC는 정삼각형일 때, ∠$x$ − ∠$y$의 크기를 구하시오.

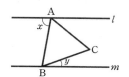

정삼각형의 한 내각의 크기는 60°이고, 평행선에서 동위각, 엇각의 크기는 각각 같다.

**22** 서술형 오른쪽 그림에서 $l /\!/ m$이고, □ABCD는 정사각형이다. ∠PAD : ∠RCD = 3 : 7일 때, ∠$x$의 크기를 구하시오.

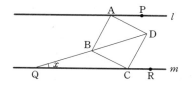

∠PAD + ∠RCD = 90°임을 이용한다.

풀이

**23** 오른쪽 그림에서 $l /\!/ m$이고, $2\angle \text{ABD}=3\angle \text{CBD}$일 때, $\angle \text{CBD}$의 크기를 구하시오.

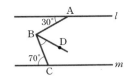

점 B를 지나고 두 직선 $l$, $m$과 평행한 직선을 그어 본다.

**24** 오른쪽 그림의 평행사변형 ABCD에서 $\angle \text{BAE}=\angle \text{DAE}$일 때, $\angle x$의 크기를 구하시오.

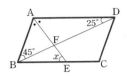

평행선의 성질을 이용한다.

**25** 오른쪽 그림에서 $l /\!/ m$일 때,
서술형 $\angle a+\angle b+\angle c+\angle d+\angle e+\angle f$의 크기를 구하시오.

풀이

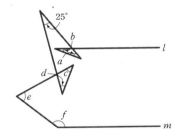

사각형의 내각의 크기의 합은 $360°$이다.

**26** 오른쪽 그림에서 $l /\!/ m$일 때, $\angle x+\angle y$의 크기를 구하시오.

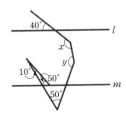

삼각형의 한 외각의 크기는 그와 이웃하지 않는 두 내각의 크기의 합과 같다.

**1** 길이가 18 cm인 선분 AB 위에 $\overline{AE}=2\overline{EB}$인 점 E를 잡고, $\overline{AB}$의 연장선 위에 $\overline{AC}=2\overline{BC}$인 점 C를 잡았다. $\overline{AB}$의 중점을 D, $\overline{EC}$의 중점을 F라 할 때, $\overline{DF}$의 길이를 구하시오.

주어진 조건에 따라 각각의 점을 그림으로 나타내 본다.

**2** 오른쪽 그림에서 ∠C와 ∠D의 이등분선의 교점이 점 E이고, ∠CED=$x$, ∠A+∠B=$y$라 할 때, $x$와 $y$ 사이의 관계식을 구하시오.

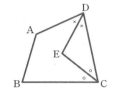

사각형의 네 내각의 크기의 합은 360°이다. 즉,
∠A+∠B+∠C+∠D
=360°

**3** 오른쪽 그림에서 $\overline{DE}/\!/\overline{BC}$이고 ∠DBI=∠IBC, ∠ECI=∠ICB일 때, $\overline{CE}$의 길이를 구하시오.

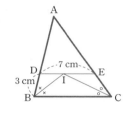

평행선의 성질을 이용한다.

**4** 오른쪽 그림에서 $l/\!/m$이고 2∠BEC=∠CEF, 2∠AEB=∠AED일 때, ∠$x$-∠$y$의 크기를 구하시오.

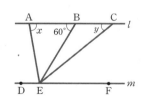

2∠BEC=∠CEF이므로
∠CEF=$\frac{2}{3}$∠BEF
2∠AEB=∠AED이므로
∠AED=$\frac{2}{3}$∠BED

**5** 오른쪽 그림과 같은 정오각형 ABCDE에서 $l /\!/ m$일 때, $\angle x$의 크기를 구하시오.

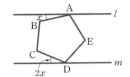

정오각형의 한 내각의 크기는 108°이다.

**6** 오른쪽 그림과 같이 평행사변형 ABCD의 꼭짓점 C가 C′에 오도록 접었을 때, $\overline{BA}$와 $\overline{DC'}$의 연장선의 교점을 E라 하자. $\angle BED=80°$일 때, $\angle BDE$의 크기를 구하시오.

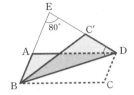

평행사변형에서 마주 보는 두 변은 각각 평행하다.

**7** 오른쪽 그림에서 $\overline{AC} /\!/ \overline{DE}$이고, $\overline{AB}=\overline{AC}=\overline{CD}$이다. $\angle ABC=\angle a$라 할 때, $\angle CDE$를 $\angle a$를 사용하여 나타내시오.

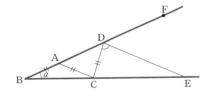

이등변삼각형의 두 밑각의 크기는 같다.

**8** 오른쪽 그림은 직사각형 ABCD에서 점 D가 점 B에 오도록 접은 것이다. $\angle EFB=50°$일 때, $\angle ABE$의 크기를 구하시오.

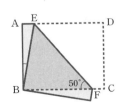

직사각형에서 마주 보는 두 변은 각각 평행하고 한 내각의 크기는 90°이다.

삼각형의 한 외각의 크기는 그와 이웃하지 않는 두 내각의 크기의 합과 같다.

**Challenge**

**9** 오른쪽 그림에서 $l /\!/ m$일 때, $\angle a + \angle b + \angle c + \angle d + \angle e$의 크기를 구하시오.

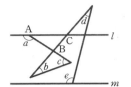

꺾인 점에서 두 직선 $l$, $m$과 평행한 직선을 그어 본다.

**Challenge**

**10** 오른쪽 그림에서 $l /\!/ m$이고, $\angle x : \angle y = 3 : 2$일 때, $2\angle x - \angle y$의 크기를 구하시오.

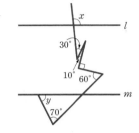

# [11~13]

(가) 혹시 이 세상에 '각도'란 것이 없었다면 어땠을까? 언뜻 생각해도 상당히 불편하겠다는 생각이 들지 않는가? 사실 '각도'란 것이 없어도 '바퀴'라는 말로 회전의 정도를 대신 표현할 수 있기는 하다. 하지만 "이 문은 오른쪽으로 30° 이상 돌리면 열립니다."와 "이 문은 오른쪽으로 $\frac{1}{12}$바퀴 이상 돌리면 열립니다."라는 두 표현을 비교해 보면 아무래도 후자는 복잡하기만 하고 정확도는 떨어지는 느낌이다. 더구나 이런 식으로 생활에서 쓰이고 있는 모든 각도를 '바퀴'라는 단위로 대신 표현한다면 아무리 분수를 사용하여 표현한다고 해도 '각도'를 사용할 때의 정확도와 편리성을 기대하기는 어려울 것이다.

(나) 지구본 위에 삼각형을 그린 후 그 내각의 크기의 합을 구해보면 180°를 훨씬 넘는다. 그렇다! 어떤 다각형이든지 구의 표면에 그리게 되면 그 내각의 크기의 합은 우리가 알고 있는 것보다 크다. 그 까닭은 평면에서 정의된 도형을 구의 표면에 그리면 그 각각의 내각이 평면일 때보다 커지기 때문이다. 하지만 평면도형임을 가정하고 지구 상에 구조물을 만들어도 그 오차가 아주 작아 전혀 문제가 되지 않기 때문에 지도, 설계도 등을 만들 때 평면도형을 사용한다.

**11** (가)의 내용에 근거하여 다음을 '바퀴'는 '각도'로, '각도'는 '바퀴'로 바꾸시오.

$\dfrac{7}{15}$바퀴,　　720°,　　$\dfrac{7}{8}$바퀴,　　22.5°,　　$1\dfrac{4}{9}$바퀴

**12** (나)의 그림은 북극을 점 A, 적도 위의 두 점을 B, C라 놓고 $\angle BAC=90°$인 삼각형을 지구본 위에 그린 것이다. 이때 △ABC의 내각의 크기의 합을 구하시오.

**13** 지도에서 일직선 상에 있는 두 지점 묵호항과 금강 사이의 거리를 측정한 후 실제 거리로 환산하면 198.83 km가 된다고 한다. 하지만 차를 타고 이동하면서 실제로 측정해 보면 두 지점 사이의 거리는 199.51 km가 된다. 이때 (나)의 내용을 참고하여 지도와 차를 이용하여 측정한 실제 거리가 서로 다른 이유를 말하고, 두 지점을 차를 타고 이동한 거리가 실제 어떤 도형인지 말하시오.

# 2 위치 관계

## 1 점과 직선의 위치 관계

(1) 점 A는 직선 $l$ 위에 있다.

(2) 점 B는 직선 $l$ 위에 있지 않다.

## 2 한 평면 위에 있는 두 직선의 위치 관계

(1) 한 점에서 만난다.　　　(2) 평행하다.　　　　　(3) 일치한다.

## 3 공간에서 두 직선의 위치 관계

(1) 한 점에서 만난다.　　　(2) 평행하다.　　　　　(3) 꼬인 위치에 있다.

■공간에서 두 직선의 위치 관계
(1), (2) : 한 평면 위에 있다.
(2), (3) : 만나지 않는다.

## 4 평면이 하나로 결정되기 위한 조건

(1) 한 직선 위에 있지 않은 서로 다른 세 점　　　(2) 한 직선과 그 직선 밖에 있는 한 점

(3) 한 점에서 만나는 두 직선　　　(4) 평행한 두 직선

## 5 공간에서 직선과 평면의 위치 관계

(1) 직선이 평면에 포함된다.

(2) 직선과 평면이 한 점에서 만난다.

(3) 직선과 평면이 평행하다.

■직선과 평면의 위치 관계
(1)

(2)

(3)

## 6 두 평면의 위치 관계

(1) 만난다.　　　　　　　(2) 평행하다. (만나지 않는다.) (3) 일치한다.

■두 평면의 위치 관계
(1)

(2)

(3)

## 7 수직 관계

(1) **직선과 평면의 수직** : 직선 $l$이 평면 $P$와 한 점 O에서 만나고 직선 $l$이 점 O를 지나는 평면 $P$ 위의 모든 직선과 수직일 때, 직선 $l$과 평면 $P$는 수직이다. 즉, $l \perp P$

(2) **두 평면의 수직** : 두 평면 $P$와 $Q$가 만나고 평면 $P$가 평면 $Q$에 수직인 직선 $l$을 포함할 때, 두 평면 $P$, $Q$는 서로 수직이라 한다. 즉, $P \perp Q$

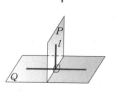

# 1 STEP 주제별 실력다지기

## 한 평면 위에 있는 두 직선의 위치 관계

(1) 한 점 P에서 만난다.    (2) 평행하다. ($l \parallel m$)    (3) 일치한다. ($l = m$)

두 직선 $l$, $m$이 한 점 P에서 만날 때, 점 P를 두 직선 $l$과 $m$의 교점이라 한다.

---

**1** 다음 **보기** 중 오른쪽 그림의 직선과 점에 대한 설명으로 옳지 <u>않은</u> 것을 모두 고르시오.

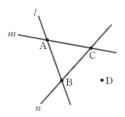

┌─────── 보기 ───────┐
ㄱ. 점 A는 직선 $l$ 위의 점이다.
ㄴ. 점 B는 직선 $m$에 속한다.
ㄷ. 점 C는 직선 $l$ 위의 점이 아니다.
ㄹ. 점 D는 직선 $n$에 속하지 않는다.
ㅁ. 직선 $l$과 직선 $m$의 공통 부분은 점 B이다.
ㅂ. 직선 $m$과 직선 $n$의 공통 부분은 점 C이다.
ㅅ. 점 A는 직선 $l$ 위에 있지만, 직선 $n$ 위에 있지는 않다.
ㅇ. 직선 $l$은 점 D를 지나지 않는다.
└─────────────────────┘

점 A가 직선 $l$ 위에 있다.
⇨ 직선 $l$은 점 A를 지난다.
점 A가 직선 $l$ 위에 있지 않다.
⇨ 직선 $l$은 점 A를 지나지 않는다.

---

**2** 다음 **보기** 중 한 평면 위에 있는 두 직선에 대한 설명으로 옳은 것을 모두 고르시오.

┌─────── 보기 ───────┐
ㄱ. 서로 만나지 않는 두 직선은 평행하다.
ㄴ. 서로 다른 두 점을 지나는 직선은 2개이다.
ㄷ. 서로 다른 세 점을 지나는 직선은 반드시 존재한다.
ㄹ. 한 직선과 두 점에서만 만나는 직선은 존재한다.
ㅁ. 두 직선의 교점이 무수히 많으면 두 직선은 일치한다.
ㅂ. 한 직선 위에 있지 않은 점을 지나고, 이 직선과 수직인 직선은 2개이다.
ㅅ. 한 직선 위에 있지 않은 점을 지나고, 이 직선과 평행한 직선은 1개이다.
└─────────────────────┘

---

**3** 한 평면 위에 있는 서로 다른 4개의 직선 $a$, $b$, $c$, $d$에 대하여 $a \parallel b$, $b \parallel c$, $a \parallel d$일 때, 두 직선 $c$와 $d$는 어떤 관계에 있는지 말하시오.

한 평면 위에서 서로 다른 두 직선은 만나거나 평행하다.

(1) 한 점에서 만난다.

    즉, 직선 $l$과 직선 $m$의 공통 부분은 점 P이다.

(2) 평행하다.

    즉, 직선 $l$과 직선 $m$의 공통 부분은 없다.

(3) 꼬인 위치에 있다.

    즉, 직선 $l$과 직선 $m$의 공통 부분은 없다.

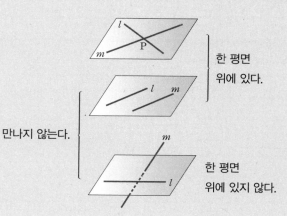

한 평면 위에 있다.

만나지 않는다.

한 평면 위에 있지 않다.

공간에서 만나지도 않고, 평행하지도 않은 두 직선을 꼬인 위치에 있다고 하며, 꼬인 위치에 있는 두 직선은 한 평면 위에 있지 않다.

**4** 오른쪽 그림과 같은 삼각기둥에 대하여 다음을 모두 구하시오.

(단, 삼각형 ABC는 직각삼각형이 아니다.)

(1) 모서리 AD와 평행한 모서리

(2) 모서리 AB와 수직으로 만나는 모서리

(3) 모서리 AC와 한 점에서 만나는 모서리

(4) 모서리 BC와 꼬인 위치에 있는 모서리

(5) 모서리 BE와 만나지 않는 모서리

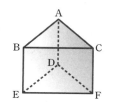

(5) 공간에서 두 직선이 만나지 않는 경우
   (i) 평행할 때
   (ii) 꼬인 위치에 있을 때

**5** 오른쪽 그림과 같은 전개도로 만든 삼각뿔에서 $\overline{AB}$와 꼬인 위치에 있는 모서리를 구하시오.

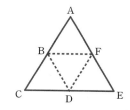

꼬인 위치에 있는 두 모서리는 만나지도 않고 평행하지도 않으며 한 평면 위에 있지 않다.

**6** 공간에서 서로 다른 세 직선 $l$, $m$, $n$에 대하여 다음 중 옳은 것은?

① $l \perp m$, $l \perp n$이면 $m \perp n$

② $l \,/\!/\, m$, $l \,/\!/\, n$이면 $m \,/\!/\, n$

③ $l \perp m$, $l \perp n$이면 $m \,/\!/\, n$

④ $l \,/\!/\, m$, $l \perp n$이면 $m \,/\!/\, n$

⑤ $l \,/\!/\, m$, $l \perp n$이면 $m \perp n$

## 평면이 하나로 결정되기 위한 조건

(1) 한 직선 위에 있지 않은 서로 다른 세 점

(2) 한 직선과 그 직선 밖에 있는 한 점

(3) 한 점에서 만나는 두 직선

(4) 평행한 두 직선

평면의 결정 조건

**7** 다음 **보기** 중 평면이 하나로 결정되기 위한 조건인 것을 모두 고르시오.

┌──────── 보기 ────────┐

ㄱ. 서로 만나지도 평행하지도 않은 두 직선

ㄴ. 한 점에서 만나는 두 직선

ㄷ. 한 직선과 그 직선 위에 있지 않은 두 점

ㄹ. 서로 일치하는 두 직선

ㅁ. 평행한 두 직선

ㅂ. 한 직선 위에 있는 세 점

ㅅ. 한 직선과 그 직선 위에 있는 한 점

ㅇ. 수직으로 만나는 두 직선

**8** 다음을 구하시오.

(1) 공간에서 한 평면 위에 있지 않고, 서로 평행한 세 직선 $l$, $m$, $n$에 대하여 이들 중 두 직선을 포함하는 평면의 개수

(2) 공간에서 한 평면 위에 있지 않은 세 직선 $l$, $m$, $n$이 한 점에서 만날 때, 이들 중 두 직선을 포함하는 평면의 개수

각각을 입체적으로 그려보면

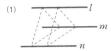

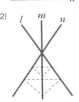

**9** 다음 그림에서 세 점으로 결정되는 평면의 개수를 구하시오.

(단, 네 점 A, B, C, D는 한 평면 위에 있다.)

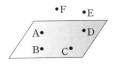

한 직선 위에 있지 않은 서로 다른 세 점이 한 평면을 결정한다.

(1) 직선과 평면의 위치 관계

① 직선이 평면에 포함된다.

즉, 직선 $l$은 평면 $P$에 포함된다.

② 직선과 평면이 한 점에서 만난다.

즉, 직선 $l$과 평면 $P$의 공통 부분은 점 A이다.

③ 직선과 평면이 평행하다. (직선과 평면이 만나지 않는다.)

즉, $l /\!/ P$

(2) 직선과 평면의 수직

직선 $l$이 평면 $P$와 한 점 O에서 만나고, 직선 $l$이 점 O를 지나는 평면 $P$ 위의 모든 직선과 수직일 때, 직선 $l$과 평면 $P$는 수직이라 하고, 기호로 $l \perp P$와 같이 나타낸다.

> 공간에서 항상 성립하는 관계
> (1) 한 직선에 평행한 서로 다른 두 직선은 평행하다.
> (2) 한 직선에 수직인 서로 다른 두 평면은 평행하다.
> (3) 한 평면에 수직인 서로 다른 두 직선은 평행하다.

**10** 오른쪽 그림의 직육면체에 대하여 다음 물음에 답하시오.

(1) 면 AEHD와 수직인 모서리를 모두 구하시오.

(2) $\overline{AB}$와 수직인 면을 모두 구하시오.

(3) $\overline{EF}$를 포함하는 면을 모두 구하시오.

(4) $\overline{AD}$와 평행한 면을 모두 구하시오.

(5) 점 A와 면 EFGH 사이의 거리를 구하시오.

(6) $\angle BDH$의 크기를 구하시오.

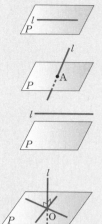

> (5) 점 A와 평면 $P$ 사이의 거리는 점 A에서 평면 $P$에 내린 수선의 발 H까지의 거리, 즉 $\overline{AH}$의 길이이다.
>
> 점 A에서 평면 $P$까지의 거리

**11** 오른쪽 그림은 평면 $P$ 위에 직사각형 모양의 종이를 반으로 접어서 올려 놓은 것이다. 다음 중 평면 $P$와 $\overline{BE}$가 수직임을 설명한 것은?

① $\overline{BE} \perp \overline{DE}$, $\overline{DE} \perp \overline{EF}$

② $\overline{BE} \perp \overline{EF}$, $\overline{DE} \perp \overline{EF}$

③ $\overline{BE} \perp \overline{DE}$, $\overline{CE} \perp \overline{DE}$

④ $\overline{BE} \perp \overline{DE}$, $\overline{BE} \perp \overline{EF}$

⑤ $\overline{AF} \perp \overline{EF}$, $\overline{DE} \perp \overline{EF}$

> 직선과 평면의 수직 : 직선은 평면과 한 점에서 만나고 그 점을 지나는 평면 위의 최소한 2개의 직선과 동시에 수직이어야 한다.

---

**중1 도형의 기초**

**직선과 평면의 수직**

직선 $l$이 평면 $P$와 한 점 O에서 만나고, 직선 $l$이 점 O를 지나는 평면 $P$ 위의 모든 직선과 수직일 때, 직선 $l$과 평면 $P$는 수직이다.

**고 등 까 지 연 결 되 는 중등개념**

**고3 공간도형**

**'평면에서 공간으로의 확장은 각에 대한 새로운 약속을 만든다.'**

**1. 직선과 평면이 이루는 각**

직선 $l$ 위의 한 점 A에서 평면 $P$에 내린 수선의 발을 H라 할 때, $\overline{OA}$와 $\overline{OH}$가 이루는 각의 크기 $\theta$가 직선 $l$과 평면 $P$가 이루는 각의 크기이다.

**2. 두 평면이 이루는 각**

두 평면 $P$, $Q$의 교선 $l$에 각각 수직인 두 직선 $m$과 $n$이 이루는 각의 크기 $\theta$가 두 평면 $P$, $Q$가 이루는 각의 크기이다.

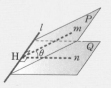

**12** 오른쪽 삼각기둥에서 면 ABC와 $\overline{BE}$가 수직임을 설명할 때, 다음 중 필요하지 <u>않은</u> 것을 모두 고르면? ( 정답 2개 )

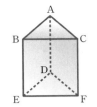

① $\overline{AB}$와 $\overline{BC}$는 면 ABC 위에 있다.
② $\overline{AB} \perp \overline{BE}$
③ $\overline{AC}$와 $\overline{BE}$는 만나지 않는다.
④ $\overline{BC} \perp \overline{BE}$
⑤ $\overline{AB} \perp \overline{AC}$

면 ABC와 $\overline{BE}$가 수직이 되려면 $\overline{BE}$는 면 ABC 위의 최소한 2개의 직선과 수직이어야 한다.

**13** 오른쪽 그림은 직육면체의 일부분을 $\overline{AE}$를 지나는 평면으로 잘라내고 남은 입체도형이다. 다음 물음에 답하시오.

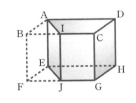

(1) $\overline{CI}$와 수직인 면의 개수를 $a$, 면 AEJI와 평행한 모서리의 개수를 $b$라 할 때, $a+b$의 값을 구하시오.

(2) $\overline{EJ}$와 평행한 평면의 개수를 $c$, 면 AICD와 수직인 모서리의 개수를 $d$, $\overline{CD}$와 꼬인 위치에 있는 모서리의 개수를 $e$라 할 때, $c-d+e$의 값을 구하시오.

**14** 오른쪽 그림과 같은 정팔면체에서 $\overline{AB}$와 꼬인 위치에 있는 모서리의 개수를 $a$, $\overline{AB}$와 평행한 모서리의 개수를 $b$라 할 때, $a+b$의 값을 구하시오.

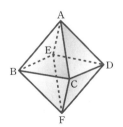

공간에서 두 직선이 만나지도 않고, 평행하지도 않을 때 꼬인 위치에 있다고 한다.

(1) 두 평면의 위치 관계

① 만난다.

즉, 두 평면 $P$와 $Q$의 공통 부분은 직선 $l$이다.

② 평행하다. (만나지 않는다.)

즉, $P /\!/ Q$이고 두 평면 $P$와 $Q$의 공통 부분은 없다.

③ 일치한다.

즉, $P = Q$

(2) 두 평면의 수직

두 평면 $P$와 $Q$가 만나고 평면 $P$가 평면 $Q$에 수직인 직선 $l$을 포함할 때, 두 평면 $P$, $Q$는 서로 수직이라 하고, 기호로 $P \perp Q$와 같이 나타낸다.

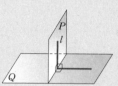

최상위 02 NOTE 풀이 13쪽

평면을 나타낼 때는 단지 시각적인 이해를 위해 평행사변형으로 나타내지만 실제로는 테두리가 무한히 뻗어나간다. 즉, 평면의 범위는 무한하다.

항상 성립하는 두 평면의 위치 관계
(1) 한 평면에 평행한 서로 다른 두 평면은 평행하다.
(2) 한 평면에 평행한 평면과 수직인 평면은 서로 수직이다.

**15** 오른쪽 직육면체에 대하여 다음 물음에 답하시오.

(1) 면 BDHF와 수직인 면을 모두 구하시오.

(2) 면 ABCD와 면 EFGH 사이의 거리를 구하시오.

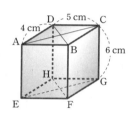

평행한 두 평면 사이의 거리 : 한 쪽 평면 위의 한 점에서 다른 평면에 그은 수선의 길이 ⇨ $\overline{AH}$

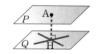

**16** 세 평면 $P$, $Q$, $R$가 한 점에서 만날 때, 세 평면 $P$, $Q$, $R$에 의해 공간은 몇 개의 부분으로 나누어지는지 구하시오.

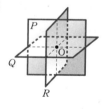

**17** 오른쪽 그림과 같은 전개도로 입체도형을 만들 때, 다음을 모두 구하시오.

(1) 면 ABCN과 평행한 면

(2) $\overline{AB}$와 수직인 면

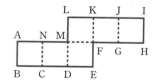

주어진 전개도로 입체도형을 만들어서 생각한다.

## 직선과 평면의 관계에 대한 복합문제

(1) 한 직선에 각각 평행한 두 직선은 서로 평행하다.

즉, $l /\!/ m$, $l /\!/ n$이면 $m /\!/ n$

(2) 한 직선에 각각 수직인 두 평면은 서로 평행하다.

즉, $l \perp P$, $l \perp Q$이면 $P /\!/ Q$

(3) 한 평면에 수직인 두 직선은 서로 평행하다.

즉, $P \perp l$, $P \perp m$이면 $l /\!/ m$

(4) 한 평면에 각각 평행한 두 평면은 서로 평행하다.

즉, $P /\!/ Q$, $P /\!/ R$이면 $Q /\!/ R$

(5) 한 평면에 평행한 평면과 수직인 평면은 서로 수직이다.

즉, $P /\!/ Q$, $P \perp R$이면 $Q \perp R$

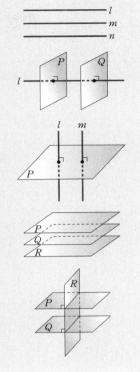

(1) :
직선과 직선의 위치 관계
(2), (3) :
직선과 평면의 위치 관계
(4), (5) :
평면과 평면의 위치 관계

**18** 다음 **보기** 중 공간에서 항상 평행한 위치 관계를 갖는 것을 모두 고르시오.

(단, 일치하는 경우는 생각하지 않는다.)

┌─────────────────── 보기 ───────────────────┐
ㄱ. 한 평면에 평행한 두 직선     ㄴ. 한 직선에 수직인 두 평면

ㄷ. 한 평면에 수직인 두 평면     ㄹ. 한 직선에 수직인 두 직선

ㅁ. 한 평면에 수직인 두 직선     ㅂ. 한 직선에 평행한 두 평면

ㅅ. 한 직선에 평행한 두 직선     ㅇ. 한 평면에 평행한 두 평면
└──────────────────────────────────────────┘

다음 그림과 같은 직육면체를 이용하여 생각해 본다.

**19** 공간에서 서로 다른 세 직선 $l$, $m$, $n$과 서로 다른 세 평면 $P$, $Q$, $R$에 대하여 다음 **보기** 중 옳은 것을 모두 고르시오.

┌─────────────────── 보기 ───────────────────┐
ㄱ. $l \perp m$, $m \perp n$이면 $l \perp n$     ㄴ. $P \perp Q$, $Q \perp R$이면 $P \perp R$

ㄷ. $P /\!/ Q$, $Q /\!/ R$이면 $P /\!/ R$     ㄹ. $l /\!/ m$, $m \perp n$이면 $l \perp n$

ㅁ. $l \perp P$, $m \perp P$이면 $l /\!/ m$     ㅂ. $P /\!/ Q$, $Q \perp R$이면 $P \perp R$

ㅅ. $l /\!/ P$, $m /\!/ P$이면 $l /\!/ m$     ㅇ. $P \perp Q$, $P \perp R$이면 $Q /\!/ R$

ㅈ. $l /\!/ P$, $l /\!/ Q$이면 $P /\!/ Q$     ㅊ. $l \perp P$, $l \perp Q$이면 $P /\!/ Q$
└──────────────────────────────────────────┘

한 가지라도 평행하지 않은 경우가 있으면 항상 평행하다고 할 수 없다.

**1** 다음 설명 중 옳지 <u>않은</u> 것을 모두 고르면? (정답 2개)

① 한 직선을 지나는 평면은 무수히 많다.

② 한 직선에 평행한 서로 다른 두 직선은 서로 평행하다.

③ 평행한 서로 다른 두 직선은 한 평면을 결정한다.

④ 서로 다른 세 직선 중에서 두 직선은 반드시 평행하다.

⑤ 공간에서 서로 만나지 않는 두 직선은 꼬인 위치에 있다.

**2** 공간에서 어느 세 직선도 한 평면 위에 있지 않은 서로 다른 네 직선 $a$, $b$, $c$, $d$가 서로 평행할 때, 이들 중 두 직선을 포함하는 평면의 개수를 구하시오.

**3** 서술형 오른쪽 그림과 같이 두 평면 $P$, $Q$가 서로 평행하고 두 평면 $P$, $Q$와 평면 $R$의 교선을 각각 $a$, $b$라 할 때, 두 직선 $a$, $b$ 사이의 위치 관계를 말하고, 그 이유를 서술하시오.

풀이

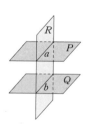

두 직선이 만나지 않고 한 평면 위에 있을 때, 두 직선은 평행하다.

**4** 오른쪽 그림과 같이 세 점 A, B, C는 평면 $P$ 위에 있고, 세 점 D, E, F는 평면 $Q$ 위에 있다. 이 6개의 점 중 어느 세 점도 일 직선 위에 있지 않을 때, 이들 중 세 점으로 결정되는 평면의 개수를 구하시오.

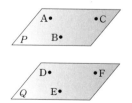

한 직선 위에 있지 않은 서로 다른 세 점은 한 평면을 결정한다.

**5**
서술형

오른쪽 그림과 같이 두 평면 $P$, $Q$는 평행하고, 평면 $P$ 위에 세 점 A, B, C가 있으며, 평면 $Q$ 위에 세 점 D, E, F가 있다. 세 점 A, B, C는 한 직선 위에 있지 않고 세 점 D, E, F는 한 직선 위에 있을 때, 평면이 하나로 결정되기 위한 조건을 모두 쓰고, 여섯 개의 점 A, B, C, D, E, F로 만들 수 있는 평면을 모두 구하시오.

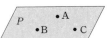

한 직선 위에 있는 세 점은 한 평면을 결정할 수 없다.

풀이

**6**

오른쪽 그림과 같은 전개도로 입체도형을 만들 때, 다음 두 모서리의 위치 관계가 나머지 넷과 다른 것은?

① $\overline{AB}$와 $\overline{CF}$
② $\overline{BC}$와 $\overline{EF}$
③ $\overline{AF}$와 $\overline{CD}$
④ $\overline{CF}$와 $\overline{DE}$
⑤ $\overline{AC}$와 $\overline{DE}$

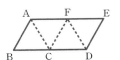

주어진 전개도로 입체도형을 만들어서 생각한다.

**7**

오른쪽 그림은 $\overline{CD}$를 지나는 평면으로 직육면체를 비스듬히 자르고 남은 입체도형이다. $\overline{CD}$와 수직으로 만나는 모서리의 개수가 $a$, $\overline{CD}$와 평행한 모서리의 개수가 $b$일 때, $2a-b$의 값을 구하시오.

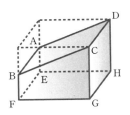

**8**

오른쪽 그림과 같은 전개도로 정육면체를 만들 때, 다음 **보기** 중 $\overline{CJ}$와 꼬인 위치에 있는 모서리를 모두 고르시오.

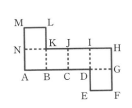

주어진 전개도로 입체도형을 만들어서 생각한다.

| 보기 |
|---|

ㄱ. $\overline{KN}$　　ㄴ. $\overline{BK}$　　ㄷ. $\overline{DI}$　　ㄹ. $\overline{DG}$
ㅁ. $\overline{MN}$　　ㅂ. $\overline{GH}$　　ㅅ. $\overline{EF}$　　ㅇ. $\overline{LM}$

**9** 오른쪽 그림과 같은 전개도로 입체도형을 만들 때, $\overline{\text{EF}}$와 수직
서술형 인 면의 개수를 $a$, $\overline{\text{LM}}$과 꼬인 위치에 있는 모서리의 개수를 $b$
라 하자. 이때 $a+b$의 값을 구하시오.

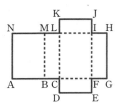

> 풀이

**10** 오른쪽 그림은 사각기둥의 일부를 밑면에 수직인 평면과 밑면에 평
서술형 행한 평면으로 잘라낸 것이다. $\overline{\text{CD}}$와 꼬인 위치이면서 $\overline{\text{DH}}$와 수직
으로 만나는 모서리 중 면 JGHK에 포함되지 않는 모서리를 구하시
오.

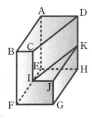

> 풀이

**11** 오른쪽 그림과 같은 두 평면 $P$, $Q$에 대하여 $P$, $Q$가 수직이
되기 위한 조건을 모두 고르면? (정답 2개)

① $\overline{\text{AO}} \perp \overline{\text{CD}}$　　　　② $\angle \text{OAB} = \angle \text{OBA}$

③ $\overline{\text{BO}} = \overline{\text{CD}}$　　　　④ $\overline{\text{AO}} \perp \overline{\text{BO}}$

⑤ $\overline{\text{BC}} = \overline{\text{BD}}$

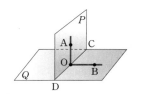

두 평면 $P$와 $Q$가 만나는 경우
에 평면 $P$가 평면 $Q$에 수직인
직선 $l$을 포함할 때, 두 평면은
수직이라 한다.

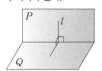

**[12~13]** 오른쪽 그림과 같은 전개도로 만든 입체도형에 대하여 다음 물음에 답하시오.

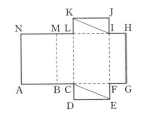

주어진 전개도로 입체도형을 만들어서 생각한다.

**12** 면 ABMN과 수직이고, 동시에 면 CDEF와 평행한 면을 구하시오.

**13** $\overline{CE}$와 $\overline{KI}$의 위치 관계를 말하시오.

**[14~15]** 오른쪽 그림은 밑면이 정오각형인 각기둥이다. 다음 물음에 답하시오.

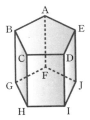

**14** $\overline{AB}$와 꼬인 위치에 있는 모서리의 개수를 $a$, $\overline{AB}$와 평행한 모서리의 개수를 $b$, $\overline{AB}$와 수직으로 만나는 모서리의 개수를 $c$라 할 때, $a-2b+c$의 값을 구하시오.

**15** 서로 평행한 평면의 쌍의 개수를 $x$, 면 ABCDE와 수직인 평면의 개수를 $y$, 면 ABGF와 수직인 평면의 개수를 $z$라 할 때, $3x-y+2z$의 값을 구하시오.

**[16~20]** 오른쪽 그림은 정육면체를 세 꼭짓점 A, C, F를 지나는 평면으로 잘라내고 남은 입체도형이다. 다음 물음에 답하시오.

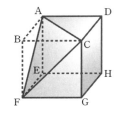

**16** 면 ACD와 수직인 모서리의 개수를 $a$, 면 AEHD와 수직인 면의 개수를 $b$, 면 ACF와 평행한 면의 개수를 $c$라 할 때, $2a-b+c$의 값을 구하시오.

**17** $\angle AFC + \angle ACD - \angle ACG$의 크기를 구하시오.

△AFC는 정삼각형이고, △ACD는 직각이등변삼각형 이다.

**18** $\overline{AC}$, $\overline{DH}$와 동시에 꼬인 위치에 있는 모서리를 모두 구하시오.

**19** 다음 중 옳지 <u>않은</u> 것은?

① $\overline{AF}$와 면 CGHD는 서로 평행하다.
② 면 ACD와 평행한 모서리는 4개이다.
③ $\overline{CF}$와 $\overline{EF}$는 수직이다.
④ $\overline{AD}$와 꼬인 위치에 있는 모서리는 3개이다.
⑤ $\overline{CF}$와 수직으로 만나는 모서리는 $\overline{CD}$, $\overline{EF}$이다.

**20** 공간에 있는 서로 다른 세 직선 $l$, $m$, $n$과 서로 다른 세 평면 $P$, $Q$, $R$에 대하여 다음 중 옳은 것을 모두 고르면? (정답 2개)

① $l /\!/ m$, $l \perp n$이면 $m /\!/ n$이다.　② $l \perp P$, $l \perp Q$이면 $P /\!/ Q$이다.
③ $l \perp m$, $l \perp n$이면 $m /\!/ n$이다.　④ $P \perp Q$, $Q \perp R$이면 $P /\!/ R$이다.
⑤ $l /\!/ P$, $l \perp Q$이면 $P \perp Q$이다.

공간에서 항상 평행한 관계
(1) 한 직선에 평행한 두 직선
(2) 한 직선에 수직인 두 평면
(3) 한 평면에 수직인 두 직선
(4) 한 평면에 평행한 두 평면

**1** 오른쪽 그림과 같이 평면 $P$ 위에 두 점 A, B가 있고, 평면 $Q$ 위에 네 점 C, D, E, F가 있을 때, 이들 6개의 점으로 만들 수 있는 평면의 개수를 구하시오. (단, 세 점 D, E, F를 제외하고 어떤 세 점도 일직선 위에 있지 않다.)

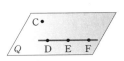

한 평면의 결정 조건
(1) 한 직선 위에 있지 않은 세 점
(2) 한 직선과 직선 밖의 한 점
(3) 한 점에서 만나는 두 직선
(4) 평행한 두 직선

**2** 오른쪽 그림은 삼각기둥의 일부를 밑면 HIJ에 수직인 평면과 평행한 평면으로 잘라낸 것이다. $\overline{\mathrm{BE}}$와 평행한 면의 개수를 $a$, $\overline{\mathrm{BC}}$와 꼬인 위치에 있는 모서리의 개수를 $b$라 할 때, $a+b$의 값을 구하시오.

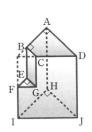

**3** 오른쪽 그림은 정육면체의 일부분을 평면으로 잘라낸 입체도형이다. $\overline{\mathrm{CD}}$와 만나지도 않고, 평행하지도 않은 모서리의 개수를 구하시오.

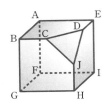

만나지도 않고, 평행하지도 않은 두 직선은 꼬인 위치에 있다.

**4** 오른쪽 그림과 같은 전개도로 입체도형을 만들 때, 다음 **보기** 중 $\overline{AD}$와 꼬인 위치에 있는 모서리가 아닌 것을 모두 고르시오.

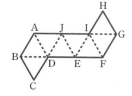

┌─────────────── 보기 ───────────────┐
ㄱ. $\overline{BC}$         ㄴ. $\overline{EI}$         ㄷ. $\overline{IJ}$
ㄹ. $\overline{FI}$         ㅁ. $\overline{EJ}$         ㅂ. $\overline{GF}$
└────────────────────────────────────┘

**[5~6]** 오른쪽 그림과 같은 정육각기둥에 대하여 다음 물음에 답하시오.

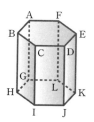

**5** $\overline{AB}$와 꼬인 위치에 있는 모서리를 모두 구하시오.

**6** $\overline{CD}$와 평행한 면의 개수를 $a$, 면 ABCDEF와 평행한 모서리의 개수를 $b$, $\overline{AG}$와 평행하지 않은 면의 개수를 $c$라 할 때, $a-b+c$의 값을 구하시오.

**7** 오른쪽 그림은 정육면체의 일부분을 평면으로 잘라내고 남은 삼각뿔이다. 다음 중 옳은 것을 모두 고르면? ( 정답 2개 )

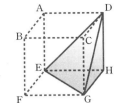

① 면 DEG와 $\overline{\rm DH}$는 수직이다.

② 면 DGH와 $\overline{\rm EH}$는 수직이다.

③ 면 EGH와 면 DEG는 수직이다.

④ $\overline{\rm EG}$와 $\overline{\rm DH}$는 꼬인 위치에 있다.

⑤ $\overline{\rm DE}$와 $\overline{\rm GH}$는 평행하다.

**Challenge**

**8** 오른쪽 그림과 같은 전개도로 삼각뿔대를 만들 때, $\overline{\rm AB}$와 꼬인 위치에 있는 모서리의 개수를 $a$, $\overline{\rm AB}$와 평행한 평면의 개수를 $b$, $\overline{\rm AB}$와 한 점에서 만나는 평면의 개수를 $c$라 할 때, $a-b+c$의 값을 구하시오.

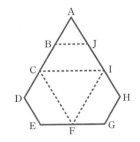

주어진 전개도로 입체도형을 만들어서 생각한다.

**Challenge**

**9** 오른쪽 그림은 정십이면체의 전개도이다. 평행한 면끼리 짝지으시오.

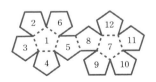

# 3 작도와 합동

## 1 기본 작도

눈금 없는 자와 컴퍼스만을 사용하여 도형을 그리는 것을 작도라 한다.

(1) 크기가 같은 각의 작도

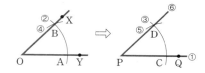

(2) 선분의 수직이등분선의 작도

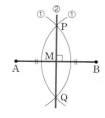

(3) 각의 이등분선의 작도

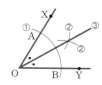

(4) 평각의 이등분선의 작도

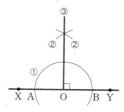

(5) 직선 밖의 한 점 P를 지나는 수선의 작도

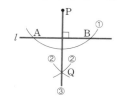

(6) 평행선의 작도

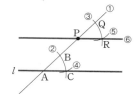

■ 눈금 없는 자의 이용
  ① 두 점을 연결하는 직선이나 선분을 그릴 때
  ② 선분을 연장할 때
■ 컴퍼스의 이용
  ① 원을 그릴 때
  ② 선분의 길이를 같은 길이로 다른 직선 위에 옮길 때

■ (4) 크기가 180°인 각을 평각이라 한다.

■ (5) 직선 밖의 한 점에서 그 직선에 수직으로 내린 선을 수선이라 한다.
  (6) 두 직선이 다른 한 직선과 만날 때, 동위각이나 엇각의 크기가 서로 같으면 두 직선은 서로 평행하다.

## 2 삼각형의 세 변의 길이 사이의 관계

세 변의 길이가 $a$, $b$, $c$인 삼각형에서 가장 긴 변의 길이가 $a$이면 $a < b + c$

## 3 삼각형이 하나로 결정되기 위한 조건

다음 각 경우에 삼각형의 모양과 크기가 하나로 결정된다.

(1) 세 변의 길이가 주어질 때
(2) 두 변의 길이와 그 끼인각의 크기가 주어질 때
(3) 한 변의 길이와 그 양 끝 각의 크기가 주어질 때

■ (1) 세 변의 길이가 주어질 때, 가장 긴 변의 길이가 나머지 두 변의 길이의 합보다 작아야 삼각형이 하나로 결정된다.

## 4 삼각형의 합동조건

두 삼각형은 다음의 각 경우에 서로 합동이다.

(1) 대응하는 세 변의 길이가 각각 같을 때 (SSS 합동)
(2) 대응하는 두 변의 길이가 각각 같고, 그 끼인각의 크기가 같을 때 (SAS 합동)
(3) 대응하는 한 변의 길이가 같고, 그 양 끝 각의 크기가 각각 같을 때 (ASA 합동)

■ S는 side(변), A는 angle(각)의 첫 글자이다.

# 1 STEP 주제별 실력다지기

## 기본 작도

작도 : 눈금 없는 자와 컴퍼스만을 사용하여 도형을 그리는 것

**(1) 크기가 같은 각의 작도**

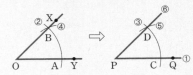

**(2) 선분의 수직이등분선의 작도**

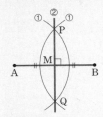

**(3) 각의 이등분선의 작도**

**(4) 평각의 이등분선의 작도**

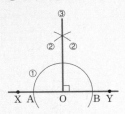

**(5) 직선 밖의 한 점을 지나는 수선의 작도**

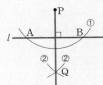

**(6) 직각의 삼등분선의 작도**

*Deep* **(7) 평행선의 작도 : 직선 $l$에 평행한 선의 작도**

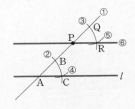

(1) $\overline{OA}=\overline{OB}=\overline{PC}=\overline{PD}$
 $\overline{AB}=\overline{CD}$이므로
 $\triangle OAB \equiv \triangle PCD$
 $\therefore \angle AOB = \angle CPD$

(2) 선분의 수직이등분선의 성질 : $\overline{AB}$의 수직이등분선 위의 점에서 두 점 A, B까지의 거리는 같다. 즉, 다음 그림에서

 $\overline{PA}=\overline{PB}$, $\overline{QA}=\overline{QB}$

(3) 각의 이등분선의 성질 : 각의 이등분선 위의 임의의 점에서 각의 두 변에 이르는 거리는 같다. 즉, 다음 그림에서

 $\angle XOP=\angle YOP$이면
 $\overline{PA}=\overline{PB}$

(7) '엇각의 크기가 같으면 두 직선은 평행하다.'는 성질을 이용하여 평행선을 작도하는 방법은 다음과 같다.

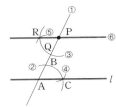

임의의 각의 삼등분선은 작도할 수 없고 직각의 삼등분선만 작도할 수 있다.

**1** 다음 **보기** 중 눈금 없는 자와 컴퍼스만으로 그릴 수 <u>없는</u> 각을 모두 고르시오.

| 보기 |
| --- |

ㄱ. 135°  ㄴ. 90°  ㄷ. 70°  ㄹ. 60°  ㅁ. 45°

ㅂ. 30°  ㅅ. 20°  ㅇ. 15°  ㅈ. 10°  ㅊ. 7.5°

**2** 오른쪽 그림은 ∠XOY의 이등분선을 작도한 것이다. 다음 물음에 답하시오.

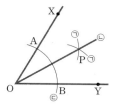

(1) 작도 순서를 바르게 나열하시오.

(2) 오른쪽 그림에 대하여 다음 중 옳지 <u>않은</u> 것을 모두 고르면?
　　　　　　　　　　　　　　　　　　　　　　　　（정답 2개）

① $\overline{OA}=\overline{OB}$　　　② $\overline{AP}=\overline{BP}$　　　③ $\overline{AO}=\overline{AP}$

④ ∠XOP＝∠YOP　　　⑤ $\overline{AB}=\overline{AP}$

**3** 오른쪽 그림은 선분 AB의 수직이등분선을 작도한 것이다. 다음 **보기** 중 옳지 <u>않은</u> 것을 모두 고르시오.

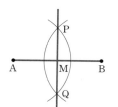

△APM≡△AQM
（ASA 합동）

| 보기 |
|---|
| ㄱ. $\overline{AM}=\dfrac{1}{2}\overline{AB}$　　ㄴ. $\overline{AP}=\overline{BP}$ |
| ㄷ. $\overline{MP}=\overline{MQ}$　　ㄹ. $\overline{AP}=\overline{PQ}$ |
| ㅁ. $\overline{AQ}=\overline{BQ}$　　ㅂ. $\overline{AB}=\overline{PQ}$ |
| ㅅ. ∠APM＝90°　　ㅇ. ∠AMP＝90° |

**4** 오른쪽 그림은 직선 AB 위의 점 O를 지나고 직선 AB에 수직인 직선을 작도한 것이다. 다음 물음에 답하시오.

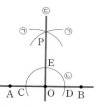

(1) 작도 순서를 바르게 나열하시오.

(2) 이 작도에서 이용된 기본 작도법은?

　① 크기가 같은 각의 작도　　　　② 선분의 수직이등분선의 작도

　③ 각의 이등분선의 작도　　　　　④ 선분의 이동

　⑤ 평행선의 작도

(3) 위의 그림에 대하여 다음 중 옳지 <u>않은</u> 것을 모두 고르면? （정답 2개）

　① $\overline{CP}=\overline{DP}$　　　　② $\overline{CO}=\overline{DE}$　　　　③ $\overline{CO}=\overline{DO}$

　④ $\overline{AP}=\overline{BP}$　　　　⑤ ∠AOP＝∠BOP＝90°

**5** 오른쪽 그림은 직선 $l$ 밖의 한 점 P를 지나고, 직선 $l$에 평행한 직선을 작도한 것이다. 다음 물음에 답하시오.

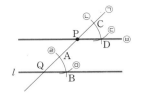

(1) 작도 순서를 바르게 나열하시오.

(2) 이 작도에서 이용된 평행선의 성질은?

① 엇각의 크기가 같으면 두 직선은 평행하다.

② 동위각의 크기가 같으면 두 직선은 평행하다.

③ 엇각의 크기가 같으면 두 직선은 만나지 않는다.

④ 동위각의 크기가 같으면 두 직선의 거리는 일정하지 않다.

⑤ $\angle AQB + \angle CPD = 180°$이다.

(3) 위의 그림에 대하여 다음 중 옳지 <u>않은</u> 것은?

① $\overline{CP} = \overline{DP}$        ② $\overline{AQ} = \overline{CP}$        ③ $\overline{AQ} = \overline{AB}$

④ $\overline{DP} = \overline{BQ}$        ⑤ $\angle CPD = \angle AQB$

**6** $\angle AOB = 90°$일 때, 오른쪽 그림은 $\angle AOB$의 삼등분선을 작도한 것이다. 다음 물음에 답하시오.

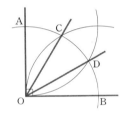

(1) 다섯 개의 점 O, A, B, C, D 중 세 점으로 이루어지는 정삼각형을 모두 구하시오.

(2) 오른쪽 그림에 대하여 다음 중 옳지 <u>않은</u> 것은?

① $\overline{OA} = \overline{BC}$        ② $\angle AOC = 30°$        ③ $\angle AOD = \angle OCA$

④ $\angle OBD = 75°$        ⑤ $\angle OBC = 60°$

직각의 삼등분선의 작도

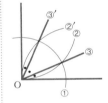

②, ②'와 ③, ③'은 어느 것을 먼저 그려도 된다.

**7** 오른쪽 그림과 같은 세 점 A, B, C를 지나는 원의 중심을 작도하려고 할 때, 다음 중 필요한 것은?

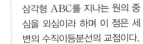

① $\overline{AB}$의 수직이등분선과 $\angle B$의 이등분선의 교점

② $\overline{BC}$의 수선과 $\overline{AC}$의 수선의 교점

③ $\overline{AC}$의 수직이등분선과 $\angle A$의 이등분선의 교점

④ $\angle A$의 이등분선과 $\angle B$의 이등분선의 교점

⑤ $\overline{AB}$의 수직이등분선과 $\overline{BC}$의 수직이등분선의 교점

삼각형 ABC를 지나는 원의 중심을 외심이라 하며 이 점은 세 변의 수직이등분선의 교점이다.

## 삼각형의 세 변의 길이 사이의 관계

세 변의 길이가 $a$, $b$, $c$인 삼각형에서 가장 긴 변의 길이가 $a$이면 $a < b + c$

## 삼각형이 하나로 결정되기 위한 조건

다음 각 경우에 삼각형의 모양과 크기가 하나로 결정된다.

(1) 세 변의 길이가 주어질 때

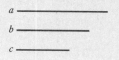

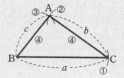

(2) 두 변의 길이와 그 끼인각의 크기가 주어질 때

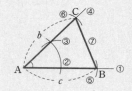

(3) 한 변의 길이와 그 양 끝 각의 크기가 주어질 때

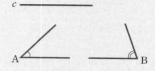

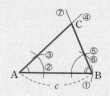

최상위 **03** NOTE 풀이 19쪽

삼각형의 세 변의 길이가 $a$, $b$, $x$일 때, 가장 긴 변과 가장 짧은 변의 길이를 모두 모를 경우 $a < b + x$, $b < a + x$, $x < a + b$를 모두 고려해야 하므로 위의 부등식을 풀어서 구한 $x$의 범위는 $|a-b| < x < a+b$이다.

삼각형이 하나로 결정되기 위한 조건은 두 삼각형의 합동조건과 같다.

---

**8** 세 변의 길이가 3 cm, $x$ cm, 7 cm인 삼각형을 작도할 때, $x$의 값으로 알맞은 자연수의 개수를 구하시오.

삼각형의 세 변의 길이 사이의 관계
(가장 긴 변의 길이) < (나머지 두 변의 길이의 합)

**9** 길이가 4 cm, 5 cm, 6 cm, 8 cm, 10 cm인 5개의 선분 중에서 3개를 골라 삼각형을 만들려고 한다. 이때 만들 수 있는 서로 다른 삼각형의 개수를 구하시오.

삼각형의 세 변의 길이를 $a$, $b$, $x$라 할 때, $|a-b| < x < a+b$

**10** △ABC에서 $\overline{AB}$의 길이와 다음 조건이 주어졌을 때, 삼각형이 하나로 결정되지 <u>않는</u> 것은?

① ∠A의 크기, ∠C의 크기      ② $\overline{BC}$의 길이, ∠A의 크기

③ $\overline{AC}$의 길이, ∠A의 크기      ④ ∠B의 크기, ∠C의 크기

⑤ $\overline{AC}$의 길이, $\overline{BC}$의 길이

**11** ∠A의 크기와 $\overline{AB}$의 길이가 주어졌을 때, 삼각형 ABC를 작도하기 위하여 필요한 한 가지 조건을 모두 말하시오.

∠A가 끼인각이 되거나 양 끝 각 중의 하나가 되도록 한 조건을 추가하면 삼각형 ABC는 하나로 결정된다.

## 삼각형의 합동

(1) 합동 : 한 도형 $P$를 모양이나 크기를 바꾸지 않고 옮겨서 다른 도형 $Q$에 완전히 포갤 수 있을 때, 두 도형을 합동이라 하고, 기호로 $P \equiv Q$와 같이 나타낸다.

(2) 합동인 도형의 성질
　① 대응하는 변의 길이는 서로 같다.
　② 대응하는 각의 크기는 서로 같다.

(3) 삼각형의 합동조건 : 두 삼각형은 다음의 각 경우에 서로 합동이다.
　① 대응하는 세 변의 길이가 각각 같을 때 (SSS 합동)
　　즉, $\overline{AB} = \overline{DE}$, $\overline{BC} = \overline{EF}$, $\overline{CA} = \overline{FD}$일 때,
　　$\triangle ABC \equiv \triangle DEF$

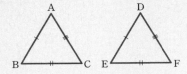

　② 대응하는 두 변의 길이가 각각 같고, 그 끼인각의 크기가 같을 때 (SAS 합동)
　　즉, $\overline{AB} = \overline{DE}$, $\overline{BC} = \overline{EF}$, $\angle B = \angle E$일 때,
　　$\triangle ABC \equiv \triangle DEF$

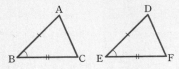

　③ 대응하는 한 변의 길이가 같고, 그 양 끝 각의 크기가 각각 같을 때 (ASA 합동)
　　즉, $\overline{BC} = \overline{EF}$, $\angle B = \angle E$, $\angle C = \angle F$일 때,
　　$\triangle ABC \equiv \triangle DEF$

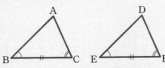

기호 ＝와 ≡의 비교
① $\triangle ABC = \triangle DEF$
　: 두 삼각형 ABC, DEF의 넓이가 같다.
② $\triangle ABC \equiv \triangle DEF$
　: 두 삼각형 ABC, DEF는 합동이다.
$\triangle ABC \equiv \triangle DEF$이면 $\triangle ABC = \triangle DEF$이지만, $\triangle ABC = \triangle DEF$라고 해서 반드시 $\triangle ABC \equiv \triangle DEF$인 것은 아니다.

SAS 합동에서 각은 끼인각이어야 하며, ASA 합동에서 각은 양 끝 각이어야 한다.

---

**12** 다음 **보기** 중 두 삼각형이 합동이 <u>아닌</u> 것을 모두 고르시오.

┌─────── 보기 ───────┐
ㄱ. 한 밑각의 크기가 같은 두 이등변삼각형
ㄴ. 직각을 낀 두 대응변의 길이가 각각 같은 두 직각삼각형
ㄷ. 빗변의 길이와 한 예각의 크기가 각각 같은 두 직각삼각형
ㄹ. 꼭지각의 크기와 밑각의 크기가 각각 같은 두 이등변삼각형
ㅁ. 꼭지각의 크기와 밑변의 길이가 각각 같은 두 이등변삼각형
ㅂ. 한 변의 길이와 그 양 끝 각의 크기가 각각 같은 두 삼각형
ㅅ. 밑변의 길이와 한 밑각의 크기가 각각 같은 두 이등변삼각형
└─────────────────┘

직각삼각형에서 직각의 대변을 빗변이라 한다.

이등변삼각형에서 길이가 같은 두 변으로 이루어진 각을 꼭지각, 나머지 두 각을 밑각이라 하고 꼭지각의 대변을 밑변이라 한다.

---

**13** 오른쪽 그림에서 $\overline{AB} = \overline{BD}$, $\overline{AE} = \overline{CD}$일 때, $\triangle ABC$와 $\triangle DBE$의 합동조건을 말하시오.

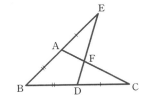

**14** 오른쪽 그림은 $\overline{AB}=\overline{AC}$인 이등변삼각형이다. 점 B와 점 C에서 $\overline{AC}$, $\overline{AB}$에 내린 수선의 발을 각각 D, E라 할 때, △ABD와 합동인 삼각형을 쓰고, 합동조건을 말하시오.

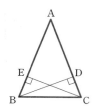

**15** 오른쪽 그림에서 △ABC와 △ECD는 정삼각형이다. 다음 물음에 답하시오.

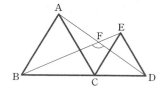

(단, 세 점 B, C, D는 일직선 위에 있다.)

(1) △BCE와 합동인 삼각형을 쓰고, 합동조건을 말하시오.

(2) ∠BFD의 크기를 구하시오.

삼각형에서 한 외각의 크기는 그와 이웃하지 않는 두 내각의 크기의 합과 같다. 즉, 오른쪽 그림에서 $\angle x = \angle a + \angle b$

**16** 오른쪽 그림에서 △ABC와 △BDE는 정삼각형이고 ∠ABD=∠$a$라 할 때, ∠BCE의 크기를 ∠$a$로 나타내시오.

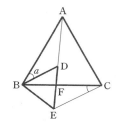

삼각형에서 한 외각의 크기는 그와 이웃하지 않는 두 내각의 크기의 합과 같다. 즉, ∠BDE=∠ABD+∠BAD

**17** 오른쪽 그림의 정삼각형 ABC에서 $\overline{BD}=\overline{CE}$일 때, ∠DFE의 크기를 구하시오.

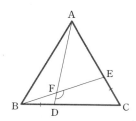

△ABD≡△BCE (SAS 합동)

**1** $\overline{AB}$=5 cm, $\overline{AC}$=4 cm, ∠B=50°인 조건으로 작도할 수 있는 삼각형 ABC의 개수
는 $a$이고, 한 변의 길이가 6 cm, 두 내각의 크기가 40°, 50°인 조건으로 작도할 수 있
는 삼각형의 개수는 $b$일 때, $2a-b$의 값을 구하시오.

삼각형이 하나로 결정되는 조건
을 이용하여 만들 수 있는 삼각
형의 경우를 모두 찾아본다.

**2**
서술형
삼각형의 모양과 크기가 한 가지로 결정되는 조건을 모두 쓰고, 다음 조건이 주어졌을
때 작도할 수 있는 △ABC를 모두 작도하시오.

문제에 주어진 조건을 만족하는
삼각형은 2가지가 있다.

조건

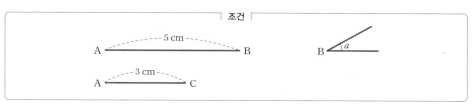

풀이

**3** 오른쪽 그림은 ∠XOY의 이등분선을 작도한 것이다. 이때 작
도 과정을 이용하여 △AOP와 △BOP의 합동조건을 말하시
오.

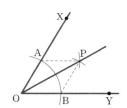

**4** 오른쪽 그림과 같이 ∠XOY의 이등분선 위의 점 P에서 $\overrightarrow{OX}$,
$\overrightarrow{OY}$에 내린 수선의 발을 각각 A, B라 하자. 다음 중 $\overline{AP}=\overline{BP}$
임을 설명하려고 할 때, 필요하지 <u>않은</u> 조건은?

① ∠OPA=∠OPB     ② $\overline{OP}$는 공통
③ $\overline{OA}=\overline{OB}$          ④ ∠PAO=∠PBO
⑤ ∠AOP=∠BOP

△AOP≡△BOP

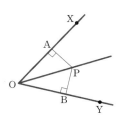

**5** 오른쪽 그림과 같은 오각형 ABCDE 위의 점에서 두 점 P, Q 에 이르는 거리가 같은 점을 작도하고, 그 과정을 서술하시오.

서술형

$\overline{PQ}$의 수직이등분선과 오각형의 교점이 구하는 점이다.

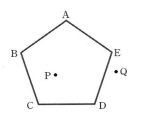

풀이

**6** 오른쪽 그림과 같은 삼각형 ABC가 있다. 두 변 AB, BC 에서 같은 거리에 있고, 두 점 A, C에서도 같은 거리에 있는 점 P를 작도하고, 그 과정을 서술하시오.

서술형

∠B의 이등분선과 $\overline{AC}$의 수직이등분선의 교점이 구하는 점이다.

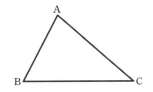

풀이

**7** △ABC의 세 변의 길이가 각각 $x-2$, $x$, $x+3$일 때, $x$의 값의 범위를 구하시오.

삼각형의 세 변의 길이 사이의 관계
(가장 긴 변의 길이)
<(나머지 두 변의 길이의 합)

**8** △ABC에서 두 변의 길이가 각각 7 cm, 21 cm이고 나머지 한 변의 길이가 $x$ cm일 때, $x$의 값의 범위를 구하시오.

서술형

풀이

**9** 오른쪽 그림은 한 변의 길이가 4 cm인 정삼각형 ABC의 변 BC의 연장선 위에 $\overline{PB}=6$ cm가 되는 점 P를 잡아 정삼각형 AQP를 그린 것이다. 이때 $\overline{QB}$의 길이를 구하시오.

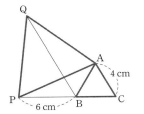

△AQB≡△APC
(SAS 합동)

**10** 오른쪽 그림에서 △ABC와 △CDE가 정삼각형일 때, 다음 중 △ACD와 △BCE의 합동조건인 것은?

① $\overline{AC}=\overline{BC}$, $\overline{CD}=\overline{CE}$, $\overline{AD}=\overline{BE}$

② $\overline{AC}=\overline{BC}$, $\overline{CD}=\overline{CE}$, $\angle ACD=\angle BCE$

③ $\overline{AC}=\overline{BC}$, $\angle DAC=\angle EBC$, $\angle ACD=\angle BCE$

④ $\overline{AD}=\overline{BE}$, $\overline{CD}=\overline{CE}$, $\angle ACD=\angle BCE$

⑤ $\overline{AC}=\overline{BC}$, $\overline{CD}=\overline{CE}$, $\angle DAC=\angle EBC$

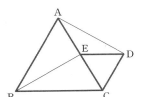

△ACD≡△BCE
(SAS 합동)

**11** 서술형 오른쪽 그림에서 △ABC는 정삼각형이고 $\overline{AD}=\overline{BE}=\overline{CF}$일 때, △DEF는 어떤 삼각형인지 말하시오.

 풀이

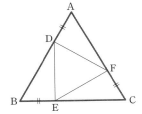

△ADF≡△BED
≡△CFE
임을 이용한다.

**12** 오른쪽 그림과 같이 △ABC에 대하여 $\overline{\text{AB}}$, $\overline{\text{AC}}$를 각각 한 변으로 하는 두 정삼각형 ADB와 ACE를 그렸을 때, △ABE와 합동인 삼각형을 쓰고, 합동조건을 말하시오.

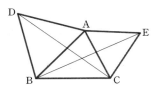

**13** 오른쪽 그림과 같이 정사각형 ABCD에서 $\overline{\text{AE}}=\overline{\text{BF}}$일 때, ∠DGF의 크기를 구하시오.

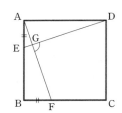

△ABF≡△DAE
(SAS 합동)

**14** 오른쪽 그림에서 △ABC와 △ADE가 합동인 정삼각형일 때, $\overline{\text{AH}}+\overline{\text{HE}}$의 길이를 구하시오.

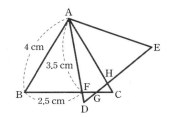

△ABF≡△AEH
(ASA 합동)

**15** 한 변의 길이가 6 cm인 두 정사각형을 오른쪽 그림과 같이 겹쳐 놓았을 때, 두 정사각형의 겹쳐진 부분의 넓이를 구하시오.

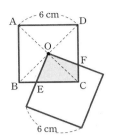

△OBE≡△OCF
(ASA 합동)
정사각형의 두 대각선은 길이가 같고, 서로 다른 것을 수직이등분한다.

**16** 서술형 오른쪽 그림과 같이 ∠XOY의 내부에 한 점 A가 있다. 이 때 $\overrightarrow{OX}$, $\overrightarrow{OY}$ 위에 각각 두 점 B, C를 잡아서 △ABC를 만들려고 한다. △ABC의 둘레의 길이가 최소가 되는 두 꼭짓점 B, C를 작도하고, 그 과정을 서술하시오.

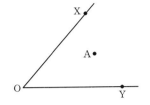

점 A의 $\overrightarrow{OX}$, $\overrightarrow{OY}$에 대한 대칭점을 각각 A′, A″이라 하자.

풀이

**17** 서술형 오른쪽 그림에서 △ABC와 △CED는 정삼각형이다. ∠EBD＝70°일 때, ∠AEB의 크기를 구하고, 그 이유를 삼각형의 합동을 이용하여 서술하시오.

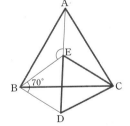

△AEC≡△BDC임을 이용한다.

풀이

# $3^{\text{STEP}}$ 최고 실력 완성하기

**1** 다음 **보기**의 도형을 작도할 때, 컴퍼스를 2번 사용하는 것의 개수를 $a$, 컴퍼스를 3번 사용하는 것의 개수를 $b$, 컴퍼스를 4번 사용하는 것의 개수를 $c$라 할 때, $2a-b+c$의 값을 구하시오.

작도에서 컴퍼스의 사용
① 원을 그릴 때
② 선분의 길이를 다른 직선 위로 옮길 때

> **보기**
>
> ㄱ. 각의 이등분선의 작도          ㄴ. 평행선의 작도
>
> ㄷ. 크기가 같은 각의 작도         ㄹ. 선분의 수직이등분선의 작도
>
> ㅁ. 직각의 삼등분선의 작도

**2** 오른쪽 그림에서 ∠XOY의 두 반직선 $\overrightarrow{OX}$와 $\overrightarrow{OY}$로부터 같은 거리에 있고, 점 A와 점 B로부터 같은 거리에 있는 점을 작도하려면 무엇을 작도하여야 하는가?

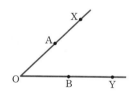

① $\overline{AB}$의 수선

② $\overline{AB}$의 수직이등분선

③ ∠XOY의 이등분선

④ ∠XOY의 이등분선과 $\overline{AB}$의 수선의 교점

⑤ ∠XOY의 이등분선과 $\overline{AB}$의 수직이등분선의 교점

**3** 세 자연수 $a$, $b$, $c$에 대하여 $a \le b \le c$이고 $a+b+c=20$일 때, $a$, $b$, $c$를 세 변으로 하는 삼각형의 개수를 구하시오.

$a \le b \le c$이므로
$c < a+b$이다.

**4** 오른쪽 그림은 △ABC에서 $\overline{AB}$, $\overline{AC}$를 각각 한 변으로 하는 두 정사각형 ADEB와 ACFG를 그린 것이다. 이때 ∠DPB의 크기를 구하시오.

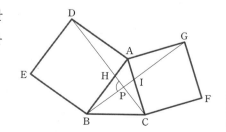

△ADC≡△ABG
(SAS 합동)

**5** 오른쪽 그림에서 △ABC와 △CDE는 정삼각형일 때, $\overline{BD}+\overline{BE}$의 길이를 구하시오.

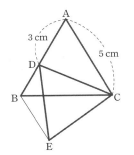

△ADC≡△BEC
(SAS 합동)

**6** 오른쪽 그림과 같이 △ABC의 각 변을 한 변으로 하는 세 정삼각형 AEB, BCD, ACF를 그렸다. 이때 오각형 BCFDE의 둘레의 길이를 구하시오.

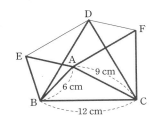

**Challenge**

**7** 오른쪽 그림의 직사각형 ABCD에서 $\overline{AB}:\overline{BC}=2:3$, $\overline{BE}:\overline{EC}=1:2$이고, 점 F는 $\overline{CD}$의 중점일 때, ∠DAF+∠CEF의 크기를 구하시오.

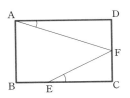

두 점 A와 E를 잇고 점 F에서 $\overline{AB}$에 수선의 발을 내려 본다.

**Challenge**

**8** 오른쪽 그림의 직사각형 ABCD에서 ∠BAE=60°, ∠FAE=∠AGF=90°, $\overline{AE}=\overline{AF}$일 때, 다음 중 옳지 <u>않은</u> 것은?

① $\overline{AB}=\overline{AG}$      ② ∠GFH=15°

③ ∠AEF=45°      ④ ∠EHD=75°

⑤ $\overline{AE}=\overline{FH}$

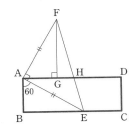

△ABE≡△AGF
(ASA 합동)

## [9~11]

작도가 불가능하다고 알려진 대표적인 3가지가 있다. 첫째, 각이 3등분 되도록 하는 작도, 둘째는 ⓐ, 마지막 세 번째는 ⓑ이다. 그런데 이중에서 각을 3등분하는 작도는 정말 불가능할까? 예를 들어 45°를 3등분 하는 방법을 생각해 보자. 45°를 3등분하면 15°인데 15°는 (가) 정삼각형의 작도와 각의 이등분선의 작도를 이용하여 만들 수 있다. 즉, 정삼각형을 작도하여 60°를 만든 후 그 각을 이등분하면 30°가 만들어지고, 30°를 다시 한 번 이등분하면 15°가 만들어진다. 이러한 상황을 볼 때, '각이 3등분 되도록 작도하는 것은 불가능하다.'는 말은 잘못된 말이 아닐까? 하지만 다르게 생각해 보면 위에서 언급한 방법은 제시되어 있는 한 각을 자와 컴퍼스만을 가지고 3등분하는 작도가 아니라 작도 가능한 각을 합하여 3등분이 된 것처럼 보이게 한 것이다. 이렇듯 (나) 수학을 공부하다 보면 A라는 방법만을 이용할 수 있는 상황인데도 착각하여 B라는 방법도 이용할 수 있다라는 안일한 생각에 오류를 범할 때가 많다. 따라서 이런 오류를 범하지 않으려면 평소에 논리적인 사고를 하는 훈련이 필요하다 하겠다.

**9** 위의 ⓐ, ⓑ에 들어갈 작도를 말하시오.

**10** 90°가 3등분 되도록 작도하는 방법을 (가)를 이용하여 설명하시오.

**11** 다음 중 (나)의 상황을 가장 적당하게 설명한 것을 고르시오.

Ⅰ. 이 꽃이 아름다우니 이 화원의 꽃은 모두 아름답다.
Ⅱ. 모로 가도 서울만 가면 된다는 말을 적용할 수 없는 상황도 있다.
Ⅲ. 돌다리인데도 두드려 보고 건너면 손해다.

# I 단원 종합 문제

## 1

오른쪽 그림에 대한 설명 중 옳지 <u>않은</u> 것을 모두 고르면? ( 정답 2개)

① $\overrightarrow{AB}$와 $\overrightarrow{BC}$의 공통 부분은 $\overrightarrow{AB}$이다.
② $\overrightarrow{AB}$와 $\overrightarrow{BC}$의 공통 부분은 점 B이다.
③ $\overrightarrow{AD}$와 $\overrightarrow{DA}$를 합한 부분은 $\overleftrightarrow{AB}$이다.
④ $\overrightarrow{AC}$와 $\overrightarrow{BA}$를 합한 부분은 $\overrightarrow{AC}$이다.
⑤ $\overrightarrow{AC}$와 $\overrightarrow{CD}$의 공통 부분은 $\overline{AD}$이다.

## 2

오른쪽 그림에서 $\overline{AB}$의 중점을 P, $\overline{AC}$의 중점을 Q, $\overline{BC}$의 중점을 R라 할 때, $\overline{PR}+\overline{QR}$의 길이를 구하시오.

## 3

수직선 위의 두 점 A($a$), B($b$)에 대하여 점 A로부터 점 B쪽으로 $\overline{AB}$의 $\dfrac{1}{4}$이 되는 점에 대응하는 점을 P라 할 때, 점 P의 좌표를 구하시오. (단, $a<b$)

## 4

오른쪽 그림에 대한 설명으로 옳은 것을 모두 고르면? ( 정답 2개)

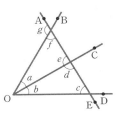

① $\angle a+\angle f=\angle g$
② $\angle a$의 엇각은 $\angle d$와 $\angle g$이다.
③ $\angle b$와 $\angle e$는 동위각 관계이다.
④ $\angle a+\angle b+\angle c+\angle f=180°$
⑤ $\angle e$의 동위각은 $\angle f$와 $\angle g$이다.

## 5

오른쪽 그림에서
$\angle AOB=3\angle BOC$,
$\angle DOE=3\angle COD$일 때,
$\angle GOF$의 크기를 구하시오.

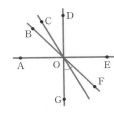

## 6

오른쪽 그림과 같은 평행사변형 ABCD에서 $\angle A=2\angle B$일 때, $\angle B$의 크기를 구하시오.

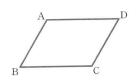

## 7

오른쪽 그림에서 맞꼭지각은 모두 몇 쌍인가?

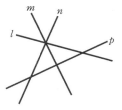

① 3쌍　　　② 4쌍

③ 6쌍　　　④ 10쌍

⑤ 12쌍

## 8

오른쪽 그림에서 $l /\!/ m$일 때, $\angle x$의 크기를 구하시오.

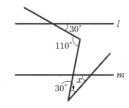

## 9

오른쪽 그림에서 $l /\!/ m$일 때, $\angle x + \angle y + \angle z$의 크기를 구하시오.

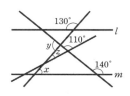

## 10

5시와 6시 사이에서 시침과 분침이 수직이 되는 시각을 모두 구하시오.

## 11

오른쪽 그림에서 $l /\!/ m$일 때, $\angle x$의 크기를 구하시오.

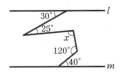

## 12

다음 중 그 개수가 나머지 넷과 <u>다른</u> 하나는?

① 한 직선을 포함하는 평면의 개수

② 서로 다른 두 점을 지나는 직선의 개수

③ 평행한 두 직선을 포함하는 평면의 개수

④ 한 점에서 만나는 두 직선을 포함하는 평면의 개수

⑤ 한 직선과 직선 밖의 한 점을 포함하는 평면의 개수

## 13

공간에서 서로 다른 세 직선 $l$, $m$, $n$과 서로 다른 세 평면 $P$, $Q$, $R$에 대하여 다음 **보기** 중 옳은 것을 모두 고르시오.

────────── 보기 ──────────

ㄱ. $P /\!/ l$, $P /\!/ m$이면 $l \perp m$

ㄴ. $P /\!/ Q$, $P /\!/ R$이면 $Q /\!/ R$

ㄷ. $P \perp l$, $P \perp m$이면 $l /\!/ m$

ㄹ. $P /\!/ Q$, $P \perp R$이면 $Q \perp R$

ㅁ. $l /\!/ m$, $l \perp n$이면 $m \perp n$

ㅂ. $l /\!/ P$, $m \perp P$이면 $l /\!/ m$

ㅅ. $l \perp P$, $l \perp Q$이면 $P /\!/ Q$

[14~16] 오른쪽 그림은 직육면체의 일부분을 평면으로 잘라낸 입체도형이다. 다음 물음에 답하시오.

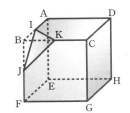

## 14

$\overline{AI}$와 평행한 면을 모두 구하시오.

## 15

$\overline{IK}$와 꼬인 위치에 있는 모서리의 개수를 구하시오.

## 16

다음 그림에서 세 점으로 결정되는 평면의 개수를 구하시오.
(단, 5개의 점 A, B, C, D, E는 한 평면 위에 있다.)

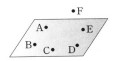

## 17

오른쪽 그림과 같은 전개도를 접어서 정육면체를 만들었을 때, 다음 중 $\overline{KN}$과 꼬인 위치에 있는 것은?

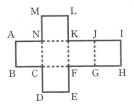

① $\overline{DE}$      ② $\overline{EF}$
③ $\overline{GH}$      ④ $\overline{IJ}$
⑤ $\overline{JK}$

## 18

오른쪽 그림의 직육면체에 대한 다음 설명 중 옳지 <u>않은</u> 것은?

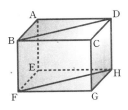

① 평면 BFHD와 평행한 모서리는 $\overline{AE}$와 $\overline{CG}$이다.
② $\overline{AE}$와 한 점에서 만나는 면은 2개이다.
③ 면 ABCD와 면 BFGC의 교선은 $\overline{BC}$이다.
④ ∠BDH의 크기는 90°이다.
⑤ $\overline{AB}$와 면 BFHD는 평행하다.

## 19

오른쪽 그림의 평행사변형 ABCD에서 점 E가 $\overline{BC}$의 중점일 때, △ABE와 합동인 삼각형을 쓰고, 합동조건을 말하시오.

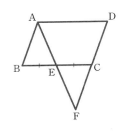

## 20

오른쪽 그림의 △ABC와
△ADE가 정삼각형일 때,
∠$x$의 크기를 구하시오.

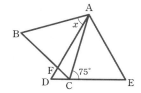

## 23

오른쪽 그림의 직사각형 ABCD
에서 $\overline{DE}=\overline{CE}$일 때, △ADE와
합동인 삼각형을 쓰고, 합동조건
을 말하시오.

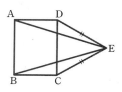

## 21

오른쪽 그림의 사다리꼴
ABCD에서 $\overline{AB}=\overline{CD}$,
$\overline{AC}=\overline{BD}$일 때, 합동인 삼각
형은 모두 몇 쌍인지 구하시오.

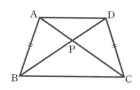

## 24

오른쪽 그림과 같이 삼각
형 ABC에서 $\overline{AB}$, $\overline{AC}$를
각각 한 변으로 하는 정삼
각형 ADB와 ACH를 그
렸을 때, ∠DFH의 크기를 구하시오.

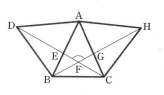

## 22

오른쪽 그림은 선분 AB 위에 있
지 않은 한 점 P를 지나고 선분
AB에 수직인 직선을 작도한 것
이다. 다음 중 옳지 <u>않은</u> 것을 모
두 고르면? (정답 2개)

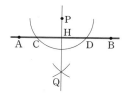

① $\overline{CQ}=\overline{DQ}$　　　　② $\overline{CP}=\overline{DP}$
③ $\overline{CQ}=\overline{HQ}$　　　　④ $\overline{AC}=\overline{BD}$
⑤ ∠PHC=∠PHD=90°

## 25

오른쪽 그림의 △ABC에서
$\overline{AC}/\!/\overline{DE}$, $\overline{DE}=\overline{CF}$이고,
∠ACB=75°, ∠EDF=35°일 때,
∠DMC의 크기를 구하시오.

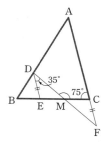

# II 평면도형

# 1 다각형

## 1 다각형

(1) **다각형** : 여러 개의 선분으로 둘러싸인 평면도형

　선분의 개수가 3, 4, 5, …인 다각형을 각각 삼각형, 사각형, 오각형, …이라 하며, 선분의 개수가 $n$인 다각형을 $n$각형이라 한다.

(2) **정다각형** : 모든 변의 길이가 같고 모든 내각의 크기가 같은 다각형

(3) **대각선** : 다각형에서 서로 이웃하지 않는 두 꼭짓점을 이은 선분

$$(n\text{각형의 대각선의 개수})=\frac{n(n-3)}{2}\ (\text{단, } n\geq4)$$

대각선

$n$각형의 한 꼭짓점에서 그을 수 있는 대각선은 모두 $(n-3)$개이다.

## 2 삼각형의 내각과 외각

(1) 삼각형의 세 내각의 크기의 합은 $180°$이다.

　⇨ △ABC에서 $\angle A+\angle B+\angle C=180°$

(2) 삼각형의 한 외각의 크기는 그와 이웃하지 않는 두 내각의 크기의 합과 같다.

　⇨ △ABC에서 $\angle ACD=\angle A+\angle B$

(3) 삼각형의 세 외각의 크기의 합은 $360°$이다.

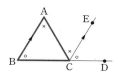

■(1)

$\circ+\triangle+\times=180°$

## 3 다각형의 내각과 외각

(1) $n$각형의 한 꼭짓점에서 대각선을 그어 만들 수 있는 삼각형은 $(n-2)$개이다.

(2) $n$각형의 내각의 크기의 합은 $180°\times(n-2)$이다.

(3) $n$각형의 외각의 크기의 합은 변의 개수에 관계없이 항상 $360°$이다.

■$n$각형 내부의 한 점에서 각 꼭짓점에 선분을 그었을 때 생기는 삼각형의 개수 : $n$

■(3) ($n$각형의 외각의 크기의 합)
　$=180°\times n$
　　$-(n$각형의 내각의 크기의 합)
　$=180°\times n$
　　$-180°\times(n-2)$
　$=360°$

## 4 정다각형의 내각과 외각

(1) 정$n$각형의 한 내각의 크기는 $\dfrac{180°\times(n-2)}{n}$이다.

(2) 정$n$각형의 한 외각의 크기는 $\dfrac{360°}{n}$이다.

# 1 STEP 주제별 실력다지기

## 다각형과 정다각형

(1) 다각형 : 여러 개의 선분으로 둘러싸인 평면도형

| 다각형 | 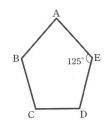 삼각형 | 사각형 | 오각형 | ⋯ | $n$각형 |
|---|---|---|---|---|---|
| 변의 개수 | 3 | 4 | 5 | ⋯ | $n$ |
| 꼭짓점의 개수 | 3 | 4 | 5 | ⋯ | $n$ |

(2) 내각 : 다각형에서 이웃하는 두 변이 이루는 각

(3) 외각 : 다각형에서 한 변과 그 변에 이웃하는 변의 연장선이 이루는 각

(4) 정다각형 : 모든 변의 길이가 같고 모든 내각의 크기가 같은 다각형을 정다각형이라 하고, 변의 개수에 따라 정삼각형, 정사각형, 정오각형, ⋯ 등으로 분류한다.

(2), (3) 한 내각에 대하여 외각이 2개 있고, 이 두 외각은 서로 맞꼭지각으로 크기가 같다.

(4)

정삼각형　　정사각형

---

**1** 오른쪽 그림의 오각형에서 ∠E의 내각의 크기가 125°일 때, ∠E의 외각의 크기를 구하시오.

다각형의 한 꼭짓점에서 (내각)+(외각)=180°

---

**2** 오른쪽 그림과 같이 직사각형 위에 점 7개가 있다. 이 점들을 연결하여 만들 수 있는 다각형을 모두 말하시오.

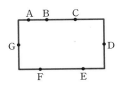

---

**3** 오른쪽 그림은 길이가 같은 선분으로 만든 도형이다. 이 도형에서 찾을 수 있는 정삼각형의 개수를 구하시오.

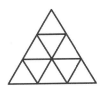

---

**4** 오른쪽 그림에서 찾을 수 있는 다각형은 모두 몇 가지인지 구하시오.

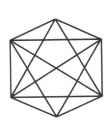

일반적으로 오목다각형의 모양은 다각형에 포함시키지 않는다.

오목 사각형　　오목 오각형

## 다각형의 대각선

(1) 대각선 : 다각형에서 서로 이웃하지 않는 두 꼭짓점을 이은 선분
(2) $n$각형의 한 꼭짓점에서 그을 수 있는 대각선의 개수 : $(n-3)$
*Deep* (3) $n$각형의 대각선의 개수 : $\dfrac{n(n-3)}{2}$

최상위 **04**    풀이 30쪽
NOTE

**5** 한 꼭짓점에서 그을 수 있는 대각선이 12개인 다각형의 대각선의 개수를 구하시오.

$n$각형의 대각선의 개수를 구하는 원리는 다음과 같다.
1) 한 꼭짓점에서 그을 수 있는 대각선의 개수를 센다.
2) 1)의 결과에 꼭짓점의 개수를 곱한다.
3) $\overline{AC}=\overline{CA}$, $\overline{AD}=\overline{DA}$, …와 같이 항상 2가지씩 중복되므로 2로 나눈다.

**6** 다음 조건을 모두 만족하는 다각형을 말하시오.

> (가) 모든 변의 길이가 같고 모든 내각의 크기가 같다.
> (나) 대각선은 모두 5개이다.

$n$각형의 한 꼭짓점에서 그을 수 있는 대각선의 개수는 $(n-3)$이다.

**7** 대각선이 44개인 다각형을 말하시오.

$n$각형의 대각선의 개수는 $\dfrac{n(n-3)}{2}$이다.

**8** 다음은 정오각형의 모든 대각선의 길이가 서로 같음을 설명한 것이다. ☐ 안에 알맞은 것을 써넣으시오.

> △ABC와 △AED에서
> $\overline{AB}=\overline{AE}$, $\overline{BC}=$ ☐(가), ☐(나)$=\angle AED$
> 이므로 △ABC≡△AED (SAS합동)
> ∴ $\overline{AC}=$ ☐(다)
> 같은 방법으로 하면 $\overline{AC}=\overline{BD}=\overline{CE}=$ ☐(다)$=\overline{BE}$
> 따라서 정오각형의 모든 대각선의 길이는 서로 같다.

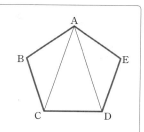

△ABC≡△AED
(SAS 합동)

---

**중1 다각형의 대각선의 개수**

### 다각형의 대각선의 개수

$n$각형의 한 꼭짓점에서 그을 수 있는 대각선의 개수는 $(n-3)$개이므로 $n$개의 꼭짓점에서 그을 수 있는 대각선의 개수는 $n(n-3)$개이다.
그런데 오른쪽 그림과 같이 $\overline{AB}$와 $\overline{BA}$는 같은 대각선이고, 이와 같이 다른 모든 대각선들도 2개씩 중복된다. 즉, $n$각형의 대각선의 개수는
$\dfrac{n(n-3)}{2}$개

**고등 까지 연결되는 중등개념**    **고1 경우의 수**

### '논리적인 과정을 통해 대각선의 개수를 구할 수 있다.'

**조합**
일반적으로 서로 다른 $n$개에서 순서를 생각하지 않고 $r$개$(r\leq n)$를 택하는 것을 $n$개에서 $r$개를 택하는 조합이라 한다. 이 조합의 수를 기호로 ${}_nC_r$과 같이 나타내고, ${}_nC_r=\dfrac{n\times(n-1)\times(n-2)\times\cdots\times(n-r+1)}{r\times(r-1)\times(r-2)\times\cdots\times2\times1}$로 계산한다.

**조합을 이용한 다각형의 개수**
$n$각형의 $n$개의 꼭짓점 중 서로 다른 2개를 연결한 선분의 개수는 ${}_nC_2$이고, 이 중에서 $n$각형의 변의 개수 $n$개를 제외한 것이 대각선의 개수이다. 즉, $n$각형의 대각선의 개수는
$${}_nC_2-n=\dfrac{n(n-1)}{2}-n=\dfrac{n^2-n}{2}-n=\dfrac{n(n-3)}{2}\text{(개)}$$

## 삼각형의 내각과 외각 (1)

(1) 삼각형의 세 내각의 크기의 합은 180°이다.

(2) 삼각형의 한 외각의 크기는 그와 이웃하지 않는 두 내각의 크기의 합과 같다.

(3) 삼각형의 세 외각의 크기의 합은 360°이다.

(4) 삼각형의 한 내각과 이웃하는 외각의 크기의 합은 180°이다.

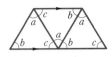

(1)

$\angle a + \angle b + \angle c = 180°$

**9** 다음은 △ABC의 세 내각의 크기의 합이 180°임을 설명한 것이다. ☐ 안에 알맞은 것을 써넣으시오.

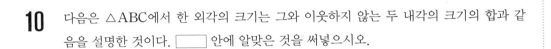

△ABC의 꼭짓점 A를 지나고 $\overline{BC}$에 평행한 직선 DE를 그으면

∠B= ∠DAB( (가) ), ∠C= ∠EAC( (가) )

∴ ∠A+∠B+∠C = ∠A+ (나) + (다)

= 180°

**10** 다음은 △ABC에서 한 외각의 크기는 그와 이웃하지 않는 두 내각의 크기의 합과 같음을 설명한 것이다. ☐ 안에 알맞은 것을 써넣으시오.

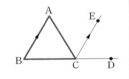

△ABC의 점 C를 지나고 (가) 에 평행한 반직선 CE를

그으면 (가) // $\overrightarrow{CE}$이므로

∠A= (나) (엇각), ∠B= (다) (동위각)

∴ ∠ACD= (나) + (다) = ∠A+ (라)

**11** 오른쪽 그림의 삼각형 ABC에서 ∠B의 크기를 구하시오.

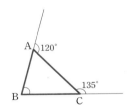

삼각형의 세 외각의 크기의 합은 360°임을 이용하여 ∠B에 대한 외각의 크기를 먼저 구한다.

**12** 오른쪽 그림에서 ∠A의 크기를 구하시오.

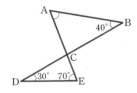

**13** 삼각형의 세 내각의 크기의 비가 3 : 4 : 5일 때, 가장 작은 내각의 크기를 구하시오.

(1) △ABC에서 ∠B, ∠C의 이등분선의 교점을 I라 하고,
∠B, ∠ACD의 이등분선의 교점을 E라 하면

$$\angle x = 90° + \frac{1}{2}\angle A, \quad \angle y = \frac{1}{2}\angle A$$

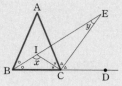

(2) △ABC에서 ∠A, ∠C의 외각의 이등분선의 교점을 I라 하면

$$\angle x = 90° - \frac{1}{2}\angle B$$

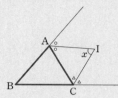

**14** 삼각형 ABC에서 ∠B, ∠C의 이등분선의 교점을 I라 할 때, 다음을 구하시오.

(1) ∠A=70°일 때, ∠BIC의 크기

(2) ∠BIC=150°일 때, ∠A의 크기

**15** 오른쪽 그림과 같이 삼각형 ABC에서 ∠B=75°이고, ∠A, ∠C의 외각의 이등분선의 교점을 I라 할 때, ∠AIC의 크기를 구하시오.

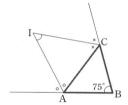

**16** 오른쪽 그림과 같이 삼각형 ABC에서 ∠A와 ∠C의 외각의 이등분선의 교점을 I라 하자. ∠AIC=60°일 때, ∠B의 크기를 구하시오.

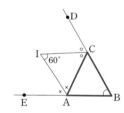

**17** 오른쪽 그림의 삼각형 ABC에서 ∠A=72°, ∠B와 ∠C의 이등분선의 교점을 I, ∠B와 ∠ACD의 이등분선의 교점을 E라 할 때, ∠BIC와 ∠IEC의 크기를 각각 구하시오.

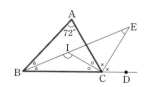

---

(1) △ABC에서
∠A+2○+2×=180°
∴ ○+×=90°-$\frac{1}{2}$∠A
△IBC에서
∠x+○+×=180°
∴ ○+×=180°-∠x
따라서
90°-$\frac{1}{2}$∠A=180°-∠x
∴ ∠x=90°+$\frac{1}{2}$∠A
또, △ABC에서
2△=∠A+2○
∴ △=$\frac{1}{2}$∠A+○
△EBC에서 △=∠y+○
따라서
$\frac{1}{2}$∠A+○=∠y+○
∴ ∠y=$\frac{1}{2}$∠A

(2) ∠B에 대한 외각의 크기는
180°-∠B이므로
180°-∠B+2○+2△
=360°
2○+2△=180°+∠B
∴ ○+△=90°+$\frac{1}{2}$∠B
△IAC에서
∠x=180°-(○+△)
=180°
　-$\left(90°+\frac{1}{2}\angle B\right)$
=90°-$\frac{1}{2}$∠B

삼각형의 세 외각의 크기의 합은 360°이므로
∠CAE+∠ACD
=360°-(180°-∠B)
=180°+∠B

---

## 삼각형의 내각과 외각 (3)

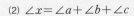

(1) △ABC에서 $\overline{AB}=\overline{AC}=\overline{CD}$이면
$\angle DCE=3\angle ABC$

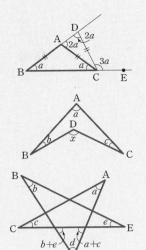

(2) $\angle x=\angle a+\angle b+\angle c$

(3) $\angle a+\angle b+\angle c+\angle d+\angle e=180°$

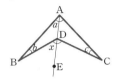

(1) △ABC에서 $\overline{AB}=\overline{AC}$이
므로
$\angle B=\angle ACB$
$\therefore \angle CAD$
$=\angle B+\angle ACB$
$=2\angle a$
또, △ACD에서
$\overline{AC}=\overline{CD}$이므로
$\angle CDA=\angle CAD=2\angle a$
$\therefore \angle DCE$
$=\angle B+\angle BDC$
$=\angle a+2\angle a$
$=3\angle a$

(2) 다음 그림과 같이 $\overline{AD}$의 연
장선 위에 점 E를 잡으면

$\angle BDE=\angle BAD+\angle b$
$\angle CDE=\angle CAD+\angle c$
$\therefore \angle x$
$=\angle BDE+\angle CDE$
$=\angle BAD+\angle b$
$\qquad+\angle CAD+\angle c$
$=(\angle BAD+\angle CAD)$
$\qquad+\angle b+\angle c$
$=\angle a+\angle b+\angle c$

**18** 다음 그림과 같은 △ABC에서 $\overline{AB}=\overline{AC}=\overline{BD}$일 때, $\angle x$의 크기를 구하시오.

(1)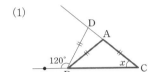

(2)

**19** 오른쪽 그림에서 $\angle A$의 크기를 구하시오.

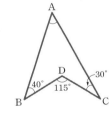

**20** 오른쪽 그림에서 $\angle x$의 크기를 구하시오.

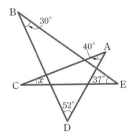

삼각형의 한 외각의 크기는 그
와 이웃하지 않는 두 내각의 크
기의 합과 같다.

**21** 오른쪽 그림에서 $\angle a+\angle b+\angle c+\angle d+\angle e+\angle f+\angle g$
의 크기를 구하시오.

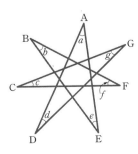

## 다각형의 내각과 외각

(1) $n$각형의 내각의 크기의 합은 $180° \times (n-2)$이다.

(2) 외각의 크기의 합은 변의 개수에 관계없이 항상 $360°$이다.

(3) 정$n$각형의 한 내각의 크기는 $\dfrac{180° \times (n-2)}{n}$, 한 외각의 크기는 $\dfrac{360°}{n}$이다.

(1) $n$각형은 한 꼭짓점에서 그은 $(n-3)$개의 대각선에 의하여 $(n-2)$개의 삼각형으로 나누어지므로 $n$각형의 내각의 크기의 합은 $180° \times (n-2)$

(3) 정다각형의 내각(외각)의 크기는 모두 같으므로 한 내각(외각)의 크기는 정다각형의 내각(외각)의 크기의 합을 꼭짓점의 개수로 나눈 것과 같다.

**22** 다음 그림에서 $\angle x$의 크기를 구하시오.

(1)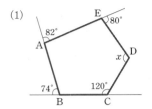

(2)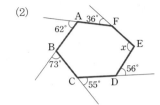

**23** 오른쪽 그림의 정오각형 ABCDE에서 $\angle x$의 크기를 다음의 순서대로 구하시오.

(1) $\angle$AEB와 $\angle$EAD의 크기를 각각 구하시오.

(2) $\angle x$의 크기를 구하시오.

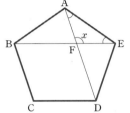

$\triangle$ABE, $\triangle$EAD는 이등변삼각형이다.

**24** 오른쪽 그림에서 $\angle a + \angle b$의 크기를 구하시오.

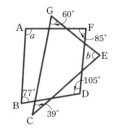

**25** 다음 그림에서 표시된 각의 크기의 합을 구하시오.

(1) $\angle a + \angle b + \angle c + \angle d + \angle e$
$+ \angle f + \angle g$

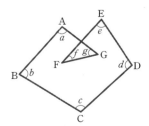

(2) $\angle a + \angle b + \angle c + \angle d + \angle e + \angle f$

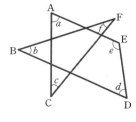

(1)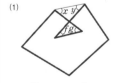

$\angle f + \angle g = \angle x + \angle y$

STEP
# 2 실력 높이기

정답과 풀이 34쪽

**1** 오른쪽 그림과 같이 가로, 세로의 간격이 일정한 점들을 연결하여 만들 수 있는 정사각형의 개수를 모두 구하시오.

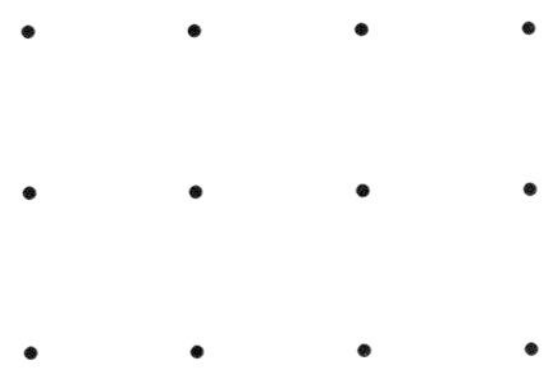

**2** 다각형 내부의 한 점 O에서 각 꼭짓점에 선분을 그어 생긴 삼각형이 모두 20개라 한다. 이때 다각형의 대각선의 개수를 구하시오.

$n$각형의 내부의 한 점에서 각 꼭짓점에 선분을 그었을 때 생기는 삼각형의 개수 : $n$개

**3** 서술형 어느 나라에 있는 6개의 도시에 대하여 이 도시들끼리 서로 직통으로 도로를 연결하려고 한다. 이때 필요한 도로의 총 개수를 구하시오.

(단, 어느 세 도시도 일직선상에 위치해 있지 않다.)

풀이

6개의 도시를 그림으로 그려 본다.

**4** 서술형 한 외각의 크기가 30°인 정$n$각형의 대각선의 개수를 구하시오.

풀이

모든 다각형의 외각의 크기의 합은 360°이다.

**5** 오른쪽 그림과 같은 정팔각형에서 꼭짓점 3개를 연결하여 만들 수 있는 이등변삼각형의 개수를 구하시오.

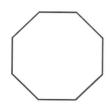

**6** 오른쪽 그림의 정육각형 ABCDEF에서 △ABC의 넓이가 34일 때, 정육각형 ABCDEF의 넓이를 구하시오.

서술형

풀이

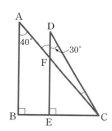

△ABC와 넓이가 같은 삼각형을 찾는다.

**7** 오른쪽 그림에서 ∠DCF+∠AFD의 크기를 구하시오.

∠B=∠DEC이므로 $\overline{AB}/\!/\overline{DE}$

**8** 오른쪽 그림에서 ∠$x$+∠$y$의 크기를 구하시오.

서술형

풀이

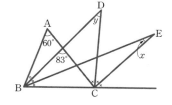

삼각형의 한 외각의 크기는 그와 이웃하지 않는 두 내각의 크기의 합과 같다.

**9** 오른쪽 그림과 같은 사각형 ABCD에서 ∠B와 ∠C의 이등분선의 교점을 I라 할 때, ∠$x$의 크기를 구하시오.

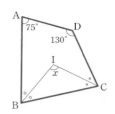

$2(\circ + \times)$
$= 360° - (75° + 130°)$

**10** 오른쪽 그림에서 ∠$x$의 크기를 구하시오.

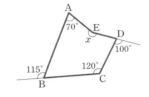

**11** 다음 그림에서 표시된 각의 크기의 합을 구하시오.

(1) ∠$a$ + ∠$b$ + ∠$c$

(단, 다각형 ABCDE는 정오각형)

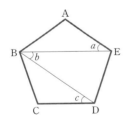

(2) ∠$a$ + ∠$b$ + ∠$c$ + ∠$d$ + ∠$e$ + ∠$f$

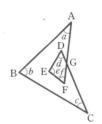

(1) (정$n$각형의 한 내각의 크기)
$= \dfrac{180° \times (n-2)}{n}$

**12** 오른쪽 그림과 같이 한 변의 길이가 같은 정육각형과 정오각형의 한 변이 접하고 이 두 정다각형에서 변의 연장선을 그어 생기는 교점을 꼭짓점으로 하는 도형을 만들 때, ∠$x$ + ∠$y$ + ∠$z$의 크기를 구하시오.

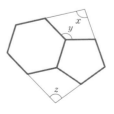

**13**
서술형
오른쪽 도형에 대하여
$\angle A + \angle B + \angle C + \angle D + \angle E + \angle F + \angle G + \angle H + \angle I$의 크기를 구하시오.

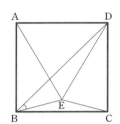

풀이

삼각형의 한 외각의 크기는 그와 이웃하지 않는 두 내각의 크기의 합과 같다.

**14**
오른쪽 그림에서 사각형 ABCD는 정사각형이고 △AED는 정삼각형일 때, $\angle DBE$의 크기를 구하시오.

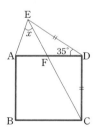

△ABE는 $\overline{AB}=\overline{AE}$인 이등변삼각형이고 △ABD는 $\overline{AB}=\overline{AD}$인 직각이등변삼각형이다.

**15**
오른쪽 그림에서 사각형 ABCD는 정사각형이고 $\overline{DE}=\overline{DC}$, $\angle EDA=35°$일 때, $\angle x$의 크기를 구하시오.

△DEA와 △DEC는 각각 $\overline{DE}=\overline{DA}$, $\overline{DE}=\overline{DC}$인 이등변삼각형이다.

**16**
서술형

오른쪽 그림과 같은 직각삼각형 ABC에서 $\overline{AB}$의 중점을 M이라 할 때, $\overline{MC}$의 길이는 $\overline{AB}$의 길이의 몇 배인지 구하시오.

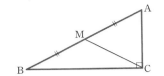

점 M에서 $\overline{BC}$, $\overline{AC}$에 수선을 그어 삼각형의 합동을 이용한다.

풀이

**17**

오른쪽 그림의 삼각형 ABC에서 ∠C의 삼등분선과 ∠B의 외각의 삼등분선의 교점을 각각 D, E라 할 때, $\angle x$의 크기를 구하시오.

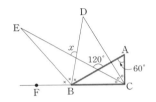

**18**

오른쪽 그림과 같이 $\overrightarrow{OA}$, $\overrightarrow{OB}$ 위에 $\overline{OA_1}=\overline{A_1B_1}=\overline{B_1A_2}=\overline{A_2B_2}=\cdots$가 되도록 이등변삼각형 $A_1OB_1$, $B_1A_1A_2$, $A_2B_1B_2$, $\cdots$를 만들어 나가는데 $\triangle A_3B_2B_3$는 만들 수 없었다. $\angle AOB=\angle x$라 할 때, $\angle x$의 범위를 구하시오.

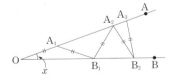

이등변삼각형 $A_1OB_1$에서 $\angle A_1OB_1=\angle x$이면 $\angle B_1A_1A_2=2\angle x$

# 3 STEP 최고 실력 완성하기

**1** 다음 조건을 모두 만족하는 다각형을 모두 구하시오.

> (가) 모든 변의 길이가 같고 모든 내각의 크기가 같다.
> (나) 대각선의 개수는 모두 30보다 작다.
> (다) 한 내각의 크기가 120°보다 크다.
> (라) 한 외각의 크기가 30°보다 크다.

구하는 다각형은 정다각형이다.

**2** 오른쪽 그림에서 $\angle x$의 크기를 구하시오.

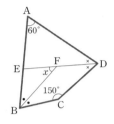

△AED에서
$\angle AED$
$= 180° - (60° + \angle ADE)$
△BEF에서
$\angle x + \angle EBF = \angle AED$

**3** 오른쪽 그림에서 $\angle x$를 $\angle a$, $\angle b$, $\angle c$, $\angle d$, $\angle e$, $\angle f$, $\angle g$를 사용하여 나타내면?

① $\angle a + \angle b + \angle c + \angle d$
② $\angle b + \angle c + \angle e + \angle f$
③ $\angle a + \angle d + \angle e + \angle f$
④ $\angle b + \angle c + \angle f + \angle g$
⑤ $\angle c + \angle d + \angle f + \angle g$

삼각형의 한 외각의 크기는 그와 이웃하지 않는 두 내각의 크기의 합과 같다.

**4** 오른쪽 그림에서
$$\angle a + \angle b + \angle c + \angle d + \angle e + \angle f + \angle g + \angle h$$
의 크기를 구하시오.

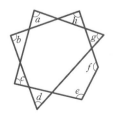

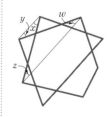

$\angle x + \angle y = \angle z + \angle w$

**5** 오른쪽 그림에서 점 D, F는 $\overline{AE}$, $\overline{BE}$의 연장선이 $\overline{BC}$, $\overline{AC}$와 각각 만나는 점이고 $\angle C=60°$, $\angle DEF=130°$이다. $\angle A$, $\angle B$의 이등분선의 교점을 G라 할 때, $\angle AGB$의 크기를 구하시오.

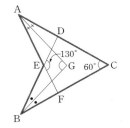

보조선 AB를 그으면
$2(\bullet+\times)$
$=180°-(60°+\angle EAB$
$\qquad\qquad +\angle EBA)$

**6** 오른쪽 그림에서 $l \parallel m$일 때, $\angle x$의 크기를 구하시오.

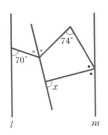

**Challenge**

**7** 오른쪽 그림과 같이 모든 변의 길이가 같은 별모양 도형에 대하여

$\angle A_1=\angle A_2=\angle A_3=\cdots=\angle A_n$,

$\angle B_1=\angle B_2=\angle B_3=\cdots=\angle B_n$,

$\overline{A_1B_1}=\overline{B_1A_2}=\overline{A_2B_2}=\cdots=\overline{A_nB_n}=\overline{B_nA_1}$이다.

$\angle A_1$은 $\angle A_1B_1A_2$보다 15°만큼 작을 때, $n$의 값을 구하시오. (단, $\angle A_1$, $\angle A_1B_1A_2$는 예각이다.)

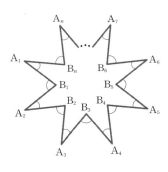

보조선 $B_1B_2$, $B_2B_3$, $B_3B_4$,…, $B_nB_1$을 그어 주어진 도형을 정 $n$각형 $B_1B_2B_3\cdots B_n$과 $n$개의 이등변삼각형으로 나누어 생각한다.

**Challenge**

**8** 평면 위에 $n$개의 점이 볼록다각형의 꼭짓점일 때, 이 중 연속하는 세 점으로 이루어진 삼각형 중에 한 각의 크기가 $\dfrac{180°}{n}$보다 크지 않은 삼각형이 반드시 있음을 설명하시오.

볼록다각형 : 모든 내각의 크기가 180°보다 작다.
오목다각형 : 내각의 크기가 180°보다 큰 각이 존재한다.

# 2 원과 부채꼴

## 1 원과 부채꼴

(1) **원** : 평면 위의 한 점 O로부터 일정한 거리에 있는 모든 점들로 이루어진 도형

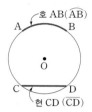

　① 호 AB($\overarc{AB}$) : 원 O 위의 두 점 A, B를 양 끝 점으로 하는 원의 일부분

　② 현 CD($\overline{CD}$) : 원 O 위의 두 점 C, D를 잇는 선분 CD

　③ 지름 : 원의 중심을 지나는 현

　④ 부채꼴 : 두 반지름 OA, OB와 호 AB로 이루어진 도형

　⑤ 활꼴 : 현 CD와 호 CD로 이루어진 도형

　⑥ 중심각 : 두 반지름 OA, OB가 이루는 ∠AOB를 호 AB에 대한 중심각 또는 부채꼴의 중심각이라 한다.

(2) 한 원 또는 합동인 두 원에서

　① 같은 크기의 중심각에 대한 호(현)의 길이는 같다.

　② 부채꼴의 호의 길이와 넓이는 중심각의 크기에 정비례한다.

　③ 현의 길이는 중심각의 크기에 정비례하지 않는다.

## 2 원의 둘레의 길이와 넓이

(1) **원주율**($\pi$) : 원에서 원의 지름의 길이에 대한 원의 둘레의 길이의 비

$$\pi = \frac{(\text{원의 둘레의 길이})}{(\text{원의 지름의 길이})} = 3.14159265358979\cdots$$

(2) 반지름의 길이가 $r$인 원의 둘레의 길이를 $l$, 넓이를 $S$라 하면

$$l = 2\pi r, \ S = \pi r^2$$

■$S$(square) : 크기, 넓이
　$r$(radius) : 반지름의 길이
　$l$(length) : 호의 길이

## 3 부채꼴의 호의 길이와 넓이

(1) **중심각의 크기가 주어진 경우** : 반지름의 길이가 $r$, 중심각의 크기가 $x°$인 부채꼴의 호의 길이를 $l$, 넓이를 $S$라 하면

$$l = 2\pi r \times \frac{x}{360}, \ S = \pi r^2 \times \frac{x}{360}$$

(2) **중심각의 크기가 주어지지 않은 경우** : 반지름의 길이가 $r$, 호의 길이가 $l$인 부채꼴의 넓이를 $S$라 하면

$$S = \frac{1}{2}rl$$

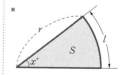

# 1 STEP 주제별 실력다지기

## 부채꼴의 중심각의 크기와 호 또는 현의 관계

한 원 또는 합동인 두 원에서
(1) 부채꼴의 호의 길이는 중심각의 크기에 정비례한다.
(2) 부채꼴의 넓이는 중심각의 크기에 정비례한다.
(3) 현의 길이는 중심각의 크기에 정비례하지 않는다.
(4) 같은 크기의 중심각에 대한 호의 길이, 현의 길이, 넓이는 각각 같다.

$\angle AOB = \angle COD$이면
$\overset{\frown}{AB} = \overset{\frown}{CD}$

**1** 오른쪽 그림에서 $\angle AOB$의 크기를 3배로 늘릴 때, 다음 중 그 값도 3배로 늘어나는 것을 모두 고르면? (정답 2개)

① 호 AB의 길이 　　　② 현 AB의 길이
③ 부채꼴 AOB의 넓이 　　④ 삼각형 AOB의 넓이
⑤ 현 AB, 호 AB로 둘러싸인 활꼴의 넓이

**2** 다음 그림에서 $x$, $y$의 값을 각각 구하시오.

(1)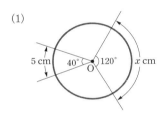

(2)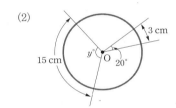

**3** 오른쪽 그림의 원 O에서 $\angle AOB = 90°$, $\angle COD = 45°$일 때, 다음 중 옳지 <u>않은</u> 것은?

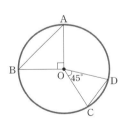

① $\overset{\frown}{AB} = 2\overset{\frown}{CD}$
② $\triangle OAB$는 직각이등변삼각형이다.
③ 원의 둘레의 길이는 $\overset{\frown}{AB}$의 길이의 4배이다.
④ ($\triangle OAB$의 넓이)$=$($\triangle OCD$의 넓이)$\times 2$
⑤ (부채꼴 COD의 넓이)$=$(부채꼴 AOB의 넓이)$\times \dfrac{1}{2}$

**4** 오른쪽 그림의 원 O에서 $\overline{AB} /\!/ \overline{CD}$이고, $\angle AOB = 120°$일 때, $\overset{\frown}{AB} : \overset{\frown}{AC}$를 가장 간단한 자연수의 비로 나타내시오.

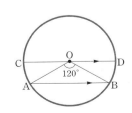

$\triangle AOB$는 이등변삼각형이다.

**5** 오른쪽 그림과 같이 원 O 위에 반지름과 길이가 같은 현 AB와 BC를 그렸을 때, $\overparen{AC}$에 대한 중심각의 크기를 구하시오.

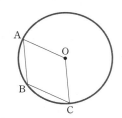

△OAB와 △OBC는 정삼각형이다.

**6** 오른쪽 그림에서 $\overline{AO}=3$ cm, $\overparen{BC}=2\overparen{AB}$, $\overparen{ADC}=6\overparen{AB}$ 일 때, $\overparen{ABC}$의 길이를 구하시오.

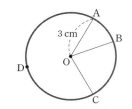

∠AOB+∠BOC
   +∠AOC (큰 쪽의 각)
=360°

**7** 오른쪽 그림과 같이 $\overline{AB}$를 지름으로 하는 원 O에서 ∠BOC=30°, $\overparen{BC}=5$ cm, $\overline{AD}/\!/\overline{OC}$일 때, $\overparen{AD}$의 길이를 구하시오.

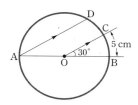

$\overline{AD}/\!/\overline{OC}$이므로 평행선의 성질을 이용한다.

**8** 오른쪽 그림에서 $\overline{CD}$는 원 O의 지름이다. $\overline{CD}\perp\overline{AB}$이고 ∠DBE=22.5°일 때, $\overparen{BC}$는 $\overparen{BD}$의 몇 배인지 구하시오.

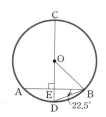

△EBD는 직각삼각형이므로
∠EDB=90°-22.5°

## 부채꼴의 호의 길이와 넓이

(1) 원의 둘레의 길이와 넓이 : 반지름의 길이가 $r$인 원의 둘레의 길이를 $l$, 넓이를 $S$라 하면

① $l = (지름의 길이) \times (원주율) = 2\pi r$

② $S = \left(원주의 \dfrac{1}{2}\right) \times (반지름의 길이) = \pi r^2$

(2) 부채꼴의 호의 길이와 넓이 : 반지름의 길이가 $r$, 중심각의 크기가 $x°$인 부채꼴의 호의 길이를 $l$, 넓이를 $S$라 하면

① 중심각의 크기가 주어진 경우

$$l = 2\pi r \times \dfrac{x}{360}, \quad S = \pi r^2 \times \dfrac{x}{360}$$

② 중심각의 크기가 주어지지 않은 경우

$$S = \dfrac{1}{2} r l$$

최상위 **05**　풀이 39쪽
NOTE

반지름의 길이가 $r$인 원의 둘레의 길이를 $l$이라 하면

$$\pi = \dfrac{(원의\ 둘레의\ 길이)}{(지름의\ 길이)} = \dfrac{l}{2r}$$

이므로 $l = 2\pi r$이다.

(1) ②

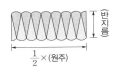

---

**9** 다음 그림에서 어두운 부분의 둘레의 길이와 넓이를 각각 구하시오.

(1)

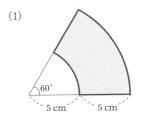

(2)

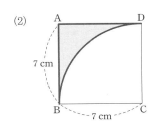

( 단, 사각형 ABCD는 정사각형 )

---

**10** 오른쪽 그림에서 사각형 ABCD가 정사각형일 때, $\overarc{BC} : \overarc{BD}$를 가장 간단한 자연수의 비로 나타내시오.

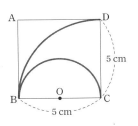

---

**11** 오른쪽 그림에서 사각형 ABCD는 한 변의 길이가 6 cm인 정사각형일 때, 어두운 부분의 둘레의 길이를 구하시오.

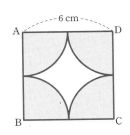

(어두운 부분의 둘레의 길이)
= (정사각형의 둘레의 길이)
+ (부채꼴의 호의 길이) × 4

**12** 다음 그림에서 어두운 부분의 넓이를 구하시오.

(1)
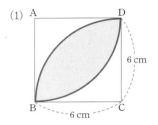

(단, 사각형 ABCD는 정사각형)

(2)
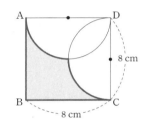

(1)

(구하는 넓이)
= (빗금친 넓이)×2

**13** 오른쪽 그림에서 사각형 ABCD가 정사각형일 때, 어두운 부분의 넓이를 구하시오.

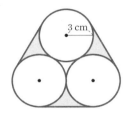

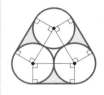

**14** 오른쪽 그림과 같이 반지름의 길이가 같은 세 원이 접해 있을 때, 어두운 부분의 넓이를 구하시오.

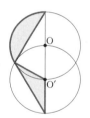

**15** 오른쪽 그림과 같이 점 O와 O′를 중심으로 하는 두 원에서 $\overline{OO'}=12\,\text{cm}$일 때, 어두운 부분의 넓이를 구하시오.

$\overline{OO'}=12\,\text{cm}$이면 두 원 O, O′의 반지름의 길이는 12 cm이다.

---

**중1 부채꼴의 호의 길이와 넓이**

### 부채꼴의 호의 길이와 넓이

반지름의 길이가 $r$, 중심각의 크기가 $x°$인 부채꼴의 호의 길이를 $l$, 넓이를 $S$라 하면

① $l=2\pi r \times \dfrac{x}{360}$

② $S=\pi r^2 \times \dfrac{x}{360}=\dfrac{1}{2}rl$

**고등 까지 연결되는 중등개념**

## '새로운 각의 단위로 부채꼴의 호의 길이와 넓이를 구한다.'

### 호도법
반지름의 길이가 $r$인 원에서 길이가 $r$인 호에 대한 중심각의 크기를 $\theta$라 하면

$$r:2\pi r=\theta:360°\qquad \therefore \theta=\dfrac{180°}{\pi}$$

즉, 중심각의 크기는 반지름의 길이에 관계없이 항상 $\dfrac{180°}{\pi}$로 일정하고, 이 일정한 각의 크기를 1라디안(radian)이라 한다. 이와 같이 호의 길이를 이용하여 각의 크기를 나타내는 방법을 호도법이라 한다.

### 호도법을 이용한 부채꼴의 호의 길이와 넓이
반지름의 길이가 $r$, 중심각의 크기가 $\theta$(라디안)인 부채꼴의 호의 길이를 $l$, 넓이를 $S$라 하면

① $l=r\theta$  ② $S=\dfrac{1}{2}r^2\theta=\dfrac{1}{2}rl$

※ 부채꼴의 중심각의 크기 $\theta$는 호도법으로 나타낸 각이다.

# 2 STEP 실력 높이기

**1** 오른쪽 그림에서 $\overline{AE}$와 $\overline{DG}$는 원 O의 지름이고, $\angle AOB = \angle BOC = \angle COD$, $\angle GOF = \angle FOE$일 때, 다음 중 옳은 것은?

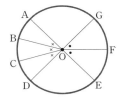

① $\angle AOD > \angle GOE$　　② $\angle AOB = 2\angle GOF$

③ $\widehat{AB} = \widehat{GF}$　　④ $3\widehat{CD} = 2\widehat{GF}$

⑤ $6\widehat{AB} = 9\widehat{GF}$

> 호의 길이, 부채꼴의 넓이는 중심각의 크기에 정비례한다.

**2** 오른쪽 그림에서 $\angle BAC$와 $\angle BOC$의 관계를 식으로 나타내시오.
서술형

풀이

> $\overline{AO}$를 그어서 생각한다.

**3** 오른쪽 그림과 같은 원 O에서 $\overline{OA} /\!/ \overline{BC}$이고, $\widehat{BC} = 4\widehat{AC}$일 때, $\angle x$의 크기를 구하시오.

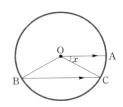

> $\overline{OA} /\!/ \overline{BC}$이므로 평행선의 성질을 이용한다.

**4** 오른쪽 그림에서 $\overline{AB}$는 반원 O의 지름이다. $\overline{OC} /\!/ \overline{BD}$이고
서술형 $\widehat{BD} = 14$ cm, $\angle AOC = 20°$일 때, $x$의 값을 구하시오.

풀이

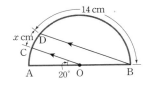

**5** 오른쪽 그림과 같이 $\overline{AB}$는 원 O의 지름이고 $\overline{AC} /\!/ \overline{OD}$일 때, $\overline{CD} : \overline{BD}$를 가장 간단한 정수의 비로 나타내시오.

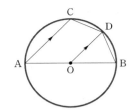

보조선 OC를 그어 생각한다.

**6** 오른쪽 그림과 같이 $\overline{CD}$는 원 O의 지름이고 $\overline{AM}=\overline{BM}$, $\angle OAB=30°$일 때, $\overarc{AC} : \overarc{AD}$를 가장 간단한 정수의 비로 나타내시오.

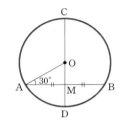

보조선 OB를 그으면
△OAM≡△OBM이므로
∠OMA=90°

**7** 오른쪽 그림에서 점 P는 원 O의 지름 AD와 현 BC의 연장선의 교점이다. $\overline{CO}=\overline{CP}$, $\angle AOB=105°$일 때, $\angle CPD$의 크기를 구하시오.

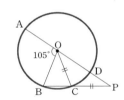

△CPO, △OBC는 각각 이등
변삼각형이다.

**8** 오른쪽 그림과 같이 지름의 길이가 8 cm인 원이 평행사변형 ABCD의 네 변에 접할 때, 어두운 부분의 넓이를 구하시오.

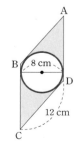

$\overline{AB}$와 $\overline{CD}$ 사이의 거리는 원의
지름의 길이와 같다.
(어두운 부분의 넓이)
＝(평행사변형의 넓이)
　　　　－(원의 넓이)

**9** 다음 그림에서 사각형 ABCD는 한 변의 길이가 8 cm인 정사각형일 때, 어두운 부분의 넓이를 구하시오.

(1)

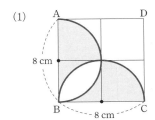

(2)

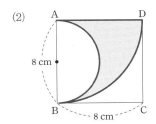

(1)

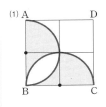

**10**
서술형

오른쪽 그림은 한 변의 길이가 2인 정육각형 ABCDEF에서 꼭짓점 C, D, E, F를 중심으로 하고, 반지름이 각각 $\overline{BC}$, $\overline{DG}$, $\overline{EH}$, $\overline{FI}$인 부채꼴을 그린 것이다. 네 개의 부채꼴의 넓이의 합을 구하시오.

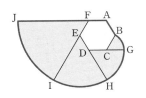

네 개의 부채꼴의 중심각은 정육각형의 한 외각이다.

풀이

**11** 오른쪽 그림에서 점 E, F, G, H는 한 변의 길이가 10 cm인 정사각형 ABCD의 각 변의 중점이다. 어두운 부분의 넓이를 구하시오.

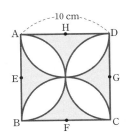

**12** 오른쪽 그림에서 어두운 부분의 넓이를 구하시오.

서술형

풀이

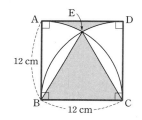

$\overline{BC}=\overline{BE}=\overline{CE}$이므로
△EBC는 정삼각형이다.

**13** 오른쪽 그림은 반지름의 길이가 $a$인 세 원으로 이루어진 신호등의 모습을 그려 놓은 것이다. 어두운 부분의 넓이를 구하시오.

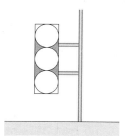

**14** 오른쪽 그림은 한 변의 길이가 6 cm인 정사각형 ABCD와 $\overline{CD}$를 지름으로 하는 반원을 그린 것이다. $\overset{\frown}{CM}=\overset{\frown}{DM}$일 때, 어두운 부분의 넓이를 구하시오.

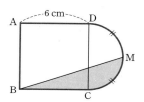

점 M에서 $\overline{AB}$에 수선을 그어 도형을 분리하고 넓이를 구한다.

**15** 오른쪽 그림과 같이 한 변의 길이가 6 cm인 정사각형 ABCD의 내부에 반지름의 길이가 5 cm인 사분원을 꼭짓점 A와 C를 중심으로 각각 그렸을 때, 도형 EFI의 넓이 $S$와 도형 DHIG의 넓이 $T$의 차를 구하시오.

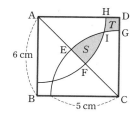

△ACD
=(부채꼴 FAH의 넓이)
  +(부채꼴 ECG의 넓이)
  −$S$+$T$

**16** 어떤 부채꼴의 반지름의 길이를 3배, 중심각의 크기를 2배로 늘릴 때, 호의 길이와 넓이는 각각 처음 부채꼴의 몇 배가 되는지 구하시오.

반지름의 길이가 $r$이고, 중심각의 크기가 $x°$인 부채꼴에 대하여

호의 길이 : $2\pi r \times \dfrac{x}{360}$

넓이 : $\pi r^2 \times \dfrac{x}{360}$

**17**
서술형

오른쪽 그림은 양쪽이 반원으로 된 트랙이다. 어두운 부분의 둘레의 길이와 넓이를 각각 구하시오.

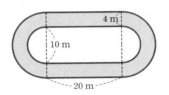

풀이

곡선 트랙과 직선 트랙으로 나누어서 구한다.

**18** 밑면의 반지름의 길이가 $r$인 원기둥 모양의 캔 4개를 끈으로 묶으려고 한다. 끈이 가장 적게 드는 경우를 모두 그리고, 그때의 끈의 길이를 $r$에 대한 식으로 나타내시오.

(단, 끈을 묶을 때 매듭의 길이는 무시한다.)

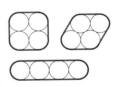

**19** 오른쪽 그림과 같이 반지름의 길이가 4 cm인 원을 한 변의 길이가 10 cm인 정오각형의 둘레를 따라 한 바퀴 돌렸을 때, 원이 지나간 자리의 넓이를 구하시오.

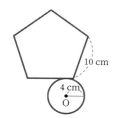

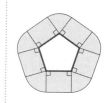

**20**
서술형
다음 그림과 같이 가로와 세로의 길이가 각각 8 cm, 6 cm이고, 대각선의 길이가 10 cm인 직사각형 ABCD를 직선 $l$ 위에서 한 바퀴 회전시켰다. 이때 꼭짓점 A가 움직인 총 거리를 구하시오.

점 A가 움직인 자리를 그림으로 나타내어 본다.

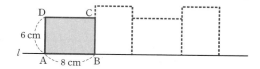

풀이

**21**
서술형
오른쪽 그림과 같이 가로와 세로의 길이가 각각 6 m, 4 m인 직사각형 모양의 건물의 귀퉁이에 강아지가 길이가 8 m인 끈에 묶여 있다. 이때 강아지가 움직일 수 있는 땅의 넓이를 구하시오. ( 단, 강아지의 크기는 무시한다. )

문제의 뜻에 맞게 그림을 직접 그려서 푼다.

풀이

# 3<sup>STEP</sup> 최고 실력 완성하기

**1** 오른쪽 그림의 원 O에서 $\overarc{AB}=\overarc{AC}$이고 $\angle BAC=40°$일 때, $\angle ACO$의 크기를 구하시오.

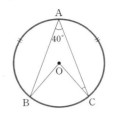

한 원에서 호의 길이가 같으면 중심각의 크기가 같다.

**2** 오른쪽 그림에서 점 P는 원 O의 지름 AD와 현 BC의 연장선의 교점이다. $\overline{CO}=\overline{CP}$일 때, $\overarc{AB}$의 길이는 $\overarc{CD}$의 길이의 몇 배인지 구하시오.

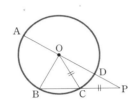

한 원에서 호의 길이는 중심각의 크기에 정비례한다.

**3** 오른쪽 그림에서 사각형 ABCD는 한 변의 길이가 16 cm인 정사각형일 때, 어두운 부분의 넓이를 구하시오.

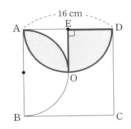

**4** 오른쪽 그림에서 사각형 ABCD는 한 변의 길이가 20 cm인 정사각형일 때, 어두운 부분의 둘레의 길이를 구하시오.

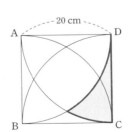

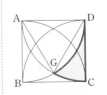

$\overline{AG}=\overline{GD}=\overline{AD}$이므로 $\triangle AGD$는 정삼각형이다.

**5** 오른쪽 그림은 반지름의 길이가 12 cm인 원 O의 내부에 원 O와 중심이 일치하는 세 개의 원을 그린 것이다. 현이 모두 원 O의 중심을 지나고 원을 8등분할 때, 다음 물음에 답하시오.

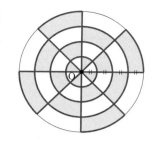

어두운 부분의 넓이는 원 O의 넓이의 반과 같다.

⑴ 어두운 부분의 둘레의 길이를 구하시오.

⑵ 어두운 부분의 넓이를 구하시오.

**6** 오른쪽 그림에서 점 P, Q는 각각 점 A, B에서 출발하여 원 O의 원주 위를 반시계 방향과 시계 방향으로 회전하고 있다. 점 P, Q가 1회전 하는 데 각각 18초, 12초가 걸릴 때, 점 P, Q가 처음 만나는 것은 출발한 지 몇 초 후인지 구하시오.

(단, $\overline{AB}$는 원 O의 지름이다.)

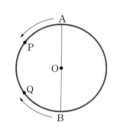

점 P, Q가 점 A, B를 각각 출발한 후 처음 만날 때까지 회전한 각의 크기의 합은 180°이다.

**7** 오른쪽 그림과 같이 반지름의 길이가 $r$인 4개의 원 주위를 같은 크기의 원이 한 바퀴 돌았을 때, 원의 중심 O가 움직인 거리를 구하시오.

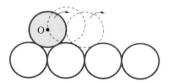

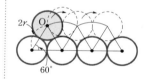

**Challenge**

**8** 오른쪽 그림과 같이 $n$개의 원의 중심 $O_1$, $O_2$, $\cdots$, $O_n$이 원 O의 지름 AB 위에 있고 원 O의 지름은 나머지 $n$개의 원의 지름의 길이의 합과 같다. 이때 원 O의 둘레의 길이와 나머지 원의 둘레의 길이의 합을 간단한 정수의 비로 나타내시오.

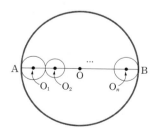

원 $O_1$, $O_2$, $\cdots$, $O_n$의 반지름의 길이를 각각 $r_1$, $r_2$, $\cdots$, $r_n$이라 하고 원의 둘레의 길이의 합을 구한다.

## [9~12]

건축업을 하는 막지어씨는 요즘 꿈에 부풀어 있다. 일생일대의 염원이었던 아파트 단지 건설을 드디어 맡은 것이다. 그런데 건설을 의뢰한 업체에서 각 동 건물의 밑면의 둘레의 길이를 200 m로 하고 모양은 상관없이 밑면의 넓이가 최대가 되게 지어달라는 난감한 요구를 했다. '난 막 짓는 것 밖에 모르는데…, 고민되네.'

막지어씨의 고민의 해결책은 의외로 간단하다. 바닥을 ㉠ 모양으로 만들면 된다. 둘레의 길이가 같은 다각형의 넓이에 관하여 다음과 같은 두 가지 원리가 있다. 둘레의 길이가 같은 한 종류의 다각형 중 넓이가 가장 큰 것은 정다각형이라는 것과 둘레의 길이가 같은 정$n$각형은 $n$의 값이 커질수록 넓이도 커진다는 것이다. 이 두 원리에 의하면 둘레의 길이가 같은 도형들 중 넓이가 가장 큰 것은 결국 ㉡이다. 예를 들어 (가) 둘레의 길이가 $30\pi$인 정삼각형, 정사각형, 정오각형, …, 원의 넓이를 각각 구하여 비교해 보면
(나) (　　　　의 넓이) < (정사각형의 넓이) < (　　　　의 넓이) < … < (원의 넓이)
이므로 막지어씨의 경우처럼 밑면의 넓이가 최대가 되게 하기 위해서는 밑면의 모양이 ㉢인 원기둥 모양으로 아파트를 지으면 된다. 더구나 이런 모양의 아파트는 밑넓이가 큰 것 외에도 많은 장점이 있다. 다른 형태의 아파트보다 태풍과 같은 바람의 영향을 훨씬 덜 받으므로 건물의 안전이나 수명에 도움이 되고, 겉넓이도 작으므로 건축 재료를 최소화할 수 있다.

**9** 위의 ㉠, ㉡, ㉢에 공통으로 들어갈 도형을 구하시오.

**10** (가)에서 정삼각형, 정사각형, 원의 넓이를 차례로 구하시오.
(단, 한 변의 길이가 $a$인 정삼각형의 넓이는 약 $0.43 \times a^2$이다.)

**11** (나)의 　　　　 안에 들어갈 가장 적당한 다각형을 차례로 구하시오.

**12** 위의 글에서 가장 핵심이 되는 수학적 이론을 설명하시오.

**1**

한 꼭짓점에서 그을 수 있는 대각선의 개수가 15인 다각형은 $a$각형이고, 이 다각형의 대각선의 개수는 $b$이다. 이때 $a+b$의 값을 구하시오.

**2**

오른쪽 그림의 정육각형에서 $\overline{AE}$와 길이가 같은 대각선의 개수를 구하시오.

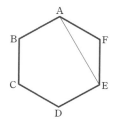

**3**

다음 중 옳지 <u>않은</u> 것은?

① 정오각형의 모든 대각선의 길이는 같다.
② 삼각형은 대각선이 없는 유일한 다각형이다.
③ 세 변의 길이가 같은 삼각형의 모든 내각의 크기는 같다.
④ 네 변의 길이가 같은 사각형의 모든 내각의 크기는 같다.
⑤ 네 내각의 크기가 같은 사각형의 대각선의 길이는 모두 같다.

**4**

다각형에 대한 다음 설명 중 옳지 <u>않은</u> 것은?

① 변의 개수와 꼭짓점의 개수는 같다.
② 정다각형은 모든 변의 길이가 같고, 모든 내각의 크기가 같다.
③ 한 내각의 꼭짓점에서 한 변과 그 변에 이웃한 변이 이루는 각을 그 내각에 대한 외각이라 한다.
④ 한 내각에 대한 두 개의 외각은 서로 맞꼭지각이므로 그 크기가 같다.
⑤ 다각형의 이웃하지 않는 두 꼭짓점을 이은 선분을 다각형의 대각선이라 한다.

**5**

대각선의 개수가 65인 다각형을 구하시오.

**6**

오른쪽 그림과 같은 △ABC에서 ∠A, ∠B, ∠C의 외각의 크기를 각각 $\angle x$, $\angle y$, $\angle z$라 할 때, 다음 중 옳지 <u>않은</u> 것은?

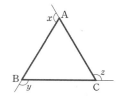

① $\angle z = \angle A + \angle B$
② $\angle B = 180° - \angle y$
③ $\angle C + \angle y = 180°$
④ $\angle x + \angle y + \angle z = 360°$
⑤ $\angle A = 180° - (\angle B + \angle C)$

**7**

오른쪽 그림에서 $\angle x$의 크기를 구하시오.

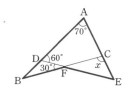

## 8

오른쪽 그림과 같은 △ABC에서
점 I는 ∠B, ∠C의 이등분선의
교점이고, ∠BIC=130°일 때,
∠A의 크기를 구하시오.

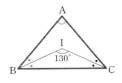

**[9~12]** 다음 그림에서 ∠$x$의 크기를 구하시오.

## 9

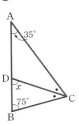

## 10

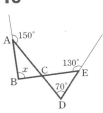

## 11

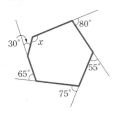

## 12

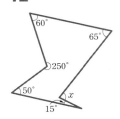

## 13

오른쪽 그림에서 $l /\!/ m$일 때,
$$∠a+∠b+∠c+∠d$$
$$+∠e+∠f+∠g$$
의 크기를 구하시오.

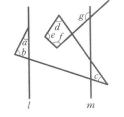

## 14

한 원에 대한 다음 설명 중 옳지 <u>않은</u> 것은?

① 같은 크기의 중심각에 대한 현의 길이는 같다.
② 길이가 가장 긴 현은 지름이다.
③ 부채꼴의 넓이는 중심각의 크기에 정비례한다.
④ 현의 길이는 중심각의 크기에 정비례한다.
⑤ 호의 길이는 중심각의 크기에 정비례한다.

## 15

오른쪽 그림에서 $x+y$의 값을 구하시오.

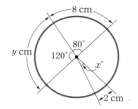

## 16

오른쪽 그림과 같이 $\overarc{AB} : \overarc{BC} : \overarc{CA} = 1 : 2 : 3$이 되도록 원 O의 원주 위에 점 A, B, C를 잡을 때, $\angle AOB$의 크기를 구하시오.

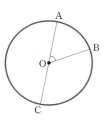

## 17

오른쪽 그림의 원 O에 대한 다음 설명 중 옳지 <u>않은</u> 것은?

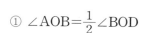

① $\angle AOB = \dfrac{1}{2} \angle BOD$

② $\overarc{BD} = \dfrac{2}{3} \overarc{AD}$

③ $\overline{AB} = \overline{BC} = \overline{CD} = \overline{DE}$

④ $\overline{AD} = 3\overline{AB}$

⑤ (부채꼴 AOB의 넓이) = (부채꼴 DOE의 넓이)

## 18

오른쪽 그림과 같이 원의 중심이 같은 두 원에서 어두운 부분의 넓이를 구하시오.

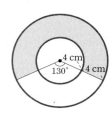

## 19

오른쪽 그림에서 어두운 부분의 넓이를 구하시오.

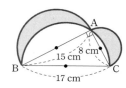

## 20

오른쪽 그림에서 어두운 부분의 넓이를 구하시오.

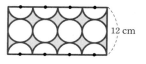

## 21

오른쪽 그림에서 $\overarc{AC} = \overarc{CB}$이고, $\overline{AB}$는 원 O의 지름일 때, 어두운 부분의 넓이를 구하시오.

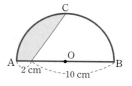

# III 입체도형

# 1 다면체와 회전체

## 1 다면체

(1) **다면체** : 다각형인 면으로만 둘러싸인 입체도형을 다면체라 하고, 둘러싸인 면의 개수에 따라 사면체, 오면체, …라고 한다.

(2) **각뿔대** : 각뿔을 밑면에 평행한 평면으로 자를 때 생기는 두 다면체 중에서 각뿔이 아닌 쪽의 다면체를 각뿔대라 하고, 밑면인 다각형의 모양에 따라 삼각뿔대, 사각뿔대, 오각뿔대, …라고 한다.

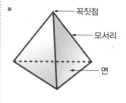

## 2 정다면체

(1) **정다면체** : 각 면이 모두 합동인 정다각형이고, 각 꼭짓점에 모이는 면의 개수가 같은 다면체

(2) 정다면체는 정사면체, 정육면체, 정팔면체, 정십이면체, 정이십면체의 5가지뿐이다.

■ 정다면체의 면의 모양은 정삼각형, 정사각형, 정오각형 중 하나이다.

| 정사면체 | 정육면체 | 정팔면체 | 정십이면체 | 정이십면체 |

## 3 회전체

(1) **회전체** : 평면도형을 한 직선을 회전축으로 하여 1회전 시킬 때 생기는 입체도형

■ 회전축 : 회전시킬 때 축이 되는 직선
모선 : 회전체에서 회전하여 옆면을 이루는 선분

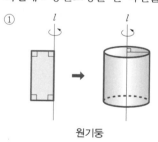

① 원기둥

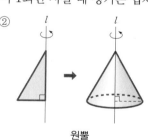

② 원뿔

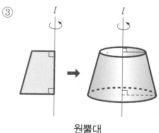

③ 원뿔대

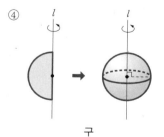

④ 구

■ ③ 원뿔대 : 원뿔을 밑면에 평행한 평면으로 잘라서 생기는 두 입체도형 중에서 원뿔이 아닌 쪽의 입체도형
④ 구 : 반원의 지름을 회전축으로 하여 1회전 시킬 때 생기는 입체도형

(2) **회전체의 성질**

① 회전체를 회전축에 수직인 평면으로 자르면 그 단면은 항상 원이다.

② 회전체를 회전축을 포함하는 평면으로 자르면 그 단면은 모두 합동이고, 회전축에 대하여 선대칭도형이다.

# 주제별 실력다지기

정답과 풀이 50쪽

**다면체**

| 다면체 | $n$각기둥 | $n$각뿔 | $n$각뿔대 |
|---|---|---|---|
| 겨냥도 | 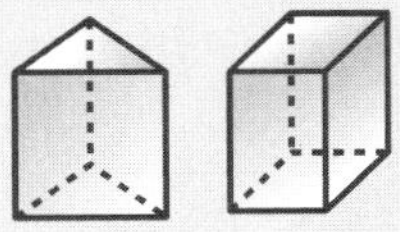 | 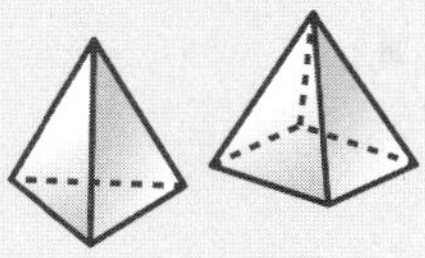 | 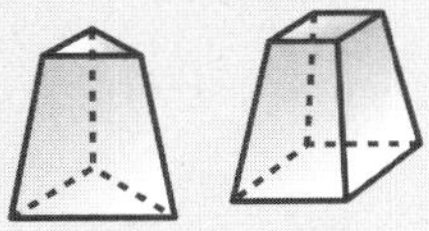 |
| 밑면의 개수 | 2 두 밑면이 서로 평행하고 크기와 모양이 같다. (합동) | 1 | 2 두 밑면이 서로 평행하고 모양은 같지만 크기가 다르다. (닮음) |
| 옆면의 모양 | 직사각형 | 삼각형 | 사다리꼴 |
| 면의 개수 | $n+2$ | $n+1$ | $n+2$ |
| 모서리의 개수 | $3n$ | $2n$ | $3n$ |
| 꼭짓점의 개수 | $2n$ | $n+1$ | $2n$ |

**1** 다음 중 육면체가 <u>아닌</u> 것은?

① 사각기둥      ② 사각뿔      ③ 사각뿔대

④ 정육면체      ⑤ 오각뿔

면이 6개이면 육면체이다.

**2** 다음 중 면의 개수가 가장 적은 것은?

① 사각뿔      ② 사각뿔대      ③ 사면체

④ 삼각기둥      ⑤ 삼각뿔대

**3** 다음 조건을 모두 만족하는 다면체는?

> (가) 팔면체이다.
> (나) 옆면의 모양은 직사각형이다.
> (다) 두 밑면은 평행하다.
> (라) 두 밑면은 서로 합동이다.

① 사각기둥      ② 오각기둥      ③ 육각기둥

④ 오각뿔대      ⑤ 육각뿔대

두 밑면이 서로 평행하고 합동인 다면체는 각기둥이다.

각 면이 모두 합동인 정다각형이고, 각 꼭짓점에 모이는 면의 개수가 같은 다면체를 정다면체라 한다.

| 정다면체 | 정사면체 | 정육면체 | 정팔면체 | 정십이면체 | 정이십면체 |
| --- | --- | --- | --- | --- | --- |
| 면의 모양 | 정삼각형 | 정사각형 | 정삼각형 | 정오각형 | 정삼각형 |
| 한 꼭짓점에 모이는 면 개수 | 3 | 3 | 4 | 3 | 5 |
| 꼭짓점의 개수($v$) | 4 | 8 | 6 | 20 | 12 |
| 모서리의 개수($e$) | 6 | 12 | 12 | 30 | 30 |
| 면의 개수($f$) | 4 | 6 | 8 | 12 | 20 |

최상위 **06**
NOTE
풀이 49쪽

정다면체의 꼭짓점과 모서리의 개수를 구하는 원리는 다음과 같다.
(1) 한 면의 꼭짓점의 개수(또는 모서리의 개수)와 정다면체의 면의 개수를 곱한다.
(2) 중복이 발생하는 개수로 나눈다.

정다면체는 정사면체, 정육면체, 정팔면체, 정십이면체, 정이십면체의 5가지뿐이다.

**4** 정다면체에 대한 다음 설명 중 옳지 <u>않은</u> 것은?

① 정다면체의 종류는 5가지이다.

② 각 꼭짓점에 모이는 면의 개수가 모두 같다.

③ 모든 면이 모두 합동인 정다각형으로 이루어져 있다.

④ 정다면체의 면의 모양은 정삼각형, 정사각형, 정육각형 중 하나이다.

⑤ 면의 모양이 정삼각형인 다면체는 정사면체, 정팔면체, 정이십면체이다.

**5** 오른쪽 그림과 같은 정육면체를 세 꼭짓점 A, C, H를 지나는 평면으로 자를 때 생기는 단면의 모양은?

① 이등변삼각형 ② 정사각형

③ 정삼각형 ④ 직사각형

⑤ 직각삼각형

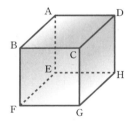

정육면체의 모든 면은 서로 합동인 정사각형이다.

## 정다면체의 전개도

(1) 정다면체의 전개도

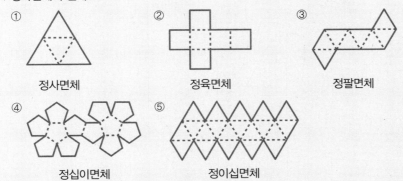

① 정사면체　② 정육면체　③ 정팔면체
④ 정십이면체　⑤ 정이십면체

(2) 정다면체가 5가지뿐인 이유 : 정다면체는 입체도형이므로
① 한 꼭짓점에서 3개 이상의 면이 만나야 한다.
② 한 꼭짓점에 모인 각의 크기의 합은 360°보다 작아야 한다.

(2) 정육각형의 한 내각의 크기는 120°이고, 이것이 한 꼭짓점에서 3개 이상이 모이면 내각들의 합이 360° 이상이 되므로 입체를 만들었을 때 꼭짓점에서 입체가 볼록해질 수 없다. 따라서 정다면체의 면은 정삼각형, 정사각형, 정오각형일 수밖에 없고, 이것들을 조합하여 만들어지는 정다면체는 5가지뿐이다.

**6** 오른쪽 그림은 정육면체의 전개도이다. 면 E와 서로 평행인 면을 구하시오.

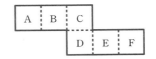

**7** 오른쪽 그림은 정팔면체의 전개도이다. 다음 물음에 답하시오.

(1) 점 A와 겹쳐지는 점을 구하시오.
(2) $\overline{CD}$와 겹쳐지는 선분을 구하시오.

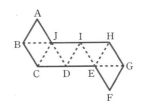

주어진 전개도로 입체도형을 만들어 본다.

**8** 오른쪽 그림은 정삼각형 10개를 붙여서 만든 전개도이다. 이 전개도로 만든 입체도형은 정다면체가 될 수 없는데, 그 이유를 말하시오.

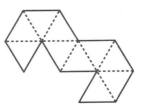

정다면체는 모든 면이 합동인 정다각형이고 한 꼭짓점에 모이는 면의 개수가 모두 같은 다면체이다.

**9** 오른쪽 그림은 주사위의 전개도이다. 주사위의 서로 평행한 면에 있는 눈의 수의 합이 항상 7일 때, 두 면 A, B의 눈의 수를 각각 구하시오.

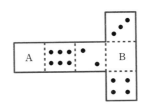

면 A, B에 각각 평행한 면을 찾는다.

### 회전체

(1) 회전체 : 어떤 평면도형을 한 직선을 회전축으로 하여 1회전 시킬 때 생기는 입체도형

| 회전체 | 원기둥 | 원뿔 | 원뿔대 |
|---|---|---|---|
| 겨냥도 | ←모선 | ←모선 | ←모선 |
| 전개도 | | | |

(2) 회전체의 성질
  ① 회전체를 회전축에 수직인 평면으로 자르면 그 단면은 항상 원이다.
  ② 회전체를 회전축을 포함하는 평면으로 자르면 그 단면은 항상 합동이고, 회전축에 대하여
    선대칭도형이 된다.

(2) ①
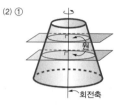

**10** 회전체에 대한 다음 설명 중 옳지 <u>않은</u> 것은?

  ① 회전체에는 원기둥, 원뿔, 원뿔대, 구 등이 있다.

  ② 구는 어떤 방향으로 잘라도 그 단면은 항상 원이다.

  ③ 회전체를 회전축에 평행한 평면으로 자른 단면은 항상 원이다.

  ④ 회전체는 평면도형을 한 직선을 회전축으로 하여 1회전 시킬 때 생기는 입체도형이다.

  ⑤ 회전체를 회전축을 포함하는 평면으로 자른 단면은 회전축에 대하여 선대칭도형이다.

**11** 다음 중 오른쪽 그림과 같이 원뿔을 잘랐을 때 생기는 단면의 모양
을 바르게 나타낸 것은?

①    ②    ③

④   ⑤

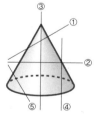

**12** 오른쪽 그림과 같은 회전체의 전개도를 그리시오.

**1**
서술형

정다면체는 정사면체, 정육면체, 정팔면체, 정십이면체, 정이십면체의 5개만이 존재한다. 그 이유를 서술하시오.

정다면체는 한 꼭짓점에 모이는 면의 개수가 같고, 한 꼭짓점에 모이는 각의 크기의 합은 360°보다 작아야 한다.

풀이

**2**

오른쪽 그림의 정육각뿔에서 꼭짓점 V를 지나고 밑면에 수직인 평면으로 자른 단면의 모양은 어떤 도형인지 구하시오.

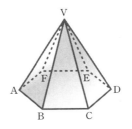

단면인 평면도형의 각 변의 길이를 비교해 본다.

**3**

오른쪽 그림과 같은 정육면체 ABCD−EFGH가 있다. 이 입체도형의 각 모서리의 중점을 잡아 삼각뿔 8개를 잘라낼 때, 다음 물음에 답하시오.

(1) 남은 입체도형의 면의 모양과 그 개수를 각각 구하시오.

(2) 남은 입체도형의 모서리와 꼭짓점의 개수를 각각 구하시오.

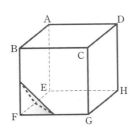

(2) 남은 입체도형의 면들이 이루는 각 모서리와 꼭짓점은 몇 개씩 겹쳐지는지 알아본다.

**4**
서술형
오른쪽 그림과 같이 정육면체의 각 모서리를 삼등분한 후 그 점들을 이어서 꼭짓점 부분을 잘라냈다. 남은 입체도형의 꼭짓점의 개수를 $v$, 모서리의 개수를 $e$, 면 개수를 $f$라 할 때, $\dfrac{e}{v} \times f$의 값을 구하시오.

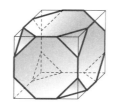

원래의 입체도형에서 추가되는 꼭짓점, 모서리, 면의 개수를 구한다.

> 풀이

**5**
오른쪽 그림과 같이 정사면체의 두 모서리 AB, AC의 중점을 각각 L, M이라 하자. 세 점 L, M, D를 지나는 평면으로 자를 때 생기는 단면의 모양은?

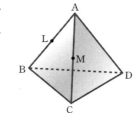

단면인 평면도형의 각 변의 길이를 비교해 본다.

① 이등변삼각형          ② 정사각형
③ 정삼각형              ④ 직사각형
⑤ 직각삼각형

**6**
서술형
정육면체의 각 면에서 각 면의 대각선의 교점을 모두 연결하면 어떤 입체도형이 되는지 말하시오.

직접 그려 보면서 모양을 구체화시킨다.

> 풀이

**7**
다음 중 원뿔을 그 회전축을 포함하는 평면으로 자를 때 생기는 단면이 가지는 성질로 옳지 <u>않은</u> 것은?

① 이등변삼각형이다.          ② 단면은 항상 원이다.
③ 단면에 모선이 포함된다.    ④ 단면에 원뿔의 높이가 포함된다.
⑤ 회전축에 대하여 선대칭도형이다.

**8**
서술형

다음 조건을 모두 만족하는 입체도형의 꼭짓점, 모서리, 면의 개수의 총합을 구하시오.

> (가) 각 면은 모두 합동인 정다각형이다.
> (나) 다면체이다.
> (다) 각 꼭짓점에 모이는 면의 개수는 5이다.

주어진 조건을 만족하는 입체도형을 먼저 찾는다.

풀이

**9**

다음 **보기** 중 정육면체를 평면으로 잘랐을 때 생기는 단면의 모양이 될 수 있는 것을 모두 고르시오.

정육면체를 여러 방향의 평면으로 자른 단면의 모양을 생각해 본다.

┌─────────── 보기 ───────────┐
ㄱ. 정삼각형          ㄴ. 이등변삼각형
ㄷ. 사다리꼴          ㄹ. 평행사변형
ㅁ. 정사각형이 아닌 직사각형    ㅂ. 정사각형이 아닌 마름모
ㅅ. 오각형            ㅇ. 육각형
└─────────────────────────────┘

**10**

다음은 오른쪽 그림과 같이 합동인 두 직각삼각형을 붙인 평행사변형 ABCD를 1회전 시킬 때 생기는 회전체이다. 각각 회전축을 말하시오.

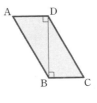

회전체 (1)～(3)에 각각 회전축을 그려 넣는다.

(1) 　　(2) 　　(3)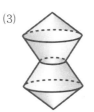

**1** 찬희는 다음과 같이 정사각형 모양의 판자 5개와 정삼각형 모양의 판자 4개를 이용하여 저금통을 만들었다. 판자의 한 변의 길이가 모두 같을 때, 찬희가 만든 저금통의 겨냥도를 그리시오.

**Challenge**

**2** 정육면체 모양의 나무토막이 있다. 이 나무토막의 모든 면에 페인트를 칠한 후 오른쪽 그림과 같이 가로, 세로, 높이를 각각 5등분하여 125개의 작은 정육면체 모양의 나무토막으로 잘랐다. 작은 정육면체 모양의 나무토막 중에서 색칠된 면이 2개인 정육면체의 개수를 구하시오.

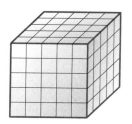

2개의 면이 칠해진 나무토막은 처음 정육면체의 모서리에서만 찾을 수 있다.

**3** 다음 그림은 크기가 같은 쌓기나무를 쌓아 놓은 것을 각각 앞과 위에서 본 그림이다. 쌓기나무를 가장 많이 사용한 경우와 가장 적게 사용한 경우의 쌓기나무의 수의 차를 구하시오.

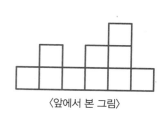

〈앞에서 본 그림〉

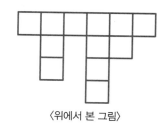

〈위에서 본 그림〉

**4** 정이십면체의 각 꼭짓점에 모이는 모서리의 삼등분점을 지나도록 자르면 오른쪽 그림과 같이 축구공 모양의 입체도형이 만들어진다. 다음 물음에 답하시오.

축구공 모양의 입체도형에서 한 모서리는 두 면을 공유하고, 한 꼭짓점은 세 면을 공유한다.

(1) 모서리의 개수와 면의 개수의 차를 구하시오.

(2) 꼭짓점의 개수를 구하시오.

**5** 정육면체의 꼭짓점을 오른쪽 그림과 같이 각각 잘라내어 새로운 입체도형을 만들었다. 각 꼭짓점을 대각선으로 서로 연결할 때, 겉면에 놓이지 않고 정육면체 안쪽에 놓이는 대각선의 개수를 구하시오.

한 꼭짓점을 선택하여 그 점에서 그을 수 있는 대각선의 개수를 먼저 구한다.

**6** 오른쪽 그림과 같이 직사각형의 한 대각선을 회전축으로 하여 1회전 시킬 때 생기는 회전체의 겨냥도를 그리시오.

평면도형을 이용하여 실제로 회전체를 만들어 본다.

**7**   한 모서리의 길이가 1인 정육면체 모양의 나무토막을 가로, 세로, 높이로 각각 7개, 11개, 13개씩 쌓아서 직육면체를 만들었다. 이 직육면체를 어느 한 점에서 보았을 때, 한 면이라도 보이는 정육면체는 최대 몇 개인지 구하시오.

## [8~9]

고대 사람들은 신을 모시고 신과 소통하는 방법으로 제단을 만들었다. 이런 제단들은 세계 각지의 모든 나라에서 발견되고 있다. 그중 수메르, 아시리아, 바빌론, 멕시코 등에서 발견되는 제단들은 특이하게도 대부분 모양이 비슷한 입체도형이다. 특히 이집트의 피라미드와 멕시코 잉카문명의 피라미드의 모양은 똑같이 ㉠인데, 어떻게 대서양의 양 끝에 있는 아프리카와 남아메리카의 두 피라미드가 같은 모양일 수 있을까? 그건 세계 어느 곳에서든 사람들이 자연에서 본 입체도형을 응용하는 방법이 다 비슷하기 때문은 아닐까? 즉, 세계 어디서나 산은 ㉡ 모양, 나무는 ㉢ 모양, 조약돌은 대체로 ㉣ 모양이므로 이를 바탕으로 사람들이 응용하는 도형은 그 모양이 모두 비슷비슷할 것이다. 또한, 주위를 둘러보면 우리가 사용하는 많은 것들에서 입체도형을 쉽게 찾을 수 있다. (가) 예를 들어 대부분의 포장용 상자, 옷장, 건물, 가전 제품 등은 직육면체, 정육면체 모양이고, 대부분의 필기구, 두루마리 휴지, 통조림 캔 등은 원기둥 모양이다. 이렇듯 사람들은 예전부터 지금까지 자연에서 접한 입체도형을 각종 상품을 디자인하는 데 이용하고 있으며, 나아가 새로운 모양의 상품을 연구하는 밑거름이 되고 있다.

Challenge

**8**   ㉠, ㉡, ㉢, ㉣에 들어갈 가장 적당한 입체도형을 각각 말하시오.

**9**   (가)와 같은 방법으로 탁상용 달력, 책, 카메라 삼각대, 냉장고, 냄비에 대응될 수 있는 입체도형을 각각 말하시오.

# 2 겉넓이와 부피

## 1 각기둥의 겉넓이와 부피

(1) **각기둥의 겉넓이** : 전개도를 이용하여 구한다.

(각기둥의 겉넓이)＝(밑넓이)×2＋(옆넓이)

(2) **각기둥의 부피** : 밑넓이가 $S$, 높이가 $h$인 각기둥의 부피를 $V$라 하면

(각기둥의 부피)＝(밑넓이)×(높이), 즉 $V=Sh$

■(1) (각기둥의 옆넓이)<br>＝(밑면의 둘레의 길이)<br>×(높이)<br>(2) $V$는 Volume(부피)의 첫 글자이다.

## 2 원기둥의 겉넓이와 부피

밑면의 반지름의 길이가 $r$, 높이가 $h$인 원기둥의 밑넓이를 $S$, 부피를 $V$라 하면

(1) **원기둥의 겉넓이** : 전개도를 이용하여 구한다.

(원기둥의 겉넓이)＝(밑넓이)×2＋(옆넓이)

$$=2\pi r^2+2\pi rh$$

(2) **원기둥의 부피**

(원기둥의 부피)＝(밑넓이)×(높이), 즉 $V=Sh=\pi r^2 h$

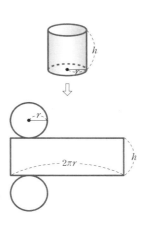

■(원기둥의 밑면인 원의 둘레의 길이)<br>＝(원기둥의 옆면인 직사각형의 가로의 길이)

## 3 각뿔의 겉넓이와 부피

(1) **각뿔의 겉넓이** : 전개도를 이용하여 구한다.

(각뿔의 겉넓이)＝(밑넓이)＋(옆넓이)

(2) **각뿔의 부피** : 밑넓이가 $S$, 높이가 $h$인 각뿔의 부피를 $V$라 하면

(각뿔의 부피)＝$\dfrac{1}{3}$×(밑넓이)×(높이), 즉 $V=\dfrac{1}{3}Sh$

## 4 원뿔의 겉넓이와 부피

밑면의 반지름의 길이가 $r$, 높이가 $h$, 모선의 길이가 $l$인 원뿔의 밑넓이를 $S$, 부피를 $V$라 하면

(1) **원뿔의 겉넓이** : 전개도를 이용하여 구한다.

(원뿔의 겉넓이)＝(밑넓이)＋(옆넓이)

$$=\pi r^2+\frac{1}{2}\times 2\pi r\times l=\pi r^2+\pi rl$$

(2) **원뿔의 부피**

(원뿔의 부피)＝$\dfrac{1}{3}$×(밑넓이)×(높이)

즉, $V=\dfrac{1}{3}Sh=\dfrac{1}{3}\pi r^2 h$

■전개도에서 부채꼴의 반지름의 길이는 원뿔의 모선의 길이와 같고, 호의 길이는 원뿔의 밑면인 원의 둘레의 길이와 같다.

## 5 구의 겉넓이와 부피

반지름의 길이가 $r$인 구의 겉넓이를 $S$, 부피를 $V$라 하면

$$S=4\pi r^2,\ V=\frac{4}{3}\pi r^3$$

■원기둥과 원뿔은 전개도를 이용하여 겉넓이를 구할 수 있지만, 구는 전개도를 이용하여 겉넓이를 구하는 것이 불가능하다.

# 1 STEP 주제별 실력다지기

**각기둥의 겉넓이와 부피**

(1) (각기둥의 옆넓이)＝(밑면의 둘레의 길이)×(높이)

(2) 각기둥의 겉넓이 : 전개도를 이용하여 구한다.

(각기둥의 겉넓이)＝(밑넓이)×2＋(옆넓이)

(3) 각기둥의 부피 : 밑넓이가 $S$, 높이가 $h$인 각기둥의 부피를 $V$라 하면

(각기둥의 부피)＝(밑넓이)×(높이), 즉 $V=Sh$

**1** 다음 그림과 같은 각기둥의 겉넓이와 부피를 각각 구하시오.

(1)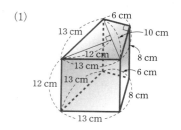

(2)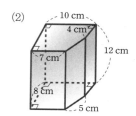

(겉넓이)
＝(밑넓이)×2＋(옆넓이)
(부피)＝(밑넓이)×(높이)

**2** 다음 그림과 같은 입체도형은 직육면체 또는 정육면체의 한 쪽을 직육면체 모양으로 잘라 낸 것이다. 겉넓이와 부피를 각각 구하시오.

(1)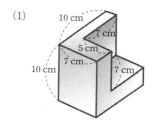

(2)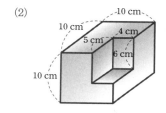

(1), (2)의 겉넓이는 잘라 내기 전의 겉넓이와 같다.

**3** 오른쪽 그림과 같은 입체도형은 직육면체에서 작은 직육면체를 잘라 낸 것이다. 이 입체도형의 겉넓이와 부피를 각각 구하시오.

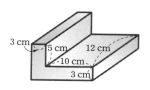

(부피)
＝(잘라내기 전 직육면체의 부피)
－(잘라 낸 직육면체의 부피)

**4** 오른쪽 그림과 같이 한 모서리의 길이가 6 cm인 정육면체에서 한 변의 길이가 2 cm인 정사각형 모양의 구멍이 각 면의 중앙을 관통할 때, 이 입체도형의 겉넓이를 구하시오.

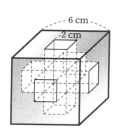

내부의 6개의 구멍의 겉넓이를 빠트리지 않도록 주의한다.

## 원기둥의 겉넓이와 부피

(1) 원기둥의 밑면인 원의 둘레의 길이는 옆면인 직사각형의 가로의 길이와 같다.

(2) 원기둥의 겉넓이 : 반지름의 길이가 $r$, 높이가 $h$인 원기둥에 대하여

(원기둥의 겉넓이)=(밑넓이)$\times 2$+(옆넓이)=$2\pi r^2+2\pi rh$

(3) 원기둥의 부피 : 반지름의 길이가 $r$, 높이가 $h$인 원기둥의 밑넓이를 $S$, 부피를 $V$라 하면

(원기둥의 부피)=(밑넓이)$\times$(높이), 즉 $V=Sh=\pi r^2 h$

**5** 다음 그림과 같은 입체도형의 겉넓이와 부피를 각각 구하시오.

(1)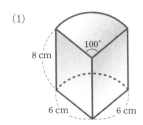

(2)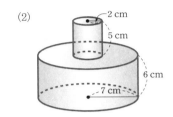

**6** 오른쪽 그림과 같이 속이 뚫린 원기둥의 겉넓이와 부피를 각 각 구하시오.

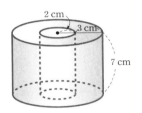

**7** 오른쪽 그림과 같은 평면도형을 직선 $l$을 회전축으로 하여 1회전 시킬 때 생기는 회전체의 겉넓이와 부피를 각각 구하 시오.

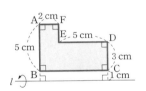

**8** 오른쪽 그림과 같이 한 모서리의 길이가 10 cm인 정육면체에 밑면의 반지름의 길이가 1 cm인 원기둥 모양의 구멍을 뚫으 면 이 입체도형의 겉넓이는 커진다. 이와 같은 구멍을 몇 개 뚫어야 구멍 뚫린 입체도형의 겉넓이가 처음으로 정육면체의 겉넓이의 2배보다 커지는지 구하시오.

(단, 구멍은 서로 만나지 않게 뚫고, $\pi=3.14$로 계산한다. )

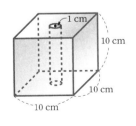

---

원기둥의 전개도

반지름의 길이가 $r$인 원의 넓이 는 $\pi r^2$이고, 옆면인 직사각형의 가로의 길이는 밑면인 원의 둘 레의 길이인 $2\pi r$이다.

(1) 반지름의 길이가 $r$, 중심각 의 크기가 $x°$일 때,

(부채꼴의 호의 길이)

$=2\pi r\times\dfrac{x}{360}$

(부채꼴의 넓이)

$=\pi r^2\times\dfrac{x}{360}$

(2) (부피)

= (큰 원기둥의 부피)

+ (작은 원기둥의 부피)

옆넓이를 구할 때, 가운데 뚫린 작은 원기둥의 옆넓이를 빠트리 지 않도록 주의한다.

회전체의 모양부터 생각한다.

구멍 하나를 뚫을 때마다 겉넓 이는

(원기둥의 옆넓이)

－(원기둥의 밑넓이)$\times 2$

씩 늘어난다.

(1) 각뿔의 겉넓이 : 전개도를 이용하여 구한다.

(각뿔의 겉넓이)=(밑넓이)+(옆넓이)

(2) 각뿔의 부피 : 밑넓이가 $S$, 높이가 $h$인 각뿔의 부피를 $V$라 하면

(각뿔의 부피)$=\dfrac{1}{3}\times$(각기둥의 부피)$=\dfrac{1}{3}\times$(밑넓이)$\times$(높이), 즉 $V=\dfrac{1}{3}Sh$

뿔의 부피는 항상 $\dfrac{1}{3}$을 곱해야 함을 빠트리지 않도록 주의한다.

**9** 오른쪽 그림과 같은 직육면체를 세 꼭짓점 B, G, H를 지나는 평면과 세 꼭짓점 B, H, D를 지나는 평면으로 자를 때 생기는 사각뿔 B−CGHD의 겉넓이와 부피를 각각 구하시오.

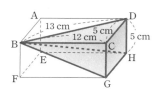

**10** 오른쪽 그림은 한 모서리의 길이가 4 cm인 정육면체에서 면 ABCD의 각 모서리의 중점과 면 EFGH의 대각선의 교점을 연결하여 만든 입체도형이다. 이 입체도형의 부피를 구하시오.

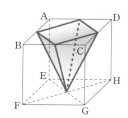

입체도형의 밑넓이는 사각형 ABCD의 넓이의 $\dfrac{1}{2}$이다.

**11** 오른쪽 그림은 삼각뿔의 전개도이다.
$\overline{AB}=\overline{BC}=\overline{CD}=\overline{DA}=10$ cm, $\overline{AE}=\overline{EB}=\overline{BF}=\overline{FC}$일 때, 이 삼각뿔의 부피를 구하시오.

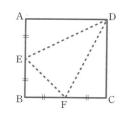

삼각뿔의 전개도를 보고 겨냥도를 생각해 본다.

**12** 다음 그림과 같은 두 직육면체 모양의 그릇에 같은 양의 물이 담겨 있을 때, $a$의 값을 구하시오. (단, 그릇의 두께는 무시한다.)

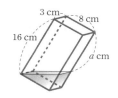

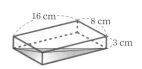

왼쪽 직육면체에 담겨 있는 물의 양은 삼각기둥의 부피와 같고, 오른쪽 직육면체에 담겨 있는 물의 양은 삼각뿔의 부피와 같다.

---

중1 뿔의 부피

정육면체에서 서로 마주보고 있는 꼭짓점을 이어 4개의 대각선을 그리면 합동인 6개의 사각뿔이 생긴다.

(사각뿔의 부피)$=\dfrac{1}{6}\times$(정육면체의 부피)

오른쪽 그림과 같이 사각뿔과 높이가 같은 사각기둥을 만들면 그 높이는 정육면체의 $\dfrac{1}{2}$이다. 즉,

(정육면체의 부피)$=2\times$(사각기둥의 부피)

$\therefore$ (사각뿔의 부피)$=\dfrac{1}{6}\times2\times$(사각기둥의 부피)

$\qquad\qquad\qquad\quad =\dfrac{1}{3}\times$(사각기둥의 부피)

고2 입체도형의 부피

**고등까지 연결되는 중등개념**

**'입체도형의 부피는 가장 간단한 형태인 기둥의 부피를 구하는 것부터 출발한다.'**

적분이란 간단히 표현하면 하나의 평면 또는 입체를 무수히 많은 조각들로 나누어 모두 더하는 것을 말한다. 이런 적분을 학습하고 난 후에야 뿔의 부피는 밑넓이가 같은 기둥의 부피의 $\dfrac{1}{3}$임을 수학적으로 정확히 밝혀낼 수 있다.

## 원뿔의 겉넓이와 부피

(1) 원뿔의 전개도에서 부채꼴의 반지름의 길이는 원뿔의 모선의 길이와 같고, 호의 길이는 원뿔의 밑면인 원의 둘레의 길이와 같다.

(2) 원뿔의 겉넓이 : 밑면의 반지름의 길이가 $r$, 모선의 길이가 $l$인 원뿔에 대하여

(원뿔의 겉넓이)＝(밑넓이)＋(옆넓이)＝(원의 넓이)＋(부채꼴의 넓이)
$$=\pi r^2+\pi r l$$

(3) 원뿔의 부피 : 밑면의 반지름의 길이가 $r$, 높이가 $h$인 원뿔의 밑넓이를 $S$, 부피를 $V$라 하면

(원뿔의 부피)＝$\dfrac{1}{3}\times$(밑넓이)$\times$(높이), 즉 $V=\dfrac{1}{3}Sh=\dfrac{1}{3}\pi r^2h$

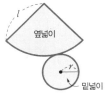

원뿔의 전개도

**13** 오른쪽 그림은 원뿔의 전개도이다. 부채꼴의 중심각인 $\angle x$의 크기를 구하시오.

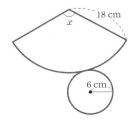

부채꼴의 호의 길이는 원뿔의 밑면인 원의 둘레의 길이와 같다.

**14** 다음 입체도형의 겉넓이와 부피를 각각 구하시오.

(1)
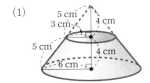

(2)
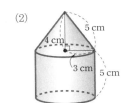

(1) 옆면의 넓이는 전개도로 나타내었을 때
(큰 부채꼴의 넓이)
ㅡ(작은 부채꼴의 넓이)
이다.

(2) (겉넓이)
＝(원뿔의 옆넓이)
＋(원기둥의 옆넓이)
＋(원기둥의 밑넓이)

**15** 오른쪽 그림과 같은 평면도형을 직선 $l$을 회전축으로 하여 1회전 시킬 때 생기는 회전체의 부피를 구하시오.

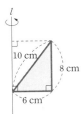

**16** 다음 그림과 같은 두 도형의 부피가 같을 때, 원기둥의 밑면의 반지름의 길이를 구하시오.

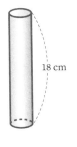

원기둥의 반지름의 길이를 $r$라 하고, 부피에 관한 식을 세운다.

## 구의 겉넓이와 부피

(1) 오른쪽 그림과 같이 원기둥에 꼭 맞게 들어가는 구, 원뿔이 있을 때,

① 반지름의 길이가 $r$인 구의 겉넓이를 $S$, 부피를 $V$라 하면

$$S = 4\pi r^2$$

$$V = \frac{2}{3} \times (\text{원기둥의 부피}) = \frac{2}{3} \times (\text{밑넓이}) \times (\text{높이})$$

$$= \frac{2}{3} \times \pi r^2 \times 2r = \frac{4}{3}\pi r^3$$

*Deep* ② 지름의 길이에 관계없이 항상 다음이 성립한다.

(원뿔의 부피) : (구의 부피) : (원기둥의 부피) = 1 : 2 : 3

(구의 겉넓이) : (원기둥의 옆넓이) = 1 : 1

*Deep* (2) 두 구의 반지름의 길이의 비가 $m : n$일 때

(겉넓이의 비) = $m^2 : n^2$, (부피의 비) = $m^3 : n^3$

*Deep* (3) 구의 지름을 한 변으로 하는 정육면체에서 다음이 항상 성립한다.

(구의 부피) : (정육면체의 부피) = $\pi : 6$

(구의 겉넓이) : (정육면체의 겉넓이) = $\pi : 6$

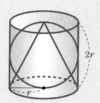

최상위 **07** 풀이 55쪽

**NOTE**

원뿔, 원기둥은 전개도를 이용하여 겉넓이를 구할 수 있지만 구는 전개도를 그릴 수 없다.
구의 겉면을 매우 작은 조각들로 나누어 구를 무수히 많은 각뿔로 나누면 구의 겉넓이와 부피 사이의 관계를 알 수 있고 이를 이용해 구의 겉넓이를 구할 수 있다.

---

**17** 오른쪽 그림과 같이 구의 중심 O가 원뿔의 밑면의 중심이 되도록 원뿔이 꼭 맞게 들어 있다. 구의 반지름의 길이가 6 cm일 때, 구와 원뿔의 부피의 비를 가장 간단한 정수의 비로 나타내시오.

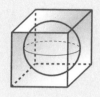

---

**18** 반지름의 길이가 12 cm인 쇠공을 녹여 반지름의 길이가 4 cm인 쇠공을 만든다면 최대 몇 개까지 만들 수 있는지 구하시오.

두 구의 반지름의 길이의 비가 $m : n$일 때
(부피의 비) = $m^3 : n^3$

---

**19** 오른쪽 그림과 같이 원기둥과 그 원기둥에 꼭 맞는 구와 원뿔이 있다. 구의 부피가 $120\pi$ cm³일 때, 원기둥과 원뿔의 부피의 합을 구하시오.

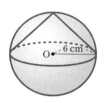

지름의 길이에 관계없이
(원뿔의 부피) : (구의 부피)
　　　 : (원기둥의 부피)
= 1 : 2 : 3

---

**20** 밑면인 원의 반지름의 길이가 15 cm, 높이가 31 cm인 원기둥에 물을 가득 채운 후 구를 넣었다 꺼냈더니 오른쪽 그림과 같이 물의 높이가 11 cm가 되었다. 이때 구의 겉넓이를 구하시오.

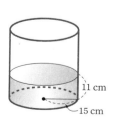

(구의 부피) = (줄어든 물의 양)

# 2 STEP 실력 높이기

**1** 오른쪽 그림과 같이 한 모서리의 길이가 2 cm인 정육면체를
$\overline{AB}$, $\overline{BC}$, $\overline{BF}$의 중점 P, Q, R를 지나게 잘라냈다. 남은 입체
도형의 부피를 구하시오.

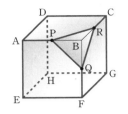

**2** 오른쪽 그림과 같은 정사각뿔의 겉넓이와 부피를 각각 구하시
오.

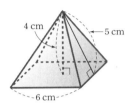

정사각뿔의 옆면은 항상 합동인
이등변삼각형이다.

**3** 오른쪽 그림과 같이 한 모서리의 길이가 12 cm인 정육면체
를 네 점 C, D, M, N을 지나는 평면으로 자를 때 생기는 입
체도형의 부피를 구하시오.
            (단, 두 점 M, N은 각각 $\overline{AE}$, $\overline{BF}$의 중점이다.)

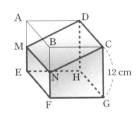

(각기둥의 부피)
＝(밑넓이)×(높이)

**4**
서술형
오른쪽 그림에서 사각형 ABCD는 한 변의 길이가 6 cm인 정사
각형이고, 두 점 M, N은 각각 $\overline{AB}$, $\overline{BC}$의 중점이다. 점선을 따
라 접어서 입체도형을 만들었을 때, 점 A(C)에서 △DMN에 내
린 수선의 길이를 구하시오.

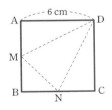

△BNM을 밑면으로 하는 삼
각뿔의 부피와 △DMN을 밑
면으로 하는 삼각뿔의 부피는
같다.

풀이

**5** 다음 그림과 같이 두 개의 직육면체 모양의 그릇 1, 2에 담겨 있는 물의 양이 같을 때,
서술형 $x$의 값을 구하시오. (단, 그릇의 두께는 무시한다.)

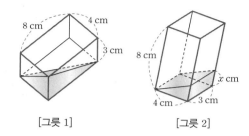

[그릇 1]        [그릇 2]

그릇 1, 2에 담겨 있는 물의 양
이 같으므로 부피가 같음을 이
용한다.

풀이

**6** 오른쪽 그림과 같은 입체도형의 부피가 $16\pi$ cm³일 때, 겉넓이를
구하시오.

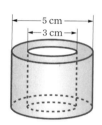

(밑면인 원의 둘레의 길이)
＝(옆면인 직사각형의 가로의
길이)

**7** 오른쪽 그림과 같은 원뿔대의 겉넓이와 부피를 각각 구
서술형 하시오.

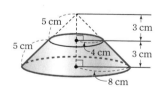

원뿔대는 큰 원뿔에서 작은 원
뿔을 제외한 부분이다.

풀이

**8** 오른쪽 그림과 같은 사다리꼴 ABCD를 직선 $l$을 회전축으로 하여 1회전 시킬 때 생기는 회전체의 부피를 구하시오.

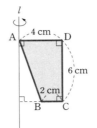

(회전체의 부피)
=(원기둥의 부피)
　　　－(원뿔의 부피)

**9** 오른쪽 그림과 같은 사다리꼴을 직선 $l$을 회전축으로 하여 1회전 시킬 때 생기는 회전체의 겉넓이를 구하시오.

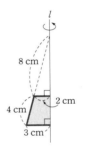

**10** 오른쪽 그림과 같이 평행사변형을 직선 $l$을 회전축으로 하여 1회전 시킬 때, 생기는 입체도형의 부피를 구하시오.

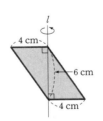

회전체를 직접 그려 본 후 부피를 구한다.

**11** 오른쪽 그림과 같이 좌표평면 위에 네 점 A(1, 1), B(2, 1), C(2, 4), D(1, 5)가 있다. 사각형 ABCD를 $y$축을 회전축으로 하여 1회전 시킬 때, 생기는 입체도형의 부피를 구하시오.

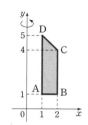

바깥쪽 회전체의 부피에서 안쪽 회전체의 부피를 뺀다.

**12** 모선의 길이가 12 cm인 원뿔이 있다. 이 원뿔을 오른쪽 그림과 같이 원 O의 원점을 중심으로 2.4회전 시켰더니 처음 위치로 돌아왔다. 이 원뿔의 겉넓이를 구하시오.

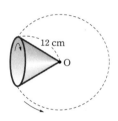

원뿔의 밑면인 원의 둘레의 길이의 2.4배가 원뿔의 모선을 반지름으로 하는 원의 둘레의 길이와 같다.

**13** 오른쪽 그림은 높이가 16 cm이고, 밑면인 원의 반지름의 길이가 12 cm인 원뿔 안에 높이가 8 cm인 원기둥이 접해 있는 것이다. 원뿔과 원기둥의 부피의 비를 가장 간단한 정수의 비로 나타내시오.

삼각형의 합동을 이용하여 원기둥의 밑면의 반지름의 길이를 구한다.

**14** 윗 부분은 원뿔 모양이고, 아랫 부분은 원기둥 모양인 통나무가 있다.
서술형  원뿔과 원기둥의 높이의 비는 2 : 3이고, 이 통나무를 깎아서 가장 큰
원뿔을 만들면 그 부피가 $20\pi$ cm³만큼 줄어든다. 이 통나무의 원래의
부피를 구하시오.

위쪽의 원뿔과 아래쪽의 원기둥
의 부피를 각각 구한다.

풀이

**15** 오른쪽 그림과 같이 밑면의 반지름의 길이가 6 cm, 높이가
10 cm인 원뿔 모양의 측우기를 땅 속에 묻어 강우량을 측정하려
고 한다. 어느 날 1분에 $12\pi$ cm³씩 측우기에 빗물이 채워지고 있
을 때, 측우기에 빗물이 완전히 다 채워지는 데까지 걸리는 시간
을 구하시오. (단, 측우기의 두께는 무시한다.)

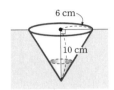

(원뿔의 부피)
$=\dfrac{1}{3}\times$(밑넓이)$\times$(높이)

**16** 오른쪽 그림과 같이 원뿔 모양의 물통에 일정한 속도로 물을 채
서술형  우려고 한다. 높이 15 cm까지 물을 받는 데 5분이 걸렸다면 물통
에 물을 가득 채울 때까지는 얼마의 시간이 더 필요한지 구하시
오. (단, 물통의 두께는 무시한다.)

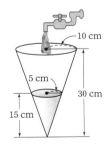

위쪽의 원뿔대의 부피를 이용하
여 구한다.

풀이

**17** 오른쪽 그림에서 작은 원뿔과 원뿔대의 부피의 비를 가장 간단한 정수의 비로 나타내시오.

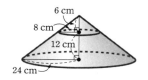

**18** 오른쪽 그림의 어두운 부분을 직선 $l$을 회전축으로 하여 $180°$ 회전시킬 때 생기는 회전체의 부피를 구하시오.

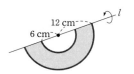

1회전 시킨 것이 아님에 주의한다.

**19** 오른쪽 그림과 같이 부피가 $64\pi$ $cm^3$인 원기둥 모양의 그릇에 크기가 같은 공 4개가 꼭 맞게 들어 있을 때, 들어 있는 공 한 개의 부피를 구하시오.

원기둥의 밑면인 원의 반지름의 길이를 $r$ cm라 하면 높이는 $8r$ cm이다.

**20** 오른쪽 그림과 같이 밑면의 반지름의 길이가 $3$ cm이고, 높이가 $6$ cm인 원기둥 모양의 그릇에 물이 가득 채워져 있다. 여기에 반지름의 길이가 $3$ cm인 쇠구슬을 넣었다 꺼냈을 때 원기둥 모양의 그릇에 남아 있는 물의 높이를 구하시오.

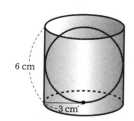

원기둥에서 빠져나간 물의 부피는 쇠구슬의 부피와 같다.

**21** 오른쪽 그림과 같은 직사각형 ABCD, 반원 O, 삼각형 ABC 를 $\overline{BC}$를 회전축으로 하여 1회전 시킬 때 생기는 회전체의 부피를 각각 $V_1$, $V_2$, $V_3$라 할 때, $V_1 : V_2 : V_3$를 가장 간단한 정수의 비로 나타내시오.

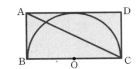

직사각형 ABCD, 반원 O, 삼각형 ABC를 $\overline{BC}$를 회전축으로 하여 1회전 시키면 각각 원기둥, 구, 원뿔이 된다.

**22**
서술형

오른쪽 그림과 같이 한 모서리의 길이가 $a$ cm인 정육면체에 구와 사각뿔이 꼭 맞게 들어 있다. 정육면체, 구, 사각뿔의 부피를 각각 $V_1$, $V_2$, $V_3$라 할 때, 부피의 비 $V_1 : V_2 : V_3$를 구하시오.

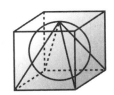

세 입체도형의 부피를 각각 구한다.

풀이

**23** 반지름의 길이가 4 cm인 구를 4등분했을 때, 사분구의 겉넓이를 구하시오.

**24** 오른쪽 그림과 같이 반지름의 길이가 12 cm인 구의 내부에 정팔면체가 꼭 맞게 들어 있다. 구의 부피와 정팔면체의 부피를 각각 $a$ cm$^3$, $b$ cm$^3$라 할 때, $\dfrac{a}{b}$의 값을 구하시오.

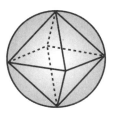

(정팔면체의 부피)
=(정사각뿔의 부피)×2

**1** 오른쪽 그림과 같이 한 모서리의 길이가 $a$인 정육면체에서 삼각뿔 A−BDE를 잘라냈을 때 생기는 입체도형의 부피를 구하시오.

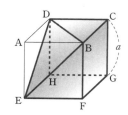

(구하는 부피)
=(정육면체의 부피)
  −(삼각뿔의 부피)

**2** 오른쪽 그림은 한 모서리의 길이가 6 cm인 정육면체의 대각선을 이어 만든 삼각뿔 C−AFH이다. 이 삼각뿔의 부피를 구하시오.

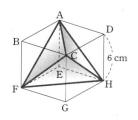

4개의 삼각뿔 A−BCF, A−EFH, C−ADH, C−FGH의 부피는 모두 같다.

**3** 오른쪽 그림과 같이 직각삼각형 ABC를 직선 $l$을 회전축으로 하여 1회전 시킬 때 생기는 회전체의 부피를 구하시오.

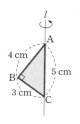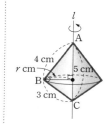

**4** 다음 그림은 한 모서리의 길이가 1 cm인 정육면체 모양의 쌓기나무 4개를 붙여서 만든 직육면체의 겉넓이를 각각 구한 것이다. 한 모서리의 길이가 1 cm인 정육면체 모양의 쌓기나무 12개를 붙여서 겉넓이가 최소가 되는 직육면체를 만들 때, 이 직육면체의 겉넓이를 구하시오.

겉넓이 : 18 cm²

겉넓이 : 16 cm²

쌓기나무를 가로로 $a$개, 세로로 $b$개, 높이로 $c$개 붙였다고 하면
$a \times b \times c = 12 \times 1 \times 1$
$= 6 \times 2 \times 1$
$= 4 \times 3 \times 1$
$= 3 \times 2 \times 2$

**5** 오른쪽 그림과 같이 부피가 18 cm³인 정육면체에서 각 면의 대각선의 교점을 연결하여 정팔면체를 만들었다. 이 정팔면체의 부피를 구하시오.

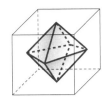

정팔면체의 위(아래)쪽 정사각뿔의 밑넓이는 $\frac{1}{2}$ × (정육면체의 한 면의 넓이)와 같다.

**6** 오른쪽 그림은 한 모서리의 길이가 3 cm인 정육면체 모양의 쌓기나무 37개로 만든 입체도형이다. 이 입체도형의 겉넓이를 구하시오.

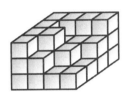

윗면, 밑면, 옆면에 나타난 정육면체 모양의 쌓기나무의 개수를 구한다.

**Challenge**

**7** 오른쪽 그림은 원기둥을 비스듬히 자르고 남은 입체도형의 전개도이다. 이 입체도형의 부피를 구하시오.

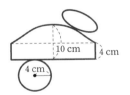

주어진 전개도로 만든 입체도형은 다음 그림과 같다.

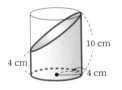

**Challenge**

**8** 오른쪽 그림과 같은 오각형 ABCDE를 $\overline{AB}$를 회전축으로 하여 1회전 시킬 때 생기는 회전체의 부피를 구하시오.

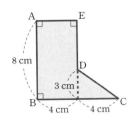

삼각형의 합동을 이용하여 각 변의 길이를 구한 다음 회전체의 부피를 구한다.

## [9~11]

음식을 꼭꼭 씹어 먹으면 소화가 잘될까? 그렇다! 많이 씹으면 씹을수록 소화가 더 잘된다. 음식을 많이 씹으면 씹을수록 소화가 더 잘된다는 사실은 생물학적으로 보다는 수학적으로 더 쉽고 간단하게 설명할 수 있다. 음식물 알갱이를 '구'라 하고, 음식물을 씹어서 분해해도 '구'가 된다고 가정하자. (가) 그러면 반지름의 길이가 $r$인 음식물을 씹어서 반지름의 길이를 $\frac{1}{2}$로 줄이면 부피는 $\left(\frac{1}{2}\right)^3=\frac{1}{8}$로 줄어들게 되므로 결국 반지름의 길이가 $\frac{1}{2}r$인 8개의 작은 구가 생긴다. 한편, 반지름의 길이가 $r$인 구의 겉넓이는 $4\pi r^2$이고, 반지름의 길이가 $\frac{1}{2}r$인 구의 겉넓이는 $\pi r^2$이므로 8개의 작은 구들의 겉넓이의 합은 $8\pi r^2$이다.

또, 우리가 자주 사용하는 비누나 두루마리 휴지를 생각해 보자. 처음에는 천천히 줄어들다가 어느 순간부터는 갑자기 확 줄어든다는 느낌을 받았을 것이다. 왜 그럴까? 바로 이런 현상을 수학으로 설명하면 이해가 빨라진다. (나) 직육면체 모양의 비누는 가로, 세로, 높이가 각각 $\frac{1}{2}$로 줄어들면 그 부피가 $\frac{1}{8}$로 줄어든다. 따라서 비누를 한번 사용할 때 손에 묻히는 비누의 양이 같다면 비누를 사용할수록 크기가 줄어드는 속도는 빨라진다. 또, (다) 두루마리 휴지는 윗면인 원의 반지름의 길이가 $\frac{1}{2}$로 줄어들면 휴지의 길이를 결정하는 윗면인 원의 둘레의 길이도 $\frac{1}{2}$로 줄어든다. 따라서 한번에 쓰는 휴지의 양이 같다면 윗면인 원의 반지름의 길이가 줄어들수록 남은 휴지의 양은 급격히 줄어든다.

**9** (가)의 내용으로부터 음식물을 꼭꼭 씹으면 소화가 더 잘되는 이유를 설명하시오.

**10** 원래의 직육면체 모양의 비누의 가로, 세로, 높이를 각각 2 cm, 4 cm, 6 cm라고 하여 (나)의 상황을 설명하시오.

**11** (다)의 상황을 사용하기 전 윗면인 원의 반지름의 길이가 20 cm인 두루마리 휴지로 설명하시오.

# III 단원 종합 문제

## 1

다음 중 다면체와 그 옆면의 모양이 바르게 짝지어진 것은?

① 사각뿔 – 정삼각형
② 사각뿔대 – 사다리꼴
③ 육각기둥 – 육각형
④ 오각뿔 – 사각형
⑤ 오각기둥 – 삼각형

## 2

다음 조건을 모두 만족하는 입체도형을 구하시오.

(가) 오면체이다.
(나) 두 밑면이 평행하다.
(다) 두 밑면이 합동이다.
(라) 옆면은 모두 직사각형이다.

## 3

다음 **보기**에서 각 면이 모두 합동이고, 각 꼭짓점에 모인 면의 개수가 같은 다면체를 모두 고르시오.

| 보기 | |
|---|---|
| ㄱ. 구 | ㄴ. 원뿔 |
| ㄷ. 사각뿔 | ㄹ. 원뿔대 |
| ㅁ. 정팔면체 | ㅂ. 삼각뿔대 |
| ㅅ. 정사면체 | ㅇ. 오각기둥 |

## 4

면의 개수가 가장 적은 정다면체의 꼭짓점의 개수를 $a$, 면의 개수가 가장 많은 정다면체의 면의 개수를 $b$라 할 때, $\dfrac{b}{a}$의 값을 구하시오.

## 5

오른쪽 그림의 전개도로 만들 수 있는 입체도형에서 면 HEG와 평행한 면을 말하시오.

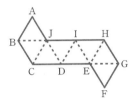

## 6

다음 **보기**의 전개도에서 정육면체를 만들 수 <u>없는</u> 것을 고르고, 그 이유를 설명하시오.

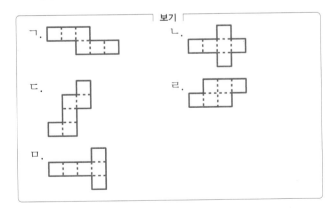

**7**

오른쪽 그림과 같은 입체도형에서 꼭짓점, 모서리, 면의 개수의 합을 구하시오.

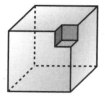

**8**

다음 정다면체 중 각 꼭짓점에 모이는 면의 개수가 3이 아닌 것을 모두 고르면? (정답 2개)

① 정사면체 　　　　 ② 정육면체

③ 정팔면체 　　　　 ④ 정십이면체

⑤ 정이십면체

**9**

다음 중 오른쪽 그림의 원기둥을 평면으로 잘랐을 때 나타나는 단면을 모두 고르면? (정답 2개)

①  　　 ②

③  　　 ④  　　 ⑤

**10**

회전체를 평면으로 자른 단면에 대한 다음 설명 중 옳지 않은 것을 모두 고르면? (정답 2개)

① 원뿔의 단면 중에는 삼각형도 있다.

② 구를 자른 단면은 모두 합동이다.

③ 원기둥을 밑면에 평행한 평면으로 자른 단면은 모두 합동이다.

④ 원기둥을 밑면에 수직인 평면으로 자른 단면은 모두 이등변삼각형이다.

⑤ 원뿔을 밑면에 평행한 평면으로 자른 단면은 모두 원이다.

**11**

다음 중 직선 $l$을 회전축으로 하여 1회전 시킬 때 오른쪽 그림과 같은 회전체가 되는 것은?

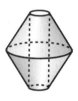

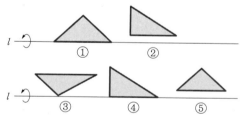

**12**

오른쪽 그림과 같이 직선 $l$로부터 2 cm 떨어진 반지름의 길이가 1 cm 인 원을 직선 $l$을 회전축으로 하여 1회전 시켰다. 이때 생기는 회전체를 원의 중심 O를 지나면서 회전축에 수직인 평면으로 자른 단면의 넓이를 구하시오.

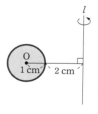

## 13

오른쪽 그림과 같이 속이 뚫린 원기둥의 부피를 구하시오.

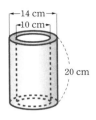

## 14

오른쪽 그림과 같은 평면도형을 직선 $l$을 회전축으로 하여 1회전 시킬 때 생기는 회전체의 겉넓이를 구하시오.

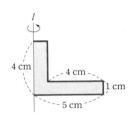

## 15

오른쪽 그림과 같은 직육면체에서 세 꼭짓점 A, F, C를 지나는 평면으로 잘라 낸 삼각뿔 B−AFC의 부피는?

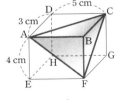

① 5 cm³     ② 10 cm³     ③ 15 cm³

④ 20 cm³     ⑤ 25 cm³

## 16

오른쪽 그림과 같은 사각뿔대의 부피를 구하시오.

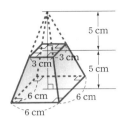

## 17

오른쪽 그림과 같은 평면도형을 직선 $l$을 회전축으로 하여 1회전 시킬 때 생기는 회전체의 부피를 구하시오.

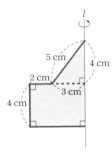

## 18

오른쪽 그림과 같은 입체도형의 겉넓이를 구하시오.

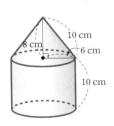

## 19

모선의 길이가 10 cm인 원뿔을 오른쪽 그림과 같이 꼭짓점 A를 중심으로 돌렸더니 2회전하여 처음 위치로 돌아왔다. 이때 원뿔의 밑면의 반지름의 길이는?

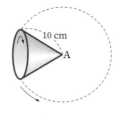

① 1 cm     ② 3 cm     ③ 5 cm

④ 7 cm     ⑤ 9 cm

## 20

반지름의 길이가 20 cm이고 중심각의 크기가 120°인 부채꼴을 옆면으로 하여 만든 원뿔의 겉넓이를 구하시오.

## 21

오른쪽 그림과 같은 입체도형의 부피를 구하시오.

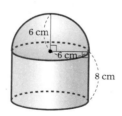

## 22

오른쪽 그림과 같이 부피가 216 cm³인 정육면체에 꼭 맞는 구의 부피를 구하시오.

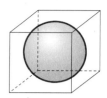

## 23

다음 그림에서 [그림 1]은 구의 일부를 잘라낸 것이다. 잘려나간 부분인 [그림 2]의 겉넓이를 구하시오.

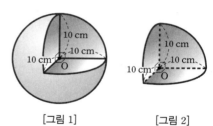

[그림 1]        [그림 2]

# IV 통계

## 1. 도수분포표와 그래프

# 1 도수분포표와 그래프

## 1 줄기와 잎 그림

(1) **변량** : 키, 몸무게, 성적 등과 같이 자료를 수량으로 나타낸 것

(2) **줄기와 잎 그림** : 줄기와 잎을 이용하여 자료를 나타낸 그림

이때 세로 선의 왼쪽에 있는 수를 줄기, 오른쪽에 있는 수를 잎이라 한다.

(3) 줄기와 잎 그림 그리는 순서

① 줄기와 잎을 정한다.

② 세로 선을 긋고 왼쪽에 줄기의 숫자를 쓴다.

③ 세로 선의 오른쪽에 잎의 숫자를 쓴다.

④ '줄기 | 잎'을 설명한다.

⑤ 줄기와 잎 그림에 알맞은 제목을 붙인다.

■ 변량의 종류
① 연속변량 : 범위의 모든 값을 취하는 변량
예 키, 몸무게
② 이산변량 : 어떤 특정한 값만 취하는 변량
예 나이, 혈액형
■ 줄기에는 중복되는 수를 한 번만 쓰고, 잎에는 중복되는 수를 모두 쓴다.

수학 성적

(단위 : 점)

| 67 | 78 | 88 |
|----|----|----|
| 74 | 58 | 81 |
| 92 | 83 | 61 |

수학 성적

(5 | 8은 58점)

| 줄기 | 잎 |
|------|-----|
| 5 | 8 |
| 6 | 1 7 |
| 7 | 4 8 |
| 8 | 1 3 8 |
| 9 | 2 |

## 2 도수분포표

(1) **계급** : 변량을 일정한 간격으로 나눈 구간

(2) **계급의 크기** : 구간의 너비

(3) **계급값** : 계급을 대표하는 값으로서 그 계급의 가운데 값

(4) **도수** : 각 계급에 속하는 자료의 수

(5) **도수분포표** : 주어진 자료를 몇 개의 계급으로 나누고, 각 계급에 속하는 도수를 조사하여 나타낸 표

## 3 히스토그램

(1) **히스토그램** : 각 계급의 크기를 가로로, 그 계급의 도수를 세로로 하는 직사각형을 차례로 그려 나타낸 그래프

(2) 히스토그램의 각 직사각형의 넓이는 각 계급의 도수에 정비례한다.

(3) 히스토그램에서 직사각형의 넓이의 총합은 (계급의 크기) × (도수의 총합)이다.

■ 히스토그램과 막대그래프의 비교
① 히스토그램 : 연속변량에 사용
② 막대그래프 : 이산변량에 사용

## 4 도수분포다각형

(1) **도수분포다각형** : 히스토그램에서 각 직사각형의 윗변의 중점을 차례로 선분으로 연결하고, 양 끝에 도수가 0인 계급을 하나씩 추가하여 그 중점을 연결하여 만든 다각형 모양의 그래프

(2) 도수분포다각형과 가로축으로 둘러싸인 부분의 넓이는 히스토그램의 직사각형의 넓이의 합과 같다.

(3) 순서쌍 (계급의 계급값, 계급의 도수)를 나타내어 선분으로 연결한 것이므로 히스토그램을 그리지 않고도 도수분포다각형을 그릴 수 있다.

## 5 상대도수

(1) **상대도수** : 전체도수에 대한 각 계급의 도수의 비율, 즉 각 계급의 도수를 도수의 총합으로 나눈 값을 그 계급의 상대도수라 한다.

$$(\text{어떤 계급의 상대도수}) = \frac{(\text{그 계급의 도수})}{(\text{도수의 총합})}$$

(2) **상대도수의 성질**

① 상대도수의 총합은 항상 1이다.

② 각 계급의 상대도수는 그 계급의 도수에 정비례한다.

③ 전체 도수가 다른 두 집단의 분포 상태를 비교할 때 편리하다.

(3) **상대도수의 분포표** : 각 계급의 상대도수를 나타낸 표

(4) **상대도수의 그래프**

① 상대도수의 그래프를 그리는 방법 : 가로축에 각 계급의 양 끝 값을, 세로축에 상대도수를 써넣어 히스토그램이나 도수분포다각형과 같은 모양으로 그린다.

② 상대도수의 총합은 1이므로 상대도수의 그래프와 가로축으로 둘러싸인 부분의 넓이는 계급의 크기와 같다.

③ 상대도수의 그래프는 도수의 총합이 다른 두 집단의 자료를 비교할 때 편리하다.

---

■ (도수의 총합)

$$= \frac{(\text{그 계급의 도수})}{(\text{어떤 계급의 상대도수})}$$

■ (어떤 계급의 도수)
  = (도수의 총합)
  × (그 계급의 상대도수)

■ 전체 도수가 다른 두 집단에서 어떤 계급의 도수를 직접 비교하는 것은 무의미하다.

■ (상대도수의 그래프와 가로축으로 둘러싸인 부분의 넓이)
  = (계급의 크기)
  × (상대도수의 총합)
  = (계급의 크기) × 1
  = (계급의 크기)

■ 계급의 크기가 같은 자료의 상대도수의 그래프와 가로축으로 둘러싸인 부분의 넓이는 같다.

# 주제별 실력다지기

## 줄기와 잎 그림

(1) 변량 : 키, 몸무게, 성적 등과 같이 자료를 수량으로 나타낸 것
(2) 줄기와 잎 그림 : 줄기와 잎을 이용하여 자료를 나타낸 그림
   이때 세로 선의 왼쪽에 있는 수를 줄기, 오른쪽에 있는 수를 잎이라 한다.
(3) 줄기와 잎 그림 그리는 순서
   ① 줄기와 잎을 정한다.
   ② 세로 선을 긋고 왼쪽에 줄기의 숫자를 쓴다.
   ③ 세로 선의 오른쪽에 잎의 숫자를 쓴다.
   ④ '줄기 | 잎'을 설명한다.
   ⑤ 줄기와 잎 그림에 알맞은 제목을 붙인다.

> 줄기에는 중복되는 수를 한 번만 쓰고, 잎에는 중복되는 수를 모두 쓴다.

**1** 아래 자료는 어느 반 학생들의 멀리던지기 기록을 조사하여 나타낸 것이다. 다음 물음에 답하시오.

멀리던지기 기록 (단위 : m)

| | | | | |
|---|---|---|---|---|
| 25 | 37 | 7 | 24 | 12 |
| 10 | 8 | 27 | 19 | 27 |
| 12 | 7 | 20 | 38 | 21 |

멀리던지기 기록　(0 | 7은 7 m)

| 줄기 | 잎 |
|---|---|
| 0 | 7　8　7 |

(1) 주어진 자료를 이용하여 위의 줄기와 잎 그림을 완성하시오.
(2) 15 m 이상 23 m 이하를 던진 학생은 전체의 몇 %인지 구하시오.

**2** 다음은 어느 반 남학생 10명과 여학생 10명의 수행평가 점수를 조사하여 나타낸 줄기와 잎 그림이다. 남학생의 점수의 합과 여학생의 점수의 합의 차를 구하시오.

수행평가 점수　(5 | 8은 58점)

| 잎( 남학생 ) | 줄기 | 잎( 여학생 ) |
|---|---|---|
| 5 | 5 | 8　1 |
| 4　1　9 | 6 | 4　2 |
| 8　7　0 | 7 | 3　5　2 |
| 6　2 | 8 | 4　5 |
| 0 | 9 | 3 |

## 도수분포표

(1) 계급 : 변량을 일정한 간격으로 나눈 구간

(2) 계급의 크기 : 구간의 너비

(3) 계급값 : 계급을 대표하는 값으로서 그 계급의 가운데 값

(4) 도수 : 각 계급에 속하는 자료의 수

(5) 도수분포표 : 주어진 자료를 몇 개의 계급으로 나누고, 각 계급에 속하는 도수를 조사하여 나타낸 표

> 계급 '$a$ 이상 $b$ 미만'에서
> 계급의 크기 : $b-a$
> 계급값 : $\dfrac{a+b}{2}$
>
> 계급의 개수는 자료의 양에 따라 5~15개 정도로 정한다.

**3** 다음 **보기**에서 도수분포표에 대한 설명으로 옳지 <u>않은</u> 것을 모두 고르시오.

> 도수분포표는 자료 전체의 경향을 쉽게 알아볼 수 있도록 구간을 나누고, 도수를 구하여 만든 표이다.

┌─────────────── 보기 ───────────────┐
ㄱ. 구간의 너비를 계급의 크기라 한다.

ㄴ. 계급의 가운데 값을 중앙값이라 한다.

ㄷ. 각 계급에 속하는 자료의 수를 도수라 한다.

ㄹ. 자료를 수량으로 나타낸 것을 변량이라 한다.

ㅁ. 계급의 수는 5~15개 정도로 하는 것이 좋다.

ㅂ. 변량을 일정한 간격으로 나눈 구간을 계급이라 한다.

ㅅ. 계급의 개수가 많으면 전체적인 분포의 특징을 쉽게 파악할 수 있다.
└──────────────────────────────────┘

**4** 오른쪽 표는 어느 반 학생 30명의 몸무게를 조사하여 나타낸 도수분포표이다. 다음 물음에 답하시오.

(1) 도수가 가장 작은 계급의 계급값을 구하시오.

(2) 몸무게가 55 kg 이상인 학생은 전체의 몇 %인지 구하시오.

(3) 몸무게가 20번째로 무거운 학생이 속하는 계급의 도수를 구하시오.

| 몸무게(kg) | 도수(명) |
|---|---|
| 40$^{이상}$ ~ 45$^{미만}$ | 6 |
| 45 ~ 50 | |
| 50 ~ 55 | 10 |
| 55 ~ 60 | 8 |
| 60 ~ 65 | 1 |
| 합계 | 30 |

> (1) 각 계급의 가운데 값이 계급값이다.

**5** 오른쪽 표는 어느 중학교 학생 60명의 키를 조사하여 나타낸 것이다. 다음 물음에 답하시오.

(1) 키가 가장 큰 학생의 키는 최소한 몇 cm 이상인지 구하시오.

(2) 키가 163 cm인 학생이 속하는 계급의 도수를 구하시오.

(3) 키가 155 cm 이상인 학생은 몇 명인지 구하시오.

(4) 키가 10번째로 큰 학생의 키는 최소한 몇 cm 이상인지 구하시오.

| 계급값(cm) | 도수(명) |
|---|---|
| 142.5 | 5 |
| 147.5 | 7 |
| 152.5 | 20 |
| 157.5 | 15 |
| 162.5 | 11 |
| 167.5 | 2 |
| 합계 | 60 |

(계급의 크기)
=(인접한 계급값끼리의 차)
즉, 이 표에서 계급의 크기는
147.5-142.5=5(cm)

계급값이 $A$, 계급의 크기가 $a$인 계급은
$A-\frac{1}{2}a$ 이상 $A+\frac{1}{2}a$ 미만

**6** 오른쪽 표는 나연이네 반 학생 60명의 100 m 달리기 기록을 조사하여 나타낸 도수분포표의 일부분이다. 기록이 15.0초 이상 16.0초 미만인 학생을 $a$명, 기록이 16.0초 이상 17.0초 미만인 학생을 $b$명이라 하자. 기록이 16.0초 미만인 학생이 전체의 40 %일 때, $|a-b|$의 값을 구하시오.

| 기록(초) | 도수(명) |
|---|---|
| 14.0$^{이상}$ ~ 15.0$^{미만}$ | 4 |
| 15.0  ~ 16.0 | |
| 16.0  ~ 17.0 | |
| 17.0  ~ 18.0 | 12 |
| 합계 | 60 |

### 히스토그램

(1) 각 계급의 크기를 가로로, 그 계급의 도수를 세로로 하는 직사각형을 차례로 그려 나타낸 그래프를 히스토그램이라 한다.

(2) 히스토그램의 각 직사각형의 넓이는 각 계급의 도수에 정비례한다.

(3) (직사각형의 넓이의 총합)=(계급의 크기)×(도수의 총합)

히스토그램은 도수분포표보다 자료의 분포 상태를 쉽게 알아볼 수 있다.

**7** 다음 **보기**에서 히스토그램에 대한 설명으로 옳지 <u>않은</u> 것을 모두 고르시오.

┌─ **보기** ─┐
ㄱ. 가로축에는 계급의 양 끝 값을 차례로 써넣는다.
ㄴ. 세로축에는 도수를 써넣는다.
ㄷ. 도수분포표보다 자료의 분포 상태를 쉽게 알 수 있다.
ㄹ. 각 계급에 속하는 직사각형의 세로의 길이는 일정하다.
ㅁ. 각 계급에 속하는 직사각형의 가로의 길이는 일정하다.
ㅂ. 히스토그램에서 각 직사각형의 넓이는 각 계급의 계급값에 정비례한다.

히스토그램의 각 직사각형의 가로의 길이는 일정하므로 직사각형의 넓이는 세로, 즉 각 계급의 도수에 정비례한다.

**8** 오른쪽 그림은 현정이네 학교 1학년 학생들의 수학 성적을 조사하여 나타낸 히스토그램이다. 다음 물음에 답하시오.

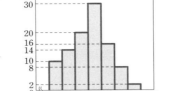

(1) 계급값이 55점인 계급의 도수를 $a$명, 계급값이 95점인 계급의 도수를 $b$명이라고 할 때, $\dfrac{a}{b}$의 값을 구하시오.

(2) 수학 성적이 40점 이상 60점 미만인 학생은 전체의 몇 %인지 구하시오.

(3) 수학 성적이 상위 10 % 이내에 들려면 최소한 몇 점을 받아야 하는지 구하시오.

(4) 20점부터 시작하여 계급의 크기를 20점으로 하여 계급을 나눌 때, 도수가 가장 큰 계급과 그 계급의 도수를 구하시오.

(1) 계급값은 계급의 양 끝 값의 합의 $\dfrac{1}{2}$이다.

(3) 상위 10 % 이내에 들려면 전체 도수가 100명이므로 $100 \times \dfrac{10}{100} = 10$(명) 이내에 들어야 한다.

**9** 오른쪽 그림은 은정이네 학교 학생 80명에 대한 영어 성적을 조사하여 나타낸 히스토그램의 일부분이다. 다음 물음에 답하시오.

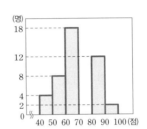

(1) 성적이 70점 이상 80점 미만인 계급의 도수를 구하시오.

(2) 성적이 70점 미만인 학생은 전체의 몇 %인지 구하시오.

**10** 오른쪽 그림은 민선이네 학교 학생 60명의 통학 시간을 조사하여 나타낸 히스토그램의 일부분이다. 다음 물음에 답하시오.

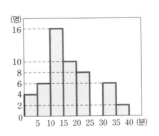

(1) 계급의 개수를 구하시오.

(2) 통학 시간이 20분 이상 걸리는 학생은 전체의 몇 할인지 구하시오.

(3) 통학 시간이 5분 이상 10분 미만인 계급에 해당하는 직사각형의 넓이를 $a$라 할 때, 25분 이상 30분 미만인 계급에 해당하는 직사각형의 넓이를 $a$에 대한 식으로 나타내시오.

(3) 직사각형의 넓이는 세로, 즉 도수에 정비례한다.

최상위 **08**
NOTE

풀이 67쪽

(1) 히스토그램에서 각 직사각형의 윗변의 중점을 차례로 선분으로 연결하고, 양 끝에 도수가 0인 계급을 하나씩 추가하여 그 중점을 연결하여 만든 다각형 모양의 그래프를 도수분포다각형이라 한다.

(2) 도수분포다각형과 가로축으로 둘러싸인 부분의 넓이는 히스토그램의 직사각형의 넓이의 합과 같다.

(3) 순서쌍 ( 계급의 계급값, 계급의 도수)를 나타내어 선분으로 연결한 것이므로 히스토그램을 그리지 않고도 도수분포다각형을 그릴 수 있다.

히스토그램 위에 도수분포다각형을 그렸을 때, 직사각형에서 도수분포다각형 바깥쪽에 있는 부분을 비어있는 안쪽 부분으로 이동시키면 도수분포다각형과 가로축으로 둘러싸인 부분의 넓이는 히스토그램의 직사각형의 넓이의 합과 같음을 파악할 수 있다.

**11** 다음 중 도수분포다각형에 대한 설명으로 옳지 <u>않은</u> 것을 모두 고르면? ( 정답 2개)

① 히스토그램을 반드시 그려야 도수분포다각형을 그릴 수 있다.

② 히스토그램에서 각 직사각형의 넓이의 합은 도수분포다각형과 가로축으로 둘러싸인 부분의 넓이와 같다.

③ 도수분포다각형은 자료의 분포 상태를 도수분포표보다 쉽게 관찰할 수 있어 자료 전체의 특징을 알아보는 데 편리하다.

④ 히스토그램의 각 직사각형의 윗변의 오른쪽 끝 점을 차례로 연결하여 만든 것이 도수분포다각형이다.

⑤ 히스토그램에서 각 직사각형의 윗변의 중점과 양 끝에 도수가 0인 계급을 하나씩 추가하여 그 중점을 연결하여 만든 것이 도수분포다각형이다.

**12** 오른쪽 그림은 나연이네 학교 학생 60명의 던지기 기록을 조사하여 나타낸 히스토그램이다. 다음 물음에 답하시오.

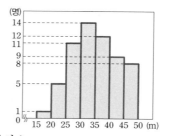

(1) 오른쪽 히스토그램 위에 도수분포다각형을 그리시오.

(2) 도수가 가장 큰 계급의 계급값을 $a$ m, 도수가 가장 작은 계급의 계급값을 $b$ m라 할 때, $a-b$의 값을 구하시오.

(3) 던지기 기록이 20 m 이상 35 m 미만인 학생들은 전체의 몇 %인지 구하시오.

도수분포다각형은 히스토그램에서 각 직사각형의 윗변의 중점을 차례로 선분으로 연결하고, 양 끝에 도수가 0인 계급을 하나씩 추가하여 그 중점을 연결하여 만든 다각형 모양의 그래프이다.

**13** 오른쪽 그림은 은정이네 반 학생들의 키를 조사하여 나타낸 도수분포다각형이다. 다음 물음에 답하시오.

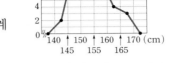

(1) 키가 160 cm 이상인 학생 수를 구하시오.

(2) 키가 작은 쪽에서 10번째인 학생이 속하는 계급의 계급값을 구하시오.

(3) 가로, 세로의 한 눈금의 길이를 1이라 할 때, 위 도수분포다각형과 가로축으로 둘러싸인 부분의 넓이를 구하시오.

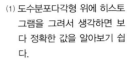

(1) 도수분포다각형 위에 히스토그램을 그려서 생각하면 보다 정확한 값을 알아보기 쉽다.

**14** 오른쪽 그림은 현정이네 반 학생들의 몸무게를 조사하여 나타낸 도수분포다각형의 일부분이다. 다음 물음에 답하시오.

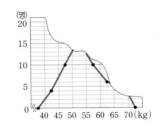

(1) 몸무게가 45 kg 이상 50 kg 미만인 학생이 전체의 $\frac{1}{5}$일 때, 전체 학생 수를 구하시오.

(2) 몸무게가 60 kg 미만인 학생 수가 60 kg 이상인 학생 수의 4배일 때, 50 kg 이상 55 kg 미만인 계급의 도수를 구하시오.

(2) 60 kg 이상인 학생 수를 $a$명이라 하면 60 kg 미만인 학생 수는 $4a$명이다.

**15** 오른쪽 그림은 어느 중학교 남학생과 여학생의 키를 조사하여 나타낸 도수분포다각형이다. 다음 물음에 답하시오.

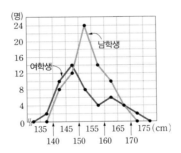

(1) 키가 145 cm 이상 155 cm 미만인 학생은 남학생과 여학생 중 어느 쪽이 몇 명 더 많은지 구하시오.

(2) 남학생의 수보다 여학생의 수가 더 많은 계급의 계급값의 합을 구하시오.

(3) 남학생과 여학생 각각의 도수분포다각형과 가로축으로 둘러싸인 부분의 넓이의 비를 구하시오.

(3) 계급의 크기가 같으면 도수의 총합에 의하여 도수분포다각형과 가로축으로 둘러싸인 부분의 넓이가 결정된다.

## 도수분포곡선

(1) 자료의 수가 매우 많은 경우 계급의 크기를 작게 하여 계급의 수를 늘려 나갔을 때, 도수분포다각형이 매끄러운 곡선으로 나타내어진다. 이와 같은 곡선을 도수분포곡선이라 한다.

(2) 도수분포곡선의 모양은 대칭형이 많으나, 자료의 내용에 따라 다음 그림과 같이 여러 가지 모양으로 나타난다. 특히, 대칭형일수록 분포가 고르며, 대칭형 중에서도 폭이 좁을수록 분포가 고르다.

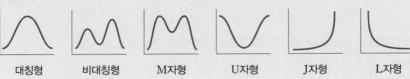

대칭형    비대칭형    M자형    U자형    J자형    L자형

> 도수분포곡선은 히스토그램이나 도수분포다각형보다 자료의 분포 상태를 더 자세히 알아볼 수 있다.

**16** 다음을 나타내는 도수분포곡선의 모양을 아래 **보기**에서 고르시오.

(1) 성적이 우수한 학생이 많은 학급의 시험 성적의 분포를 나타내는 도수분포곡선

(2) 어려운 문제가 많이 출제된 시험 성적의 분포를 나타내는 도수분포곡선

(3) 자정부터 하루 동안 도심의 자동차 통행량의 분포를 나타내는 도수분포곡선

(4) 성적이 고른 반의 시험 성적의 분포를 나타내는 도수분포곡선

┤ 보기 ├

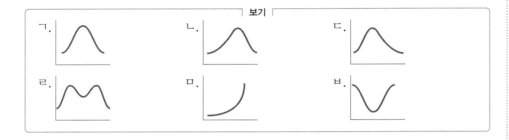

ㄱ.    ㄴ.    ㄷ.    ㄹ.    ㅁ.    ㅂ.

**17** 오른쪽 도수분포곡선 중 자료가 가장 고르게 분포되어 있는 것을 고르시오.

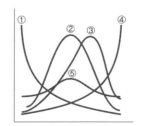

> 대칭형일수록 자료의 분포가 고르며, 대칭형 중에서도 폭이 좁을수록 분포가 고르다.

## 상대도수

(1) 상대도수 : 전체도수에 대한 각 계급의 도수의 비율. 즉 각 계급의 도수를 도수의 총합으로 나눈 값

$$(어떤 계급의 상대도수) = \frac{(그 계급의 도수)}{(도수의 총합)}$$

(2) 상대도수의 성질

① 상대도수의 총합은 항상 1이다.

② 각 계급의 상대도수는 그 계급의 도수에 정비례한다.

③ 전체 도수가 다른 두 집단의 분포 상태를 비교할 때 편리하다.

(3) 상대도수의 분포표 : 각 계급의 상대도수를 나타낸 표

$$(상대도수의 합)$$
$$= \frac{(각 계급의 도수의 합)}{(도수의 총합)}$$
$$= \frac{(도수의 총합)}{(도수의 총합)} = 1$$

**18** 다음 **보기**에서 상대도수에 대한 설명으로 옳지 <u>않은</u> 것을 모두 고르시오.

$$(어떤 계급의 상대도수)$$
$$= \frac{(그 계급의 도수)}{(도수의 총합)}$$

```
┌──────────────── 보기 ────────────────┐
ㄱ. 상대도수의 총합은 항상 1이다.
ㄴ. 상대도수는 그 계급의 도수에 정비례한다.
ㄷ. (전체 도수) = (그 계급의 도수)/(어떤 계급의 상대도수)
ㄹ. 상대도수가 가장 큰 계급이 도수도 가장 크다.
ㅁ. 도수의 합이 서로 다른 두 집단을 비교할 때, 편리하다.
ㅂ. (어떤 계급의 도수) = (계급값) × (그 계급의 상대도수)
ㅅ. 전체 도수에 대한 각 계급의 도수의 비율을 상대도수라 한다.
ㅇ. 전체 도수가 다른 두 자료에서 도수가 크면 상대도수도 크다.
└──────────────────────────────────────┘
```

**19** 오른쪽 표는 어느 중학교 1학년 1반과 2반 학생들의 혈액형을 조사하여 나타낸 것이다. 1반 학생 중 A형인 학생의 상대도수를 $a$, 2반 학생 중 O형인 학생의 상대도수를 $b$라 할 때, $a-b$의 값을 구하시오.

| 혈액형 | 학생 수(명) | |
| --- | --- | --- |
| | 1반 | 2반 |
| O | 5 | 8 |
| A | 5 | 12 |
| B | 6 | 14 |
| AB | 4 | 6 |
| 합계 | 20 | 40 |

**20** 오른쪽 표는 민선이네 반 학생들의 키를 조사하여 나타낸 상대도수의 분포표의 일부분이다. 이때 $a$의 값을 구하시오.

| 키(cm) | 도수(명) | 상대도수 |
| --- | --- | --- |
| $150^{이상} \sim 155^{미만}$ | 8 | 0.4 |
| 155 ~ 160 | 2 | $a$ |

$$(도수의 총합)$$
$$= \frac{(그 계급의 도수)}{(어떤 계급의 상대도수)}$$
를 이용하여 도수의 총합을 구한 후, $a$의 값을 구한다.

**21** 전체 학생 수의 비가 3 : 1인 두 반의 수학 성적을 조사하였더니 어떤 계급의 도수의 비가 2 : 3이었다. 이때 이 계급의 상대도수의 비를 가장 간단한 정수의 비로 나타내시오.

두 반의 전체 학생 수를 각각 $3a$명, $a$명, 어떤 계급의 도수를 각각 $2b$명, $3b$명이라 하고, 상대도수의 비를 구한다.

**22** A, B 두 중학교의 전체 학생 수는 각각 1350명, 450명이다. 두 학교의 1학년 학생 수가 같을 때, 1학년 학생의 상대도수의 비를 가장 간단한 정수의 비로 나타내시오.

**23** 전체 학생 수가 1반은 40명, 2반은 30명이고, 두 반에서 혈액형이 A형인 학생의 상대도수를 각각 $x$, $y$라 한다. 두 반을 합반했을 때, 혈액형이 A형인 학생의 상대도수를 $x$, $y$로 나타내시오.

(어떤 계급의 도수)
=(도수의 총합)
　　　×(그 계급의 상대도수)

**24** 오른쪽 표는 나연이네 반 학생들의 키를 조사하여 나타낸 상대도수의 분포표이다. 키가 140 cm 이상인 학생이 전체의 32 %일 때, 키가 130 cm 이상 135 cm 미만인 학생은 전체의 몇 %인지 구하시오.

| 키(cm) | 상대도수 |
|---|---|
| $120^{이상} \sim 125^{미만}$ | 0.06 |
| 125 ~ 130 | 0.18 |
| 130 ~ 135 | |
| 135 ~ 140 | 0.24 |
| 140 ~ 145 | |
| 145 ~ 150 | 0.2 |
| 합계 | 1 |

어떤 계급의 상대도수가 $a$이면 비율은 $100a$ %이다.

**25** 오른쪽 표는 어느 중학교 1학년 5반 학생들의 수학 성적을 조사하여 나타낸 상대도수의 분포표이다. 이때 이 학급의 전체 학생 수가 될 수 있는 수 중에서 가장 작은 수를 구하시오.

| 성적(점) | 상대도수 |
|---|---|
| $70^{이상} \sim 75^{미만}$ | $\dfrac{1}{10}$ |
| 75 ~ 80 | $\dfrac{1}{5}$ |
| 80 ~ 85 | $\dfrac{1}{4}$ |
| 85 ~ 90 | $\dfrac{1}{6}$ |
| 90 ~ 95 | $\dfrac{1}{5}$ |
| 95 ~ 100 | $\dfrac{1}{12}$ |
| 합계 | 1 |

## 상대도수의 그래프

(1) 상대도수의 그래프 : 가로축에는 각 계급의 양 끝 값을, 세로축에는 상대도수를 써넣어 히스토그램이나 도수분포다각형과 같은 모양으로 그린 그래프
(2) 상대도수의 그래프와 가로축으로 둘러싸인 부분의 넓이는 계급의 크기와 같다.
(3) 계급의 크기가 같은 자료의 상대도수의 그래프와 가로축으로 둘러싸인 부분의 넓이는 같다.

**26** 오른쪽 그림은 은정이네 반 학생 40명의 수학 성적에 대한 상대도수의 그래프의 일부분이다. 다음 물음에 답하시오.

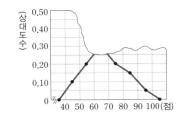

(1) 수학 성적이 60점 이상 70점 미만인 학생 수를 구하시오.

(2) 도수가 가장 큰 계급의 계급값을 $a$점, 도수가 가장 작은 계급의 계급값을 $b$점이라 할 때, $2a-b$의 값을 구하시오.

(3) 수학 성적이 70점 이상인 학생은 전체의 몇 %인지 구하시오.

**27** 오른쪽 그림은 A, B 두 중학교 학생들의 영어 성적에 대한 상대도수의 그래프의 일부분이다. 다음 물음에 답하시오.

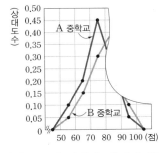

(1) 영어 성적이 70점 이상 80점 미만인 학생 수가 A 중학교는 45명, B 중학교는 60명일 때, A, B 두 중학교의 전체 학생 수를 각각 구하시오.

(2) A 중학교에서 영어 성적이 상위 25 % 이내에 들려면 적어도 $x$점 이상을 받아야 하고, B 중학교에서 상위 10 % 이내에 들려면 적어도 $y$점 이상을 받아야 한다. 이때 $|x-2y|$의 값을 구하시오.

(3) A, B 두 중학교의 상대도수의 그래프와 가로축으로 둘러싸인 부분의 넓이를 각각 $a$, $b$라 할 때, $a-b$의 값을 구하시오.

(1) (도수의 총합)
$$= \frac{(\text{그 계급의 도수})}{(\text{어떤 계급의 상대도수})}$$

(2) 먼저 영어 성적이 80점 이상 90점 미만인 계급의 상대도수를 구한다.

(3) (상대도수의 그래프와 가로축으로 둘러싸인 부분의 넓이)
 = (계급의 크기)
   × (상대도수의 총합)
 = (계급의 크기)×1
 = (계급의 크기)

# 2 STEP 실력 높이기

**[1~2]** 오른쪽 그림은 은정이와 현정이네 모둠 학생들이 일 년 동안 읽은 책의 수를 조사하여 나타낸 줄기와 잎 그림이다. 다음 물음에 답하시오.

책의 수        (1 | 5는 15권)

| 잎(은정이네 모둠) | 줄기 | 잎(현정이네 모둠) |
|---|---|---|
| 3 | 1 | 5  3 |
| 5  8 | 2 | 6  2  4 |
| 6  1 | 3 | 1  4 |
| 1 | 4 | 3 |

**1** 은정이와 현정이네 모둠의 학생은 각각 몇 명인지 차례로 구하시오.

**2** 책을 가장 많이 읽은 학생은 가장 적게 읽은 학생보다 몇 권 더 읽었는지 구하시오.

**[3~4]** 오른쪽 표는 어느 중학교 1학년 학생 40명의 영어 성적을 조사하여 나타낸 도수분포표이다. 다음 물음에 답하시오.

**3** $a$의 값을 구하시오.

**4** 영어 성적이 80점 이상인 학생은 전체의 몇 %인지 구하시오.

| 성적(점) | 학생 수(명) |
|---|---|
| $50^{이상} \sim 60^{미만}$ | $a$ |
| 60 ~ 70 | $2a$ |
| 70 ~ 80 | 8 |
| 80 ~ 90 | $3a$ |
| 90 ~ 100 | 2 |
| 합계 | 40 |

**5** 서술형

오른쪽 표는 어느 중학교 학생 40명의 수학 성적을 조사하여 나타낸 도수분포표이다. 수학 성적이 80점 미만인 학생 수가 전체의 82.5 %라고 할 때, $x$, $y$의 값을 각각 구하시오.

풀이

| 성적(점) | 학생 수(명) |
|---|---|
| $20^{이상} \sim 30^{미만}$ | 2 |
| 30 ~ 40 | 3 |
| 40 ~ 50 | 6 |
| 50 ~ 60 | 9 |
| 60 ~ 70 | $x$ |
| 70 ~ 80 | 5 |
| 80 ~ 90 | $y$ |
| 90 ~ 100 | 4 |
| 합계 | 40 |

수학 성적이 80점 이상인 학생 수는 전체 학생 수에서 80점 미만인 학생 수를 빼서 구할 수 있다.

**6**
서술형

오른쪽 표는 어느 반 학생 50명의 키를 조사하여 나타낸 도수분포표이다. 키가 160 cm 미만인 학생이 전체의 78 %라고 할 때, 키가 160 cm 이상 170 cm 미만인 학생 수를 구하시오.

풀이

| 키(cm) | 학생 수(명) |
|---|---|
| 130$^{이상}$ ~ 140$^{미만}$ | 8 |
| 140 ~ 150 | 19 |
| 150 ~ 160 | |
| 160 ~ 170 | |
| 170 ~ 180 | 4 |
| 합계 | 50 |

키가 160 cm 이상인 학생 수는 전체 학생 수에서 키가 160 cm 미만인 학생 수를 빼서 구할 수 있다.

**7**

오른쪽 표는 윤정이네 반 학생 40명의 몸무게를 조사하여 나타낸 도수분포표이다. 몸무게가 36 kg 이상 44 kg 미만인 계급에 속하는 학생이 전체의 25 %일 때, $ab$의 값을 구하시오.

| 몸무게(kg) | 도수(명) |
|---|---|
| 36$^{이상}$ ~ 40$^{미만}$ | 2 |
| 40 ~ 44 | $a$ |
| 44 ~ 48 | 18 |
| 48 ~ 52 | $b$ |
| 52 ~ 56 | 2 |
| 합계 | 40 |

**[8~9]** 오른쪽 표는 어느 중학교 1학년 학생 30명의 1일 공부 시간을 조사하여 나타낸 도수분포표이다. 다음 물음에 답하시오.

**8**

계급의 크기를 $a$시간이라 하고 도수가 12명인 계급의 계급값을 $b$시간이라 할 때, $|2a-b|$의 값을 구하시오.

| 계급값(시간) | 도수(명) |
|---|---|
| 1 | 3 |
| 3 | 7 |
| | 12 |
| 7 | 6 |
| 9 | 2 |
| 합계 | 30 |

계급의 크기는 인접한 계급값의 차이다.

**9**

공부 시간이 5번째로 많은 학생이 속하는 계급을 구하시오.

계급값이 $A$, 계급의 크기가 $a$인 계급은
$A-\dfrac{a}{2}$ 이상 $A+\dfrac{a}{2}$ 미만

**[10~11]** 오른쪽 표는 어느 반 학생들의 영어 성적을 조사하여 나타낸 도수분포표이다. 다음 물음에 답하시오.

| 성적(점) | 학생 수(명) |
|---|---|
| $50^{이상} \sim 60^{미만}$ | 3 |
| 60 ~ 70 | 11 |
| 70 ~ 80 | $a$ |
| 80 ~ 90 | $b$ |
| 90 ~ 100 | 7 |
| 합계 | 50 |

**10**
서술형

계급값이 75점인 계급의 학생 수는 영어 성적이 70점 이상인 학생 수의 $\frac{1}{3}$이라 할 때, $|a-b|$의 값을 구하시오.

풀이

계급값이 75점인 계급은 70점 이상 80점 미만이다.

**11**
서술형

영어 성적이 80점 이상인 학생 수는 영어 성적이 60점 미만인 학생 수의 몇 배인지 구하시오.

풀이

(80점 이상인 학생 수)
=(60점 미만인 학생 수)$\times x$
에서 $x$의 값을 구한다.

**12**

어떤 도수분포표의 계급의 크기가 3일 때, 계급값이 7.5인 계급은 $a$ 이상 $b$ 미만이다. 이때 $a^2+b^2$의 값을 구하시오.

$b-a=3$, $\frac{a+b}{2}=7.5$

**13**
서술형

오른쪽 표는 어느 중학교 1학년 학생 20명의 수학 성적을 조사하여 나타낸 도수분포표이다. 계급의 크기를 $x$점, 도수가 가장 큰 계급의 계급값을 $y$점, 세 번째로 성적이 우수한 학생이 속하는 계급의 계급값을 $z$점이라 할 때, $2x-y+z$의 값을 구하시오.

풀이

| 수학 성적(점) | 학생 수(명) |
|---|---|
| $40^{이상} \sim 50^{미만}$ | 1 |
| 50 ~ 60 | 2 |
| 60 ~ 70 | 3 |
| 70 ~ 80 | 8 |
| 80 ~ 90 | 5 |
| 90 ~ 100 | 1 |
| 합계 | 20 |

계급값은 계급의 가운데 값이다.

**14** 오른쪽 표는 5명의 학생 A, B, C, D, E의 수학 성적을 조사하여 B의 수학 성적인 80점을 기준으로 하여 (학생의 수학 성적)−(B의 수학 성적)을 나타낸 것이다. 성적이 가장 높은 학생과 가장 낮은 학생의 점수 차를 구하시오.

| 학생 | 성적의 차( 점) |
|------|------------|
| A | +5 |
| B | 0 |
| C | −10 |
| D | −5 |
| E | +10 |

점수가 가장 높은 학생은 E이고, 점수가 가장 낮은 학생은 C이다.

**15** 오른쪽 그림은 정한이네 반 학생들의 과학 성적을 조사하여 나타낸 히스토그램과 도수분포다각형이다. 각 삼각형의 넓이가 같은 것끼리 옳게 짝지어진 것을 모두 고르면? ( 정답 2개)

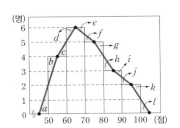

삼각형의 넓이는 밑변의 길이와 높이로 결정된다.

① $a$와 $b$   ② $c$와 $e$   ③ $f$와 $i$
④ $j$와 $k$   ⑤ $h$와 $i$

**16** 오른쪽 그림은 어느 중학교 1학년 학생 30명의 국어 성적을 조사하여 나타낸 도수분포다각형의 일부분이다. 국어 성적이 70점 이상 80점 미만인 학생 수를 구하시오.

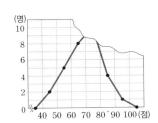

**[17~18]** 오른쪽 그림은 어느 중학교 학생 30명의 수학 성적을 조사하여 나타낸 도수분포다각형의 일부분이다. 다음 물음에 답하시오.

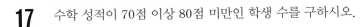
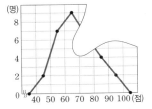

**17** 수학 성적이 70점 이상 80점 미만인 학생 수를 구하시오.

**18** 도수분포다각형의 가장 높은 꼭짓점에서 가로축에 수선을 그어 도수분포다각형과 가로축으로 둘러싸인 도형을 두 부분으로 나눌 때, 두 부분의 넓이의 비를 가장 간단한 정수의 비로 나타내시오.

**[19~21]** 오른쪽 그림은 수경이네 반 학생들의 주당 TV 시청 시간을 조사하여 나타낸 도수분포다각형의 일부분이다. 다음 물음에 답하시오.

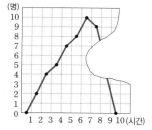

**19** TV 시청 시간이 2시간 이상 4시간 미만인 학생이 전체의 18 %일 때, 계급값이 8.5시간인 계급의 도수를 구하시오.

**20** TV 시청 시간이 23번째로 많은 학생이 속하는 계급을 구하시오.

> 주당 TV시청 시간이 8시간 이상, 7시간 이상, …인 학생 수를 차례로 구해 본다.

**21** 이 학급 학생들의 주당 TV 시청 시간을 히스토그램으로 나타낼 때, 가장 큰 직사각형의 넓이는 가장 작은 직사각형의 넓이의 몇 배인지 구하시오.

> 직사각형의 넓이는 도수에 정비례한다.

**[22~23]** 오른쪽 그림은 어느 반 학생들의 100 m 달리기 기록을 조사하여 나타낸 도수분포다각형으로 그 일부가 보이지 않는다. 다음 물음에 답하시오.

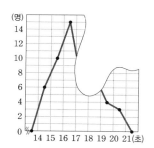

**22** 기록이 17초 미만인 학생이 전체의 62 %일 때, 전체 학생 수를 구하시오.
서술형

풀이

> 백분율 (%)
> $= \dfrac{(\text{해당 도수})}{(\text{도수의 총합})} \times 100$

**23** 달리기 기록이 18초 이상인 학생이 전체의 26 %일 때, 기록이 17초 이상 18초 미만인 학생 수를 구하시오.
서술형

풀이

> 17초 이상 18초 미만인 학생 수는 전체 학생 수에서 기록이 17초 미만인 학생 수와 18초 이상인 학생 수를 뺀 수이다.

**[24~25]** 아래 표는 선영이네 반 학생들의 국어 성적을 조사하여 나타낸 도수분포표이다. 다음 물음에 답하시오.

| 국어 성적(점) | 계급값(점) | 도수(명) | (계급값)×(도수) |
|---|---|---|---|
| $50^{이상}$ ~ $60^{미만}$ | | 5 | $a$ |
| 60 ~ 70 | $b$ | | 650 |
| 70 ~ 80 | | $c$ | $d$ |
| 80 ~ 90 | | 9 | |
| 90 ~ 100 | | | 380 |
| 합계 | | $e$ | 2970 |

**24** $a$, $b$, $c$, $d$, $e$의 값을 각각 구하시오.

**25** $A(x)=(x$를 계급값으로 가지는 계급에 속하는 학생 수$)$라 할 때, $A(65)=p$, $A(q)=12$, $A(r)=4$이다. 이때 $x$에 대한 일차방정식 $px+q=r$의 해를 구하시오.

**26** 오른쪽 표는 나연이네 반 남학생과 여학생의 키를 조사하여 나타낸 상대도수의 분포표이다. 키가 150 cm 이상 155 cm 미만인 계급의 도수가 남학생과 여학생 모두 각각 3명일 때, 나연이네 반 학생은 모두 몇 명인지 구하시오.

| 키(cm) | 상대도수 남학생 | 상대도수 여학생 |
|---|---|---|
| $145^{이상}$ ~ $150^{미만}$ | 0.2 | 0.1 |
| 150 ~ 155 | 0.1 | 0.15 |
| 155 ~ 160 | 0.3 | 0.2 |
| 160 ~ 165 | 0.2 | 0.35 |
| 165 ~ 170 | 0.1 | 0.1 |
| 170 ~ 175 | 0.1 | 0.1 |
| 합계 | 1 | 1 |

(도수의 총합)
$= \dfrac{(그\ 계급의\ 도수)}{(어떤\ 계급의\ 상대도수)}$

[27~28] 오른쪽 표는 현정이네 반 학생 20명의 국어 성적을 조사하여 나타낸 상대도수의 분포표이다. 다음 물음에 답하시오.

| 성적(점) | 상대도수 | 학생 수(명) |
|---|---|---|
| $60^{이상} \sim 70^{미만}$ | $A$ | 5 |
| 70 ~ 80 | 0.3 | $B$ |
| 80 ~ 90 | $C$ | $D$ |
| 90 ~ 100 | 0.2 | $E$ |

**27** 다음 중 옳지 <u>않은</u> 것을 모두 고르면? (정답 2개)

① $A=5$　　　　② $B+D=11$　　　③ $C=0.25$

④ $D=6$　　　　⑤ $E=4$

(어떤 계급의 상대도수)
$= \dfrac{(그 계급의 도수)}{(도수의 총합)}$

**28** 국어 성적이 60점 이상 70점 미만인 학생은 전체의 $a\,\%$, 80점 이상 90점 미만인 학생은 전체의 $b\,\%$일 때, $a-b$의 값을 구하시오.

**29** 오른쪽 표는 은정이네 반 학생들의 수학 성적을 조사하여 나타낸 상대도수의 분포표의 일부분이다. 수학 성적이 70점 이상 80점 미만인 계급의 상대도수를 $a$, $b$, $c$를 사용하여 나타내시오.

| 성적(점) | 도수(명) | 상대도수 |
|---|---|---|
| $60^{이상} \sim 70^{미만}$ | $a$ | $b$ |
| 70 ~ 80 | $c$ | |

(도수의 총합)
$= \dfrac{(그 계급의 도수)}{(어떤 계급의 상대도수)}$

**30**
서술형

다음 표는 어느 중학교 1학년 학생 40명과 2학년 학생 50명의 하루 평균 독서 시간을 조사하여 나타낸 도수분포표이다. 독서 시간이 90분 이상인 학생의 비율은 어느 학년이 더 높은지 말하시오.

전체 도수가 다른 두 집단을 비교할 때, 상대도수를 구하여 비교한다.

| 독서 시간(분) | 학생 수(명) | |
|---|---|---|
| | 1학년 | 2학년 |
| $0^{이상} \sim 30^{미만}$ | 6 | 6 |
| 30 ~ 60 | 16 | 20 |
| 60 ~ 90 | 8 | 12 |
| 90 ~ 120 | 6 | 8 |
| 120 ~ 150 | 4 | 4 |
| 합계 | 40 | 50 |

풀이

**31** 오른쪽 표는 어느 중학교 1학년 1반, 2반, 3 반의 과학 성적을 조사하여 각 반의 총 학생 수와 과학 성적이 70점 이상인 계급의 상대 도수를 나타낸 표이다. 세 반의 전체 학생에 대하여 과학 성적이 70점 이상인 계급의 상대도수가 0.4일 때, $x$의 값을 구하시오.

| 학급 | 총 학생 수(명) | 상대도수 |
|---|---|---|
| 1반 | 10 | $0.4x$ |
| 2반 | 20 | $0.1x$ |
| 3반 | 30 | $0.2x$ |

**32**
서술형
A, B 두 학급으로만 이루어진 어느 학교가 있다. A 학급의 학생 수는 50명, B 학급의 학생 수는 55명이고, A 학급, B 학급에서 수학 성적이 80점 이상인 학생의 상대도수를 각각 $a$, $b$라 할 때, 이 학교 전체 학생 수에 대한 수학 성적이 80점 이상인 학생의 상대도수를 $a$, $b$를 사용하여 나타내시오.

풀이

(어떤 계급의 도수)
=(도수의 총합)
　　×(그 계급의 상대도수)

**33** 오른쪽 표는 현정이네 반 학생 전체의 등교 시간을 조사하여 나타낸 상대도수의 분포표이다. 이 반 전체 학생 수가 될 수 있는 수 중 가장 작은 수를 구하시오.

| 등교 시간(분) | 상대도수 |
|---|---|
| $5^{이상} \sim 10^{미만}$ | $\dfrac{1}{4}$ |
| $10 \sim 15$ | $\dfrac{1}{3}$ |
| $15 \sim 20$ | $\dfrac{1}{16}$ |
| $20 \sim 25$ | |
| $25 \sim 30$ | $\dfrac{1}{4}$ |

상대도수의 총합은 항상 1이다.

**34**
서술형
오른쪽 그림은 어느 중학교 1학년 학생 50명의 던지 기 기록에 대한 상대도수의 분포를 그래프로 나타낸 것으로 일부가 찢어져 보이지 않게 되었다. 60 m 이 상 70 m 미만의 기록을 가진 학생 수를 구하시오.

풀이

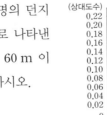

# 3 STEP 최고 실력 완성하기

**[1~3]** 오른쪽 그림은 지훈이네 반 남학생과 여학생의 던지기 기록을 조사하여 나타낸 도수분포다각형이다. 다음 물음에 답하시오.

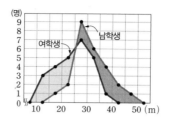

**1** 던지기 기록이 20 m 이상 30 m 미만인 학생은 지훈이네 반 전체의 몇 %인지 구하시오.

**2** 다음 설명 중 옳지 <u>않은</u> 것을 모두 고르면? ( 정답 2개 )

① 어두운 두 부분의 넓이는 같다.

② 여학생의 던지기 기록의 합과 남학생의 던지기 기록의 합은 같다.

③ 남학생 중에서 8번째로 멀리 던진 학생의 기록은 여학생의 최고기록보다 낮다.

④ 이 학급에서 기록이 좋은 순으로 던지기 선수 3명을 뽑으면 모두 남학생이다.

⑤ 여학생의 도수분포다각형과 가로축으로 둘러싸인 부분의 넓이는 남학생의 도수분포다각형과 가로축으로 둘러싸인 부분의 넓이보다 넓다.

**3** 지훈이네 반 남학생과 여학생 전체의 던지기 기록을 히스토그램으로 나타낼 때, 가장 큰 직사각형의 넓이는 가장 작은 직사각형의 넓이의 몇 배인지 구하시오.

**[4~6]** 오른쪽 표는 나연이네 반 학생 40명의 수학 성적을 조사하여 나타낸 것이다. 이 시험은 세 문제가 출제되었고, 문제의 배점은 1번, 2번은 각각 4점, 3번은 5점이었다. 다음 물음에 답하시오.

| 성적(점) | 도수(명) |
|---|---|
| 0 | 2 |
| 4 | 5 |
| 5 | 8 |
| 8 | 11 |
| 9 | 9 |
| 13 | 5 |
| 합계 | 40 |

**4** 2개 이상의 문제를 맞힌 학생 수를 구하시오.

0점 → 세 문제 모두 틀린 경우
4점 → 1번 또는 2번 문제 중 한 문제만 맞힌 경우
5점 → 3번 문제만 맞힌 경우
8점 → 1, 2번 문제만 맞힌 경우
9점 → 1, 3번 또는 2, 3번 문제를 맞힌 경우
13점 → 세 문제 모두 맞힌 경우

**5** 3번 정답자의 수는 전체의 몇 %인지 구하시오.

**Challenge**

**6** 1번 정답자는 $a$명 이상이고, 2번 정답자는 $b$명 이하일 때, $a+b$의 값을 구하시오.

**7** 오른쪽 표는 어느 중학교 1학년 1반과 2반 학생들의 수학 성적을 조사하여 나타낸 상대도수의 분포표이다. 1반과 2반의 전체 도수의 비는 4 : 5이고, 성적이 50점 이상 60점 미만인 계급에서 1반과 2반의 도수가 같을 때, $10a-100b+1000c$의 값을 구하시오.

| 성적(점) | 상대도수 | |
|---|---|---|
| | 1반 | 2반 |
| 30$^{이상}$ ~ 40$^{미만}$ | 0.05 | 0.02 |
| 40 ~ 50 | 0.15 | 0.1 |
| 50 ~ 60 | $a$ | $b$ |
| 60 ~ 70 | 0.3 | 0.28 |
| 70 ~ 80 | $c$ | 0.24 |
| 80 ~ 90 | 0.1 | 0.14 |
| 90 ~ 100 | 0.025 | 0.06 |

$$(\text{어떤 계급의 상대도수}) = \frac{(\text{그 계급의 도수})}{(\text{도수의 총합})}$$

**8** 오른쪽 표는 어느 중학교 1학년 학생 50명의 몸무게를 조사하여 나타낸 도수분포표이다. 다음 조건을 만족하는 $x$, $y$, $z$의 값을 각각 구하시오.

| 몸무게(kg) | 도수(명) |
|---|---|
| $30^{이상} \sim 35^{미만}$ | 5 |
| 35 ~ 40 | $x$ |
| 40 ~ 45 | 12 |
| 45 ~ 50 | $y$ |
| 50 ~ 55 | 5 |
| 55 ~ 60 | $z$ |
| 합계 | 50 |

(가) 몸무게가 35 kg 이상 40 kg 미만인 계급의 도수는 55 kg 이상 60kg 미만인 계급의 도수의 1.5배이다.

(나) 몸무게가 35 kg 이상 40 kg 미만인 계급의 상대도수의 2배는 45 kg 이상 50 kg 미만인 계급의 상대도수보다 0.1 크다.

**Challenge**

**9** 오른쪽 표는 현정이네 반 학생 20명의 국어 주관식 성적을 조사하여 나타낸 표이다. 성적의 합이 108점일 때, $x$와 $y$의 값을 각각 구하시오.

| 성적(점) | 도수(명) |
|---|---|
| 1 | 2 |
| 3 | 4 |
| 4 | $x$ |
| 5 | 3 |
| 6 | 5 |
| 8 | $y$ |
| 9 | 1 |
| 합계 | 20 |

**10** 어느 중학교 두 반의 학생 수의 비는 $m : n$이고, 두 반의 독서반 학생의 상대도수를 각각 $a$, $b$라 할 때, 두 반 전체 학생에 대한 독서반 학생의 상대도수를 $a$, $b$, $m$, $n$을 사용하여 나타내시오.

(어떤 계급의 도수)
= (도수의 총합)
× (그 계급의 상대도수)

# IV 단원 종합 문제

**[1~3]** 아래 줄기와 잎 그림은 은지네 반 학생들의 몸무게를 조사하여 나타낸 것이다. 다음 물음에 답하시오.

몸무게  (2 | 7은 27 kg)

| 줄기 | 잎 |
|---|---|
| 2 | 7 1 |
| 3 | 2 7 4 0 4 |
| 4 | 5 3 5 0 6 8 5 |
| 5 | 8 5 4 7 |
| 6 | 0 9 |

## 1

몸무게가 35 kg보다 가벼운 학생은 모두 몇 명인지 구하시오.

## 2

은지네 반 학생들의 몸무게의 총합을 구하시오.

## 3

위의 줄기와 잎 그림으로부터 20 kg부터 시작하며 계급의 크기가 10 kg인 도수분포표로 나타내시오.

| 몸무게(kg) | 도수(명) |
|---|---|
| 20<sup>이상</sup>~ <sup>미만</sup> | |
| ~ | |
| ~ | |
| ~ | |
| ~ | |
| 합계 | 20 |

## 4

다음 도수분포표에서 {(계급값)×(도수)}의 총합이 220일 때, 도수의 총합을 구하시오.

| 계급 | 도수 |
|---|---|
| 5<sup>이상</sup>~ 7<sup>미만</sup> | 1 |
| 7 ~ 9 | 2 |
| 9 ~ 11 | 5 |
| 11 ~ 13 | |
| 13 ~ 15 | 2 |

**[5~6]** 아래 표는 유진이네 반 학생 20명의 영어 성적을 조사하여 나타낸 도수분포표이다. 다음 물음에 답하시오.
(단, 한 문제당 점수는 5점이다.)

영어 성적  (단위 : 점)

| 70 | 90 | $a$ | 65 | 55 |
|---|---|---|---|---|
| 70 | 80 | 75 | 95 | 95 |
| 50 | 60 | 85 | $b$ | 85 |
| 70 | 80 | 65 | 75 | 80 |

| 성적(점) | 도수(명) |
|---|---|
| 50<sup>이상</sup>~ 60<sup>미만</sup> | 2 |
| 60 ~ 70 | 4 |
| 70 ~ 80 | $c$ |
| 80 ~ 90 | 6 |
| 90 ~ 100 | $d$ |
| 합계 | 20 |

## 5

$c-d$의 값을 구하시오.

## 6

$a-b=15$일 때, $a$와 $b$의 값을 각각 구하시오.

**[7~10]** 아래 그림은 1학년 1반과 2반 학생들의 통학 시간을 조사하여 1반은 도수분포다각형으로, 2반은 히스토그램으로 나타낸 것의 일부분이다. 다음 물음에 답하시오.

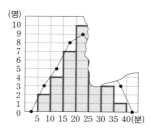

## 7

2반의 히스토그램에서 통학 시간이 25분 이상 30분 미만인 계급의 직사각형의 넓이와 30분 이상 35분 미만인 계급의 직사각형의 넓이의 비가 8 : 3일 때, 25분 이상 30분 미만인 계급의 학생 수를 구하시오.

## 8

1반의 도수분포다각형과 가로축으로 둘러싸인 부분의 넓이와 2반의 히스토그램의 직사각형의 넓이의 합의 비가 8 : 7일 때, 1반의 학생 수를 구하시오.

## 9

1반과 2반을 합반했을 때, 통학 시간이 25분 이상 걸리는 학생들의 상대도수를 구하시오.

## 10

1반의 도수분포다각형에서 20분 이상 25분 미만인 계급의 점에서 가로축에 수선을 그어 도수분포다각형과 가로축으로 둘러싸인 도형을 두 부분으로 나눌 때, 두 부분의 넓이의 비를 가장 간단한 정수의 비로 나타내시오.

## 11

도수분포표에서 변량 $x$가 속하는 계급의 계급값이 $a$이고, 변량 $x$의 범위가 $A \leq x < B$, $A+B=12$일 때, $a$의 값을 구하시오.

## 12

현정이네 반에서 오래매달리기를 하였더니 최저 11초에서 최고 57초까지의 기록이 나왔다. 10초부터 계급의 크기가 6초가 되도록 계급을 나눌 때, 처음 계급의 계급값과 마지막 계급의 계급값의 합을 구하시오.

## 13

다음 표는 어느 중학교 1학년 학생들의 혈액형을 조사하여 나타낸 것이다. 1반부터 3반까지의 학생 전체에 대한 O형인 학생의 상대도수를 구하시오.

| 혈액형 | 학생 수(명) | | |
|---|---|---|---|
| | 1반 | 2반 | 3반 |
| A | 10 | 14 | 9 |
| B | 9 | 10 | 13 |
| O | 15 | 12 | 15 |
| AB | 5 | 5 | 3 |
| 합계 | 39 | 41 | 40 |

## 14

1학년 5반 학생들의 시력 검사 결과 시력이 1.0 이상 1.5 미만인 계급의 도수가 $a$명이고, 이 계급의 상대도수는 $b$ 라고 한다. 이 반의 전체 학생 수를 $a$, $b$를 사용하여 나타내시오.

**[15~17]** 아래 표는 소현이네 반 학생 25명의 몸무게를 조사하여 나타낸 것이다. 다음 물음에 답하시오.

| 몸무게(kg) | 도수(명) | 상대도수 |
|---|---|---|
| $30^{이상} \sim 35^{미만}$ | 2 | $A$ |
| 35 ~ 40 | $B$ | |
| 40 ~ 45 | $C$ | 0.16 |
| 45 ~ 50 | $D$ | 0.32 |
| 50 ~ 55 | 5 | $E$ |
| 합계 | 25 | $F$ |

## 15

$\dfrac{C}{A \times B}$의 값을 구하시오.

## 16

$D$, $E$, $F$의 값을 구하여 $x$에 대한 일차방정식
$Dx + E = F$의 해를 구하시오.

## 17

몸무게가 40 kg 미만인 학생은 전체의 $a$ %이고, 45 kg 이상인 학생은 전체의 $b$ %일 때, $|b - 2a|$의 값을 구하시오.

**[18~20]** 아래 그림은 어느 중학교 1학년 1반 학생 50명의 수학 성적에 대한 상대도수의 그래프의 일부분이다. 다음 물음에 답하시오.

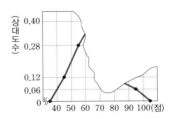

## 18

수학 성적이 70점 미만인 학생은 전체의 80 %라 할 때, 60점 이상 70점 미만인 학생 수를 구하시오.

## 19

계급값이 75점인 계급의 학생 수는 수학 성적이 60점 이상인 학생 수의 $\dfrac{1}{10}$이라 할 때, 계급값이 75점인 계급의 학생 수를 구하시오.

## 20

수학 성적이 높은 쪽에서 10번째인 학생이 속하는 계급의 계급값을 $a$점, 성적이 낮은 쪽에서 10번째인 학생이 속하는 계급의 계급값을 $b$점이라 할 때, $a - b$의 값을 구하시오.

# 수학은 개념이다!

디딤돌의 중학 수학 시리즈는
여러분의 수학 자신감을 높여 줍니다.

## 개념 이해
디딤돌수학 개념연산

다양한 이미지와 단계별 접근을 통해
개념이 쉽게 이해되는 교재

## 개념 적용
디딤돌수학 개념기본

개념 이해, 개념 적용, 개념 완성으로
개념에 강해질 수 있는 교재

## 개념 응용
최상위수학 라이트

개념을 다양하게 응용하여
문제해결력을 키워주는 교재

## 개념 완성

디딤돌수학 개념연산과 개념기본은 동일한 학습 흐름으로 구성되어 있습니다.
연계 학습이 가능한 개념연산과 개념기본을 통해
중학 수학 개념을 완성할 수 있습니다.

최상위 수학

중 1/2

정답과 풀이

# 최상위 수학

중 $\dfrac{1}{2}$

## 정답과 풀이

# 1 기본 도형

## 1STEP 주제별 실력다지기

**1** ②　　　**2** 4　　　**3** 5　　　**4** 6　　　**5** ⑤

**6** (1) 3개　(2) 10개　(3) 6개　(4) 8개　　　**7** ③　　　**8** ③　　　**9** (1) 45　(2) 26　　　**10** ⑤

**11** 25 cm　　　**12** $D\left(\dfrac{3a+b}{4}\right)$　　　**13** ②, ④　　　**14** 1　　　**15** ③　　　**16** 45°

**17** 55°　　　**18** ④　　　**19** 60°　　　**20** 160°　　　**21** 5시 15분, 5시 $39\dfrac{6}{11}$분

**22** (가) 180° (나) 180° (다) $\angle y$　　　**23** 20쌍　　　**24** 180°　　　**25** 56°　　　**26** ②

**27** (1) 70°　(2) 6 cm　(3) 5 cm　　　**28** 30°　　　**29** (1) $\angle f$, $\angle i$, $\angle m$　(2) $\angle h$, $\angle k$　(3) 1　　　**30** (1) 40°　(2) 55°

**31** (1) $\angle x=70°$, $\angle y=140°$　(2) $\angle x=25°$, $\angle y=155°$　　　**32** 0°

## 최상위 NOTE 01 두 점을 지나는 직선의 개수 구하기

한 평면 위의 서로 다른 4개의 점 A, B, C, D 중 어느 세 점도 한 직선 위에 있지 않을 때, 두 점을 지나는 직선의 개수를 구해 보자.

|  | A | B | C | D |
|---|---|---|---|---|
| A |  | $\overleftrightarrow{AB}$ | $\overleftrightarrow{AC}$ | $\overleftrightarrow{AD}$ |
| B | $\overleftrightarrow{BA}$ |  | $\overleftrightarrow{BC}$ | $\overleftrightarrow{BD}$ |
| C | $\overleftrightarrow{CA}$ | $\overleftrightarrow{CB}$ |  | $\overleftrightarrow{CD}$ |
| D | $\overleftrightarrow{DA}$ | $\overleftrightarrow{DB}$ | $\overleftrightarrow{DC}$ |  |

표에서와 같이 한 점에서 그을 수 있는 직선의 개수는 3이고 $\overleftrightarrow{AB}=\overleftrightarrow{BA}$, $\overleftrightarrow{AC}=\overleftrightarrow{CA}$, …와 같이 2가지씩 중복이 발생한다.

따라서 서로 다른 4개의 점 A, B, C, D 중 두 점을 지나는 직선의 개수는 $\dfrac{4\times(4-1)}{2}=\dfrac{4\times3}{2}=6$이다.

마찬가지로 생각하면 한 평면 위의 서로 다른 $n$개의 점 중 어느 세 점도 한 직선 위에 있지 않을 때, 두 점을 지나는 직선의 개수는 $\dfrac{n(n-1)}{2}$이다.

**1** ① 점이 움직인 자리는 선이 된다.

② 점이 연속으로 이어져서 직선(길이가 무한함)이 되므로 직선 위의 점의 개수는 무수히 많다.

③ 한 점을 지나는 평면은 무수히 많다.

④ 평면과 평면이 만나면 교선이 생긴다.

⑤ 평면도형은 점과 선으로 이루어져 있다.

**2** 직육면체의 꼭짓점의 개수가 교점의 개수이므로 $a=8$

또, 직육면체의 모서리의 개수가 교선의 개수이므로 $b=12$

$\therefore 2a-b=2\times8-12=4$

**3** 원기둥에서 원 모양의 두 밑면은 평면이고, 직사각형 모양의 옆면은 곡면이다.

따라서 $a=2$, $b=1$, $c=0$, $d=2$이므로

$a+b+c+d=2+1+0+2=5$

**4** 교점이 없는 도형은 원기둥, 원뿔대, 반구, 구이므로 $a=4$

평면만으로 이루어진 도형은 사면체, 사각기둥, 삼각뿔, 팔면체이므로 $b=4$

평면과 곡면으로 둘러싸인 도형은 원기둥, 원뿔대, 반구이므로 $c=3$

곡면만으로 둘러싸인 도형은 구이므로 $d=1$

$\therefore a+b-c+d=4+4-3+1=6$

**5** 직선 $l$을 세 점 A, B, C를 사용하여 나타내면

$\overleftrightarrow{AB}$, $\overleftrightarrow{BA}$, $\overleftrightarrow{AC}$, $\overleftrightarrow{CA}$, $\overleftrightarrow{BC}$, $\overleftrightarrow{CB}$이다.

> **TIP** 직선의 양 끝은 무한이 연장되므로 직선 위의 두 점을 이용해 같은 직선을 여러 가지로 나타낼 수 있다.

**6** (1) 오른쪽 그림과 같이

$\dfrac{3\times(3-1)}{2}=3$(개)

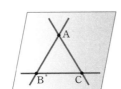

(2) 오른쪽 그림과 같이

$\dfrac{5\times(5-1)}{2}=10$(개)

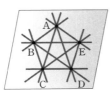

(3) 오른쪽 그림과 같이

$\dfrac{4\times(4-1)}{2}=6$(개)

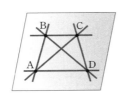

(4) 오른쪽 그림과 같이 8개

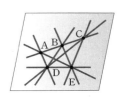

**7** $\overrightarrow{CA}$를 수직선 위에 나타내면

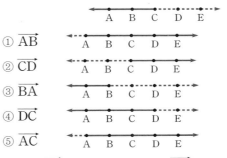

① $\overrightarrow{AB}$

② $\overrightarrow{CD}$

③ $\overrightarrow{BA}$

④ $\overrightarrow{DC}$

⑤ $\overrightarrow{AC}$

따라서 $\overrightarrow{CA}$에 포함되는 것은 ③ $\overrightarrow{BA}$이다.

**8** ①

$\overrightarrow{AB}$와 $\overrightarrow{CD}$를 합한 부분은 $\overrightarrow{AB}$이다.

②

$\overrightarrow{BA}$와 $\overrightarrow{DE}$의 공통 부분은 없다.

③

$\overrightarrow{BE}$와 $\overrightarrow{CB}$의 공통 부분은 $\overline{BC}$이다.

④

$\overrightarrow{DE}$와 $\overrightarrow{DC}$의 공통 부분은 점 D이다.

⑤

$\overrightarrow{DA}$와 $\overrightarrow{BA}$의 공통 부분은 $\overrightarrow{BA}$이다.

**9** (1) $a=\dfrac{6\times5}{2}=15$

$b=6\times5=30$

$\therefore a+b=15+30=45$

(2) 서로 다른 5개의 점 중 어느 세 점도 한 직선 위에 있지 않을 때, 두 점을 지나는 직선의 개수는

$\dfrac{5\times4}{2}=10$

이고, 오른쪽 그림에서 세 점 A, B, C는 한 직선 위에 있으므로

$\overleftrightarrow{AB}=\overleftrightarrow{AC}=\overleftrightarrow{BC}$

$\therefore a=10-2=8$

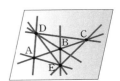

또, 서로 다른 5개의 점 중 어느 세 점도 한 직선 위에 있지 않을 때, 두 점을 지나는 반직선의 개수는

$5 \times 4 = 20$

이고, 마찬가지로 세 점 A, B, C는 한 직선 위에 있으므로 $\overrightarrow{AB} = \overrightarrow{AC}$, $\overrightarrow{CB} = \overrightarrow{CA}$

$\therefore b = 20 - 2 = 18$

$\therefore a + b = 8 + 18 = 26$

**10** ①

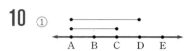

$\overline{AC}$와 $\overline{AD}$를 합한 부분은 $\overline{AD}$이다.

②

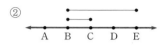

$\overline{BC}$와 $\overline{BE}$의 공통 부분은 $\overline{BC}$이다.

③

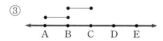

$\overline{AB}$와 $\overline{BC}$의 공통 부분은 점 B이다.

④

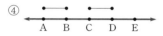

$\overline{AB}$와 $\overline{CD}$의 공통 부분은 없다.

⑤

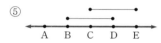

$\overline{BD}$와 $\overline{CE}$의 공통 부분은 $\overline{CD}$이다.

**11** 점 D는 $\overline{AB}$의 중점이므로

$\overline{DB} = \dfrac{1}{2}\overline{AB} = 10(\mathrm{cm})$

점 E는 $\overline{AC}$의 중점이므로

$\overline{EC} = \dfrac{1}{2}\overline{AC} = 15(\mathrm{cm})$

점 F는 $\overline{BC}$의 중점이므로

$\overline{BF} = \overline{FC} = \dfrac{1}{2}\overline{BC} = 5(\mathrm{cm})$

$\overline{DF} = \overline{DB} + \overline{BF} = 10 + 5 = 15(\mathrm{cm})$

$\overline{EF} = \overline{EC} - \overline{FC} = 15 - 5 = 10(\mathrm{cm})$

$\begin{aligned}\therefore \overline{DF} + \overline{EF} &= 15 + 10 \\ &= 25(\mathrm{cm})\end{aligned}$

**12** 두 점 $A(a)$, $B(b)$의 중점 C의 좌표를 구하면

$C\left(\dfrac{a+b}{2}\right)$

따라서 $A(a)$, $C\left(\dfrac{a+b}{2}\right)$의 중점 D의 좌표는

$\begin{aligned}\dfrac{1}{2}\left(a + \dfrac{a+b}{2}\right) &= \dfrac{1}{2}\left(\dfrac{3a+b}{2}\right) \\ &= \dfrac{3a+b}{4}\end{aligned}$

$\therefore D\left(\dfrac{3a+b}{4}\right)$

**13** ①

$\overrightarrow{QR}$는 $\overrightarrow{QP}$에 포함되지 않는다.

③

$\overrightarrow{PR}$와 $\overrightarrow{QP}$의 공통 부분은 $\overline{PQ}$이다.

⑤

$\overrightarrow{QR}$와 $\overrightarrow{RS}$의 공통 부분은 점 R이다.

**14** ㄱ. 예각

ㄴ. 직각

ㄷ. 평각

ㅁ. 예각

ㅂ. $0° + 90° < y - 90° + 90° < 90° + 90°$에서

$90° < y < 180°$

이므로 각 $y$는 둔각

따라서 $a = 2$, $b = 1$이므로

$a - b = 2 - 1 = 1$

**15** ③ 예각의 크기에 따라 달라진다.

예를 들어 $20° + 30° = 50°$인 경우는

(예각)+(예각)=(예각)이 되고,

$45° + 45° = 90°$인 경우는

(예각)+(예각)=(직각)이 되며,

$60° + 60° = 120°$인 경우는

(예각)+(예각)=(둔각)이 된다.

**16** $\angle AOC = \dfrac{3}{4}\angle AOD$이므로

$\angle COD = \dfrac{1}{4}\angle AOD$이고, $\angle EOB = \dfrac{3}{4}\angle DOB$이므로

$\angle DOE = \dfrac{1}{4}\angle DOB$이다.

$\begin{aligned}\therefore \angle COE &= \angle COD + \angle DOE \\ &= \dfrac{1}{4}\angle AOD + \dfrac{1}{4}\angle DOB \\ &= \dfrac{1}{4}(\angle AOD + \angle DOB) \\ &= \dfrac{1}{4} \times 180° = 45°\end{aligned}$

**17** $\begin{cases} \angle x + \angle y = 90° & \cdots\cdots ㉠ \\ \angle y + \angle z = 90° & \cdots\cdots ㉡ \\ \angle x + \angle z = 70° & \cdots\cdots ㉢ \end{cases}$

㉠+㉡+㉢을 하면

$2\angle x + 2\angle y + 2\angle z = 250°$

$\angle x + \angle y + \angle z = 125°$ ...... ㉣

따라서 ㉣−㉢을 하면 $\angle y = 55°$

다른 풀이

$\angle AOC = \angle BOD$이므로

$\angle x + \angle y = \angle y + \angle z = 90°$ ∴ $\angle x = \angle z$

$\angle x + \angle z = 70°$이므로 $\angle x = \angle z = 35°$

∴ $\angle y = 90° - \angle x = 90° - \angle z$

$\quad\ = 90° - 35° = 55°$

**18** ④ $7530'' = 60'' \times 125 + 30''$

$\qquad\qquad = 125' + 30''$

$\qquad\qquad = 60' \times 2 + 5' + 30''$

$\qquad\qquad = 2° + 5' + 30''$

$\qquad\qquad = 2°5'30''$

**19** $\dfrac{5}{6} \times 90° = 75°$이므로

$\angle a = 90° - 75° = 15°$

또, $\dfrac{3}{2} \times 90° = 135°$이므로

$\angle b = 180° - 135° = 45°$

∴ $\angle a + \angle b = 15° + 45° = 60°$

**20** 시침은 1분에 $\dfrac{30°}{60} = 0.5°$, 분침은 1분에 $\dfrac{360°}{60} = 6°$씩

움직인다. 12시를 기준으로 시침까지의 각도는 시침이

2시간만큼 움직이고 40분만큼 더 움직였으므로

$30° \times 2 + 0.5° \times 40 = 80°$

또, 12시를 기준으로 분침까지의 각도는 분침이 40분만큼

움직였으므로

$6° \times 40 = 240°$

따라서 시침과 분침이 이루는 각 중 작은 각의 크기는

$240° - 80° = 160°$

다른 풀이

시침이 움직인 각의 크기는 $30° \times (시) + 0.5° \times (분)$,

분침이 움직인 각의 크기는 $6° \times (분)$이므로

시침과 분침이 이루는 각의 크기는

$|30° \times (시) - 5.5° \times (분)|$

따라서 2시 40분을 가리키고 있을 때, 시침과 분침이 이루

는 각의 크기는

$|30° \times 2 - 5.5° \times 40| = |60° - 220°|$

$\qquad\qquad\qquad\qquad\qquad = 160°$

> **TIP** 시침과 분침이 이루는 각의 크기 구하기
> 시침이 움직인 각의 크기는 $30° \times (시) + 0.5° \times (분)$
> 분침이 움직인 각의 크기는 $6° \times (분)$이므로
> 시침과 분침이 이루는 각의 크기는 $|30° \times (시) - 5.5° \times (분)|$

**21** 5시 $x$분이라 하면

$|30° \times 5 - 5.5° \times x| = 67.5°$

(i) $150° - 5.5°x = 67.5°$일 때

$\quad 5.5°x = 82.5°$

$\quad ∴ x = \dfrac{82.5}{5.5} = 15$

(ii) $5.5°x - 150° = 67.5°$일 때

$\quad 5.5°x = 217.5°$

$\quad ∴ x = \dfrac{217.5}{5.5} = 39\dfrac{6}{11}$

따라서 구하는 시각은 5시 15분, 5시 $39\dfrac{6}{11}$분이다.

**22** $\angle x + \angle z = \boxed{180°}$이고, $\angle y + \angle z = \boxed{180°}$이므로

$\angle x + \angle z = \angle y + \angle z$ ∴ $\angle x = \boxed{\angle y}$

**23** 5개의 서로 다른 직선이 한 점에서 만날 때 생기는 맞

꼭지각의 개수는

$5 \times (5 - 1) = 20(쌍)$

**24** 맞꼭지각의 크기는 서로 같

으므로 오른쪽 그림에서

$\angle a + \angle b + \angle c + \angle d + \angle e$

$\qquad + \angle f + \angle g$

$= 180°$

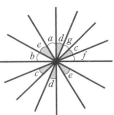

**25** 맞꼭지각의 크기는 서로 같으므로 다음 그림과 같다.

$\angle x + \angle x + 3\angle x = 90°$

$5\angle x = 90°$

∴ $\angle x = 18°$

$\angle y + 40° + 30° = 90°$

∴ $\angle y = 20°$

∴ $2\angle x + \angle y = 2 \times 18° + 20°$

$\qquad\qquad\quad = 56°$

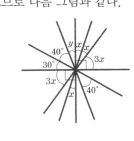

**26** $\overline{AB} \perp \overline{CD}$, $\overline{OA} = \overline{OB}$일 때, $\overleftrightarrow{CD}$를 $\overline{AB}$의 수직이등분

선이라 한다.

**27** (1) $\angle POB = 90°$이므로

$\quad \angle POD = 90° - 20° = 70°$

(2) $\overleftrightarrow{PQ}$가 $\overline{AB}$의 수직이등분선이므로

$\quad \overline{BO} = \overline{AO} = 6 \text{ cm}$

(3) $\overline{PQ} = 10 \text{ cm}$이고,

$\quad \overline{AB}$가 $\overline{PQ}$를 수직이등분하므로

$\quad \overline{PO} = \overline{QO} = 5 \text{ cm}$

$\quad$ 따라서 점 Q에서 $\overleftrightarrow{AB}$까지의 거리는 5 cm이다.

**28** ∠AOD＝10∠COD이므로

∠AOD＝∠AOC＋∠COD에서

10∠COD＝90°＋∠COD, 9∠COD＝90°

∴ ∠COD＝10°

또, ∠BOE＝3∠DOE이므로

∠COB＝∠COD＋∠DOE＋∠BOE에서

90°＝10°＋∠DOE＋3∠DOE, 4∠DOE＝80°

∴ ∠DOE＝20°

∴ ∠COE＝∠COD＋∠DOE

$\quad\quad$＝10°＋20°

$\quad\quad$＝30°

**29** (3) ∠$c$의 동위각은 ∠$h$, ∠$k$, ∠$p$이므로 $x$＝3

∠$b$의 엇각은 ∠$e$, ∠$q$이므로 $y$＝2

∴ $x-y$＝3－2＝1

**30** (1) 오른쪽 그림과 같이 세 점 A, B, C에서 두 직선 $l$, $m$에 평행한 직선을 그으면 평행선과 엇각의 성질에 의하여

∠$x$＝20°＋20°＝40°

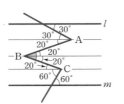

(2) 오른쪽 그림과 같이 세 점 A, B, C에서 두 직선 $l$, $m$에 평행한 직선을 그으면 평행선과 동위각, 엇각의 성질에 의하여

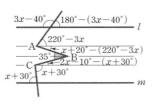

35°＝｛∠$x$＋20°－（220°－3∠$x$）｝

$\quad\quad\quad\quad$＋｛2∠$x$－10°－（∠$x$＋30°）｝

$\quad$＝（4∠$x$－200°）＋（∠$x$－40°）

$\quad$＝5∠$x$－240°

5∠$x$＝275° $\quad$ ∴ ∠$x$＝55°

**31** (1) 접은 각의 크기는 서로 같으므로

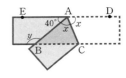

∠BAC＝∠DAC＝∠$x$

따라서 2∠$x$＋40°＝180°이므로

2∠$x$＝140° $\quad$ ∴ ∠$x$＝70°

또, 평행선과 엇각의 성질에 의하여

∠$y$＝∠BAD＝2∠$x$

∴ ∠$y$＝2∠$x$＝140°

(2) 접은 각의 크기는 서로 같으므로

∠CBD＝∠ABC＝∠$x$

또, 평행선과 엇각의 성질에 의하여

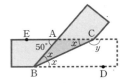

∠ABD＝∠BAE＝50°

따라서 2∠$x$＝50°이므로

∠$x$＝25°

또한, ∠ACB＝∠CBD＝25°이므로

∠$y$＝180°－25°＝155°

**32** 평행선과 엇각의 성질에 의하여

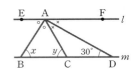

∠ADC＝∠DAF

$\quad\quad\quad$＝∠CAD＝30°

∠BAC＝∠EAB

$\quad\quad\quad$＝$\dfrac{1}{2}$（180°－∠CAF）

$\quad\quad\quad$＝$\dfrac{1}{2}$（180°－2×∠CAD）

$\quad\quad\quad$＝$\dfrac{1}{2}$（180°－2×30°）＝60°

∴ ∠$x$＝∠EAB＝60°

또, 평행선과 엇각의 성질에 의하여

∠$y$＝∠CAF＝60°

∴ ∠$x$－∠$y$＝60°－60°＝0°

# 2<sup>STEP</sup> 실력 높이기

| | | | | | |
|---|---|---|---|---|---|
| **1** 3 | **2** ㄱ, ㅂ | **3** $\dfrac{a+b+2c}{4}$ | **4** $\dfrac{1}{18}a+\dfrac{1}{3}$ | **5** 56 | **6** 2시 $43\dfrac{7}{11}$분 |
| **7** 5시 $16\dfrac{4}{11}$분, 5시 $38\dfrac{2}{11}$분 | | **8** 48° | **9** 20° | | |
| **10** ∠b의 동위각 : ∠f, ∠i / ∠c의 엇각 : ∠e, ∠l | | | **11** 10° | **12** 180° | **13** 60° |
| **14** 80° | **15** 24° | **16** 1 : 2 | **17** 170° | **18** 50° | **19** 50° |
| **20** 150° | **21** 60° | **22** 18° | **23** 40° | **24** 55° | **25** 335° |
| **26** 290° | | | | | |

## 문제 풀이

**1** ㄱ. 평행한 두 직선이 서로 다른 한 직선과 만날 때, 동위각의 크기는 서로 같다.

ㄴ. 서로 다른 두 점을 지나는 직선은 오직 하나뿐이다.

ㄷ. 서로 다른 두 직선은 한 점에서 만나거나 만나지 않는다.

ㄹ. 선분 AB의 길이가 5 cm이면 $\overline{AB}=5$ cm이다.

ㅅ. 선분의 양 끝 점에서 같은 거리에 있는 점들은 수직이등분선 위에 있다.

따라서 참인 것은 ㅁ, ㅂ, ㅇ, ㅈ이므로 $a=4$

거짓인 것은 ㄱ, ㄴ, ㄷ, ㄹ, ㅅ이므로 $b=5$

$\therefore 2a-b=2\times4-5=3$

**2** ㄱ.

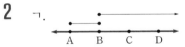

$\overrightarrow{AB}$와 $\overrightarrow{BC}$의 공통 부분은 점 B이다.

ㅂ.

$\overrightarrow{AB}$와 $\overrightarrow{BA}$의 공통 부분은 $\overline{AB}$이다.

**3** A ∘ B의 좌표가 $\dfrac{a+b}{2}$이므로 (A ∘ B) ∘ C의 좌표는

$\dfrac{1}{2}\left(\dfrac{a+b}{2}+c\right)=\dfrac{1}{2}\left(\dfrac{a+b+2c}{2}\right)$

$=\dfrac{a+b+2c}{4}$

**4** 서술형

표현 단계 $\overline{AB}=a$이므로 $\overline{AC}=\dfrac{1}{3}a$이고,

$\overline{CD}=\dfrac{1}{3}\overline{CE}=\dfrac{1}{3}(\overline{AB}-\overline{AC}-\overline{BE})$

$=\dfrac{1}{3}\left(\dfrac{2}{3}a-2\right)=\dfrac{2}{9}a-\dfrac{2}{3}$

변형 단계 $\overline{AD}=\overline{AC}+\overline{CD}=\dfrac{1}{3}a+\dfrac{2}{9}a-\dfrac{2}{3}=\dfrac{5}{9}a-\dfrac{2}{3}$

이므로

$\overline{AM}=\dfrac{1}{2}\overline{AD}=\dfrac{1}{2}\left(\dfrac{5}{9}a-\dfrac{2}{3}\right)=\dfrac{5}{18}a-\dfrac{1}{3}$

풀이 단계 $\therefore \overline{CM}=\overline{AC}-\overline{AM}$

$=\dfrac{1}{3}a-\left(\dfrac{5}{18}a-\dfrac{1}{3}\right)$

$=\dfrac{6}{18}a-\dfrac{5}{18}a+\dfrac{1}{3}$

확인 단계 $=\dfrac{1}{18}a+\dfrac{1}{3}$

**5** $\overline{DE}=\overline{EF}=\overline{DF}$이므로 직선의 개수는

$\dfrac{6\times(6-1)}{2}-2=13$ $\therefore a=13$

$\overrightarrow{DE}=\overrightarrow{DF}$, $\overrightarrow{FE}=\overrightarrow{FD}$이므로 반직선의 개수는

$6\times(6-1)-2=28$ $\therefore b=28$

선분의 개수는

$\dfrac{6\times(6-1)}{2}=15$ $\therefore c=15$

$\therefore a+b+c=13+28+15$

$=56$

> **TIP** 한 평면 위의 서로 다른 여러 개의 점 중 어느 세 점도 한 직선 위에 있지 않으면 두 점을 지나는 직선의 개수와 선분의 개수가 일치한다. 하지만 한 직선 위에 있는 세 점이 존재하는 경우 두 점을 지나는 직선의 개수보다 선분의 개수가 더 많음에 유의해야 한다.

**6** 2시 $x$분에 시침과 분침이 일직선이 된다고 하면

$|30°\times2-5.5°\times x|=180°$

이때 시침보다 분침이 움직인 각도가 더 크므로

$5.5°x-60°=180°$

$5.5°x=240°$

$\therefore x=43\dfrac{7}{11}$

따라서 구하는 시각은 2시 $43\dfrac{7}{11}$분이다.

**7** 서술형

표현 단계 분침은 한 시간에 360°,

시침은 한 시간에 $\dfrac{360°}{12}=30°$만큼 움직이므로

분침은 1분에 $\dfrac{360°}{60}=6°$, 시침은 1분에 $\dfrac{30°}{60}=0.5°$
만큼 움직인다.

변형 단계 바늘이 12시일 때를 $0°$라 하면 5시 $x$분일 때

(시침이 움직인 각도) $=30°\times5+0.5°x$
$\qquad\qquad\qquad\qquad =150°+0.5°x$

(분침이 움직인 각도) $=6°x$

풀이 단계 따라서 5시와 6시 사이에 시침과 분침이 이루는
각의 크기는

$150°+0.5°x-6°x$ 또는 $6°x-(150°+0.5°x)$이
다.

(ⅰ) $150°+0.5°x-6°x=60°$에서

$\quad 5.5°x=90°$ $\quad\therefore x=\dfrac{900}{55}=\dfrac{180}{11}=16\dfrac{4}{11}$

(ⅱ) $6°x-(150°+0.5°x)=60°$에서

$\quad 5.5°x=210°$ $\quad\therefore x=\dfrac{2100}{55}=\dfrac{420}{11}=38\dfrac{2}{11}$

확인 단계 따라서 구하는 시각은 5시 $16\dfrac{4}{11}$ 분,

5시 $38\dfrac{2}{11}$ 분이다.

**8** 맞꼭지각의 크기는 서로 같
으므로 오른쪽 그림에서
$(\angle x+10°)+(\angle x-10°)$
$\qquad +(2\angle x-30°)+3\angle x$
$\qquad +(\angle x+10°)+(2\angle x+10°)$
$=180°$
$10\angle x=190°$
$\therefore \angle x=19°$
$\angle y=\angle x+10°=19°+10°=29°$
$\therefore \angle x+\angle y=19°+29°=48°$

**9** 서술형

표현 단계 맞꼭지각의 크기는 서로 같으므로
$\qquad \angle COD=\angle GOH=\angle y$

변형 단계 즉, $\angle AOC=9\angle BOC=9\angle x$이고,
$\qquad \angle COE=9\angle COD=9\angle y$이다.

풀이 단계 $\angle AOC+\angle COE=180°$이므로
$\qquad 9\angle x+9\angle y=180°$, $9(\angle x+\angle y)=180°$

확인 단계 $\therefore \angle x+\angle y=20°$

**10** $\angle b$와 같은 위치에 있는 각, 즉 동위각은 $\angle f$, $\angle i$이고,
$\angle c$와 엇갈린 위치에 있는 각, 즉 엇각은 $\angle e$, $\angle l$이다.

**11** 서술형

표현 단계 $l\,/\!/\,m$이므로 $\angle CAB+\angle ABD=180°$

변형 단계 $\angle CAB:\angle ABD=5:4$이므로
$\qquad \angle CAB=180°\times\dfrac{5}{9}=100°$,
$\qquad \angle ABD=180°\times\dfrac{4}{9}=80°$

풀이 단계 $l\,/\!/\,m$이므로
$\qquad \angle x=\angle CAD=\dfrac{1}{2}\angle CAB=\dfrac{1}{2}\times100°=50°$
$\qquad \angle y=\angle CBD=\dfrac{1}{2}\angle ABD=\dfrac{1}{2}\times80°=40°$

확인 단계 $\therefore \angle x-\angle y=50°-40°=10°$

**12** 삼각형의 내각의 크기의 합은 $180°$이므로
$30°+(\angle x+20°)+90°=180°$
$\therefore \angle x=40°$
또, $20°+\angle z+90°=180°$이므로
$\angle z=70°$
평행선과 엇각의 성질에 의하여
$\angle y=\angle z=70°$
$\therefore \angle x+\angle y+\angle z=40°+70°+70°$
$\qquad\qquad\qquad\qquad =180°$

**13** 접은 각의 크기는 같으므로
$\angle DEC=\angle D'EC=\angle y$
$\triangle CED'$에서 내각의 크기의 합은
$180°$이므로
$\angle y+20°+90°=180°$
$\therefore \angle y=70°$
$\angle x=180°-70°\times2=40°$
또, $\angle DCE=\angle D'CE=20°$이므로
$\angle z=90°-20°\times2=50°$
$\therefore \angle x+\angle y-\angle z=40°+70°-50°=60°$

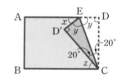

**14** 오른쪽 그림의 점 C에서 두
직선 $l$, $m$과 평행한 직선을 그으
면 동위각, 엇각, 맞꼭지각의 크기
가 각각 같고, $\triangle ABC$의 세 내각
의 크기의 합이 $180°$이므로
$\angle x+60°+\angle y+40°=180°$
$\therefore \angle x+\angle y=80°$

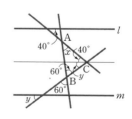

**15** 오른쪽 그림의 두 점 A, B에서
두 직선 $l$, $m$과 평행한 직선을 그으면
$\angle x=(60°-\angle y)+60°$
$\therefore \angle x+\angle y=120°$
한편 $\angle x:\angle y=3:2$이므로
$\angle x=120°\times\dfrac{3}{5}=72°$

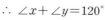
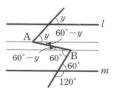

$\angle y = 120° \times \dfrac{2}{5} = 48°$

$\therefore \angle x - \angle y = 72° - 48° = 24°$

**16** 서술형

표현 단계 보조선 OD를 긋고 $\angle OCD = \angle a$라 하자.

변형 단계

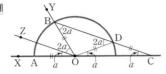

풀이 단계 $\overline{CD} = \overline{OA} = \overline{OD} = \overline{OB}$이므로 △DOC와 △BOD는 모두 이등변삼각형이다.

한 외각의 크기는 이웃하지 않는 두 내각의 크기의 합과 같으므로

$\angle ODB = \angle OBD = 2\angle a$

$\overline{BC} /\!/ \overline{OZ}$이므로

$\angle BOZ = \angle DBO = 2\angle a$ (엇각)이고,

$\angle AOZ = \angle OCB = \angle a$ (동위각)

확인 단계 $\therefore \angle XOZ : \angle YOZ = \angle a : 2\angle a = 1 : 2$

**17** 다음 그림의 세 점 A, B, C를 지나고 두 직선 $l$, $m$과 평행한 직선을 그으면

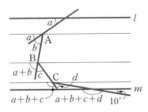

$\angle a + \angle b + \angle c + \angle d + 10° = 180°$

$\therefore \angle a + \angle b + \angle c + \angle d = 170°$

**18** $\overline{AB} /\!/ \overline{CD}$이므로

$\angle BCD = \angle ABC$

$\qquad = 30°$ (엇각)

$\overline{BC} /\!/ \overline{DE}$이므로

$\angle BCD + \angle a = 30° + \angle a = 70°$ (동위각)

$\therefore \angle a = 40°$

또, $\overline{BC} /\!/ \overline{DE}$이므로

$\angle b = \angle BCD = 30°$ (엇각)

$\therefore 2\angle a - \angle b = 2 \times 40° - 30° = 50°$

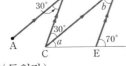

**19** $\angle FA'B = 20°$, $\angle EA'F = 90°$이므로

$\angle EA'G$

$= 180° - (20° + 90°)$

$= 70°$

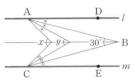

또, $\angle EGA' = \angle HGD' = 60°$ (맞꼭지각)이고,

△EA'G의 세 내각의 크기의 합은 $180°$이므로

$\angle x + 70° + 60° = 180°$

$\therefore \angle x = 50°$

**20** 오른쪽 그림의 점 B에서 두 직선 $l$, $m$과 평행한 직선을 긋고,

$\angle DAB = \angle a$, $\angle ECB = \angle b$

라 하면 평행선에서 엇각의 크기는 서로 같으므로

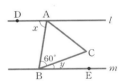

$\angle a + \angle b = 30°$

$\angle y = 2\angle a + 2\angle b = 2(\angle a + \angle b)$

$\qquad = 2 \times 30° = 60°$

$\angle x = 3\angle a + 3\angle b = 3(\angle a + \angle b)$

$\qquad = 3 \times 30° = 90°$

$\therefore \angle x + \angle y = 90° + 60° = 150°$

**21** △ABC는 정삼각형이므로

$\angle ABC = 60°$

$\angle DAB = \angle ABE$ (엇각)이므로

$\angle x = \angle y + 60°$

$\therefore \angle x - \angle y = 60°$

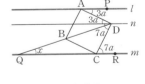

**22** 서술형

표현 단계 오른쪽 그림과 같이 $\angle PAD = 3\angle a$, $\angle RCD = 7\angle a$라 하자.

변형 단계 꼭짓점 D를 지나고 두 직선 $l$, $m$에 평행한 직선 $n$을 그으면

$\angle ADC = 3\angle a + 7\angle a = 90°$

즉, $10\angle a = 90°$이므로 $\angle a = 9°$

$\angle PAD = 3 \times 9° = 27°$,

$\angle RCD = 7 \times 9° = 63°$

풀이 단계 □ABCD는 정사각형이므로 $\angle CDB = 45°$

△CDQ에서 한 외각의 크기는 이웃하지 않는 두 내각의 크기의 합과 같으므로

$\angle RCD = \angle CDB + \angle x$, $63° = 45° + \angle x$

확인 단계 $\therefore \angle x = 18°$

**23** $l /\!/ m$이므로 엇각의 크기는 서로 같다.

따라서 $\angle \mathrm{ABC}=30°+70°=100°$이고,

$2\angle \mathrm{ABD}=3\angle \mathrm{CBD}$에서

$\angle \mathrm{ABD} : \angle \mathrm{CBD}=3 : 2$

$\therefore \angle \mathrm{CBD}=100° \times \dfrac{2}{5}=40°$

**24** $\triangle \mathrm{ABD}$의 세 내각의 크기의 합은 $180°$이므로

$\angle \mathrm{BAD}=180°-(45°+25°)$

$\qquad\quad =110°$

$\therefore \angle \mathrm{DAF}=\dfrac{1}{2}\angle \mathrm{BAD}=55°$

$\overline{\mathrm{AD}} /\!/ \overline{\mathrm{BC}}$이므로

$\angle x=\angle \mathrm{DAF}=55°$

**다른 풀이**

$\overline{\mathrm{AD}} /\!/ \overline{\mathrm{BC}}$이므로

$\angle \mathrm{BAE}=\angle \mathrm{DAE}=\angle x$

$\angle \mathrm{DBE}=\angle \mathrm{ADB}=25°$

평행사변형에서 이웃한 두 내각의

크기의 합은 $180°$이므로 $\angle x+\angle x+45°+25°=180°$이다.

$\therefore \angle x=55°$

**25** 서술형

**표현 단계** 보조선을 긋고 각 점을 A~J로 나타낸다.

**변형 단계** $\triangle \mathrm{ACB}$에서 한 외각의 크기는 이웃하지 않는 두

내각의 크기의 합과 같으므로 $\angle \mathrm{BCD}=\angle a+\angle b$

$l /\!/ m$이므로 $\angle \mathrm{IJA}=\angle \mathrm{BCD}=\angle a+\angle b$

또한, $\triangle \mathrm{EGF}$와 $\triangle \mathrm{DHE}$에서

$\angle \mathrm{EDH}+\angle \mathrm{EHD}=\angle c+\angle d$

**풀이 단계**

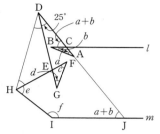

즉, $\square \mathrm{DHIJ}$의 내각의 총합은 $360°$이므로

$\angle a+\angle b+25°+\angle c+\angle d+\angle e+\angle f=360°$

**확인 단계** $\therefore \angle a+\angle b+\angle c+\angle d+\angle e+\angle f=335°$

**26** 오른쪽 그림의 두 점 F, G를 지나고 두 직선 $l$, $m$과 평행한 직선을 그으면 $\triangle \mathrm{ABC}$에서 한 외각의 크기는 그와 이웃하지 않는 두 내각의 크기의 합과 같으므로

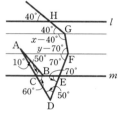

$\angle \mathrm{ECD}=10°+50°=60°$

$\therefore \angle \mathrm{CED}=180°-(60°+50°)=70°$

평행선의 성질을 이용하면 위의 그림에서

$(\angle x-40°)+(\angle y-70°)=180°$

$\therefore \angle x+\angle y=290°$

# $3^{STEP}$ 최고 실력 완성하기

22~25쪽

**1** 15 cm   **2** $y=2x$   **3** 4 cm   **4** 40°   **5** 12°   **6** 50°

**7** $180°-4\angle a$   **8** 10°   **9** 360°   **10** 128°   **11** 풀이 참조   **12** 270°

**13** 풀이 참조

## 문제 풀이

**1** 주어진 조건을 그림으로 나타내면 다음과 같다.

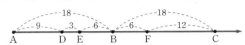

$\overline{AE}=2\overline{EB}$이므로

$\overline{EB}=\dfrac{1}{3}\overline{AB}=\dfrac{1}{3}\times18=6(\text{cm})$

$\overline{AC}=2\overline{BC}$이므로

$\overline{BC}=\overline{AB}=18\ \text{cm}$

점 D는 $\overline{AB}$의 중점이므로

$\overline{DB}=\dfrac{1}{2}\overline{AB}=\dfrac{1}{2}\times18=9(\text{cm})$

점 F는 $\overline{EC}$의 중점이므로

$\overline{EF}=\overline{CF}=\dfrac{1}{2}\overline{EC}$

$\qquad=\dfrac{1}{2}(\overline{EB}+\overline{BC})=\dfrac{1}{2}\times24=12(\text{cm})$

$\therefore \overline{EB}=\overline{BF}=\overline{BC}-\overline{CF}=18-12=6(\text{cm})$

$\overline{DE}=\overline{DB}-\overline{EB}=9-6=3(\text{cm})$

$\therefore \overline{DF}=\overline{DE}+\overline{EF}=3+12=15(\text{cm})$

**2** $\angle A+\angle B=y$ $\qquad\cdots\cdots$ ㉠

$\angle CDE+\angle DCE=180°-x$이므로

$\angle C+\angle D=2(180°-x)=360°-2x$ $\qquad\cdots\cdots$ ㉡

그런데 $\angle A+\angle B+\angle C+\angle D=360°$이므로

㉠, ㉡에서

$y+360°-2x=360°$

$y-2x=0$ $\quad\therefore y=2x$

**3** $\overline{DE}/\!/\overline{BC}$이므로 $\angle DIB=\angle IBC$(엇각)

따라서 $\triangle DBI$는 이등변삼각형이므로

$\overline{DI}=\overline{DB}=3\ \text{cm}$

이때 $\overline{DE}=\overline{DI}+\overline{IE}$이므로

$\overline{IE}=\overline{DE}-\overline{DI}=7-3=4(\text{cm})$

또, $\angle EIC=\angle ICB$(엇각)이므로 $\triangle EIC$는 이등변삼각형이다.

$\therefore \overline{CE}=\overline{IE}=4\ \text{cm}$

**4** $\angle BEF=\angle ABE=60°$(엇각),

$2\angle BEC=\angle CEF$이므로

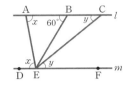

$\angle y=\angle CEF=\dfrac{2}{3}\angle BEF$

$\qquad=\dfrac{2}{3}\times60°=40°$

또, $\angle BED=180°-\angle BEF=120°$,

$2\angle AEB=\angle AED$이므로

$\angle x=\angle AED=\dfrac{2}{3}\angle BED$

$\qquad=\dfrac{2}{3}\times120°=80°$

$\therefore \angle x-\angle y=80°-40°=40°$

**5** 오른쪽 그림의 두 점 B, C에서 두 직선 $l$, $m$과 평행한 직선을 그으면

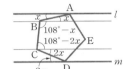

$(108°-\angle x)+(108°-2\angle x)$
$=180°$

$216°-3\angle x=180°$, $3\angle x=36°$

$\therefore \angle x=12°$

> **TIP** 오른쪽 그림과 같은 정오각형 ABCDE에서 $l/\!/m$일 때, $\angle a$와 $\angle b$에 대하여
>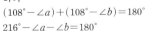
> $(108°-a)+(108°-b)=180°$
> $216°-\angle a-\angle b=180°$
> $\therefore \angle a+\angle b=36°$
> 즉, $\angle a$와 $\angle b$의 크기의 합은 36°로 항상 일정하다.

**6** 접은 각의 크기는 서로 같으므로

$\angle BDC=\angle BDE$ $\qquad\cdots\cdots$ ㉠

또, 평행선에서 엇각의 크기는 서로 같으므로

$\angle BDC=\angle EBD$ $\qquad\cdots\cdots$ ㉡

㉠, ㉡에서 $\angle BDE=\angle EBD$이므로 $\triangle EBD$는 이등변삼각형이고, 삼각형의 세 내각의 크기의 합은 180°이므로

$\angle BDE=\angle EBD$

$\qquad=\dfrac{1}{2}(180°-80°)=50°$

**7** $\triangle$ABC는 $\overline{AB}=\overline{AC}$인 이등변삼각형이므로

$\angle ACB=\angle ABC=\angle a$

삼각형의 한 외각의 크기는 그와 이웃하지 않는 두 내각의 크기의 합과 같으므로

$\angle CAD=2\angle a$

또, $\triangle$CAD는 $\overline{AC}=\overline{CD}$인 이등변삼각형이므로

$\angle CDA=\angle CAD=2\angle a$

$\overline{AC}/\!/\overline{DE}$이므로

$\angle EDF=\angle CAD=2\angle a$ (동위각)

따라서 $\angle ADC+\angle CDE+\angle EDF=180°$이므로

$2\angle a+\angle CDE+2\angle a=180°$

$\therefore \angle CDE=180°-4\angle a$

**8** $\overline{AD}/\!/\overline{BC}$이므로

$\angle DEF=\angle EFB=50°$ (엇각)

또, 접은 각의 크기는 같으므로

$\angle BEF=\angle DEF=50°$

따라서 $\triangle$BEF에서 세 내각의 크기의 합은 $180°$이므로

$\angle EBF=180°-(50°+50°)=80°$

$\therefore \angle ABE=\angle ABF-\angle EBF$

$=90°-80°$

$=10°$

**9** 삼각형의 한 외각의 크기는 그와 이웃하지 않는 두 내각의 크기의 합과 같다.

오른쪽 그림에서 $\triangle$ABC의 세 내각의 크기의 합은 $180°$이므로

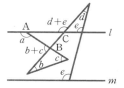

$(180°-\angle a)+(180°-\angle b-\angle c)+(180°-\angle d-\angle e)$

$=180°$

$540°-\angle a-\angle b-\angle c-\angle d-\angle e=180°$

$\therefore \angle a+\angle b+\angle c+\angle d+\angle e=360°$

**10** 다음 그림과 같이 두 직선 $l$, $m$과 평행한 세 직선을 그으면

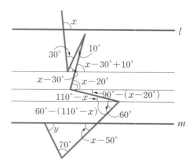

$\angle y+(\angle x-50°)+70°=180°$

$\therefore \angle x+\angle y=160°$

따라서 $\angle x:\angle y=3:2$이므로

$\angle x=160°\times\dfrac{3}{5}=96°$

$\angle y=160°\times\dfrac{2}{5}=64°$

$\therefore 2\angle x-\angle y=2\times96°-64°$

$=128°$

**11** $\dfrac{7}{15}$(바퀴)$=\dfrac{7}{15}\times360°=168°$,

$720°\div360°=2$(바퀴),

$\dfrac{7}{8}$(바퀴)$=\dfrac{7}{8}\times360°=315°$,

$22.5°\div360°=\dfrac{1}{16}$(바퀴),

$1\dfrac{4}{9}$(바퀴)$=\dfrac{13}{9}\times360°=520°$

**12** 오른쪽 그림에서 지구의 위도와 경도는 항상 수직이므로

$\overline{AB}\perp\overline{BC}$, $\overline{AC}\perp\overline{BC}$이다.

따라서

$\angle A=\angle B=\angle C=90°$

이므로 $\triangle$ABC의 내각의 크기의 합은 $270°$이다.

∠A＝∠B＝∠C＝90°이므로
(△ABC의 내각의 크기의 합)＝270°

**13** 지도 상의 거리를 환산한 것은 두 지점의 거리를 평면 위의 거리로 생각한 것이고, 실제 거리는 둥근 지구 표면을 따라 움직인 곡선의 거리이다. 따라서 실제 거리는 지도 상의 거리를 환산한 것보다 항상 크게 된다. 또, 지구 위의 두 지점 사이의 거리는 실제로는 직선이 아니라 곡선이므로 두 지점을 차를 타고 이동한 거리는 실제로는 '곡선'이다.

# 2 위치 관계

## 1<sup>STEP</sup> 주제별 실력다지기


27~33쪽

**1** ㄴ, ㅁ      **2** ㄱ, ㅁ, ㅅ      **3** $c /\!/ d$

**4** (1) $\overline{BE}$, $\overline{CF}$  (2) $\overline{AD}$, $\overline{BE}$  (3) $\overline{AB}$, $\overline{AD}$, $\overline{BC}$, $\overline{CF}$  (4) $\overline{AD}$, $\overline{DE}$, $\overline{DF}$  (5) $\overline{AC}$, $\overline{AD}$, $\overline{CF}$, $\overline{DF}$      **5** $\overline{DF}$

**6** ②      **7** ㄴ, ㅁ, ㅇ      **8** (1) 3 (2) 3      **9** 17

**10** (1) $\overline{AB}$, $\overline{DC}$, $\overline{EF}$, $\overline{HG}$  (2) 면 AEHD, 면 BFGC  (3) 면 AEFB, 면 EFGH  (4) 면 EFGH, 면 BFGC  (5) 4 cm  (6) 90°

**11** ④      **12** ③, ⑤      **13** (1) 3 (2) 2      **14** 5      **15** (1) 면 ABCD, 면 EFGH (2) 6 cm

**16** 8개      **17** (1) 면 DEFM (2) 면 FKLM, 면 GHIJ      **18** ㄴ, ㅁ, ㅅ, ㅇ      **19** ㄷ, ㅁ, ㅂ, ㅊ

---

### 최상위 02
**NOTE** **평면의 범위는 무한하다.**

오른쪽 그림을 보면 두 평면이 오직 한 점에서만 만나는 것처럼 보인다. 하지만 두 평면이 오직 한 점에서만 만나는 것은 실제로는 불가능하다.

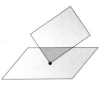

평면을 나타낼 때는 단지 시각적인 이해를 위해 평행사변형으로 나타내지만 사실은 무한히 뻗어 나간다. 그래서 그림을 정확히 그리면 두 평면은 한 점에서만 만나는 것이 아니라 한 직선에서 만나게 된다.

**1** ㄴ. 점 B는 직선 $m$에 속하지 않고, 두 직선 $l$, $n$에 속한다.

ㅁ. 직선 $l$과 직선 $m$의 공통 부분은 점 A이다.

**2** ㄴ. 서로 다른 두 점을 지나는 직선은 1개이다.

ㄷ. 서로 다른 세 점을 지나는 직선은 없을 수도 있다.

ㄹ. 한 직선과 두 점에서만 만나는 직선은 없다.

ㅂ. 한 직선 위에 있지 않은 점을 지나고, 이 직선에 수직인 직선은 1개이다.

**3** 한 평면 $P$ 위에 4개의 직선 $a$, $b$, $c$, $d$가 있을 때, $a /\!/ b$, $b /\!/ c$이면 $a /\!/ c$이고, $a /\!/ d$이므로 $c /\!/ d$이다.

**4** (4) $\overline{BC}$와 만나는 모서리 $\overline{AB}$, $\overline{BE}$, $\overline{CA}$, $\overline{CF}$와 $\overline{BC}$와 평행한 모서리 $\overline{EF}$를 제외한 $\overline{AD}$, $\overline{DE}$, $\overline{DF}$는 꼬인 위치에 있다.

(5) $\overline{BE}$와 만나지 않는 모서리는 $\overline{BE}$와 평행한 모서리 $\overline{AD}$, $\overline{CF}$와 $\overline{BE}$와 꼬인 위치에 있는 모서리 $\overline{AC}$, $\overline{DF}$이다.

**5** 주어진 전개도로 삼각뿔을 만들면 오른쪽 그림과 같다.
따라서 $\overline{AB}$와 꼬인 위치에 있는 모서리는 $\overline{DF}$이다.

**6** ①, ③ $l \perp m$, $l \perp n$이면 직선 $m$과 직선 $n$은 만나거나 평행하거나 꼬인 위치에 있다.

④, ⑤ $l /\!/ m$, $l \perp n$이면 직선 $m$과 직선 $n$은 수직이거나 꼬인 위치에 있다.

**7** ㄱ. 서로 만나지도 평행하지도 않은 두 직선은 꼬인 위치에 있으므로 한 평면 위에 있지 않다.

ㄷ, ㅂ, ㅅ. 한 직선과 그 직선 위에 있지 않은 한 점이 평면을 하나로 결정한다.

ㄹ. 평행하거나 한 점에서 만나는 두 직선이 평면을 하나로 결정한다.

**8** (1) 오른쪽 그림과 같이 한 평면 위에 있지 않고, 서로 평행한 세 직선 $l$, $m$, $n$에 대하여 이들 중 두 직선을 포함하는 평면은 직선 $l$과 직선 $m$을 포함하는 평면, 직선 $l$과 직선 $n$을 포함하는 평면, 직선 $m$과 직선 $n$을 포함하는 평면으로 평면의 개수는 3이다.

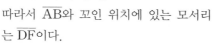

(2) 오른쪽 그림과 같이 한 평면 위에 있지 않은 세 직선 $l$, $m$, $n$이 한 점에서 만날 때, 이들 중 두 직선을 포함하는 평면은 직선 $l$과 직선 $m$을 포함하는 평면, 직선 $l$과 직선 $n$을 포함하는 평면, 직선 $m$과 직선 $n$을 포함하는 평면으로 평면의 개수는 3이다.

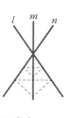

**9** (i) 4개의 점 A, B, C, D로 만들 수 있는 평면의 개수 : 1

(ii) 평면 위의 4개의 점 중 2개와 점 E 또는 점 F로 만들 수 있는 평면의 개수 :
$$\frac{4 \times 3}{2} \times 2 = 12$$

(iii) 평면 위의 4개의 점 중 1개와 두 점 E, F로 만들 수 있는 평면의 개수 : 4

(i), (ii), (iii)에서 평면의 개수는 $1 + 12 + 4 = 17$

> **TIP** 한 평면 위에 있는 네 점이 존재하는 경우
> 평면 위에 있는 여러 개의 점 중 사용하는 점의 개수에 따라 분류하면 쉽게 구할 수 있다.

**11** 직선과 평면이 수직이려면 직선은 평면과 한 점에서 만나고, 그 점을 지나는 평면 위의 최소한 2개의 직선과 동시에 수직이어야 한다.
즉, $\overline{BE} \perp \overline{DE}$, $\overline{BE} \perp \overline{EF}$

**12** 직선과 평면이 수직이려면 직선은 평면과 한 점에서 만나고, 그 점을 지나는 평면 위의 최소한 2개의 직선과 동시에 수직이어야 한다.
즉, 면 ABC 위의 두 모서리 $\overline{AB}$와 $\overline{BC}$에 대하여 $\overline{AB} \perp \overline{BE}$, $\overline{BC} \perp \overline{BE}$이면 면 ABC와 $\overline{BE}$는 수직이다.

**13** (1) $\overline{CI}$와 수직인 면은 면 CGHD이므로 $a = 1$
면 AEJI와 평행한 모서리는 $\overline{CG}$, $\overline{DH}$이므로 $b = 2$
$\therefore a + b = 1 + 2 = 3$

(2) $\overline{EJ}$와 평행한 평면은 면 AICD이므로 $c = 1$
면 AICD와 수직인 모서리는 $\overline{AE}$, $\overline{IJ}$, $\overline{CG}$, $\overline{DH}$이므로 $d = 4$
$\overline{CD}$와 꼬인 위치에 있는 모서리는 $\overline{AE}$, $\overline{IJ}$, $\overline{EJ}$, $\overline{JG}$, $\overline{EH}$이므로 $e = 5$
$\therefore c - d + e = 1 - 4 + 5 = 2$

**14** $\overline{AB}$와 꼬인 위치에 있는 모서리는 $\overline{CD}$, $\overline{DE}$, $\overline{EF}$, $\overline{CF}$이므로 $a = 4$
$\overline{AB}$와 평행한 모서리는 $\overline{DF}$이므로 $b = 1$
$\therefore a + b = 5$

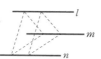

**16** 두 평면 $P$와 $Q$가 한 직선에 서 만나면 공간은 4개의 부분으로 나누어지고, 세 평면 $P$, $Q$, $R$가 오른쪽 그림과 같이 한 점 O에서 만나면 공간은 8개의 부분으로 나 누어진다.

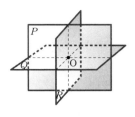

**17** 전개도로 입체도형을 만들면 오른쪽 그림과 같다.

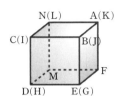

(1) 면 ABCN과 평행한 면은 면 DEFM이다.
(2) $\overline{AB}$와 수직인 면은 면 FKLM, 면 GHIJ이다.

**18** ㄱ. 한 평면에 평행한 두 직선은 만나거나 평행하거나 꼬인 위치에 있다.

ㄷ. 한 평면에 수직인 두 평면은 만나거나 평행하다.

ㄹ. 한 직선에 수직인 두 직선은 만나거나 평행하거나 꼬인 위치에 있다.

ㅂ. 한 직선에 평행한 두 평면은 만나거나 평행하다.

**19** ㄱ. $l \perp m$, $m \perp n$이면 두 직선 $l$, $n$은 만나거나 평행 하거나 꼬인 위치에 있다.

ㄴ. $P \perp Q$, $Q \perp R$이면 두 평면 $P$, $R$는 만나거나 평행하다.

ㄹ. $l /\!/ m$, $m \perp n$이면 두 직선 $l$, $n$은 만나거나 꼬인 위치 에 있다.

ㅅ. $l /\!/ P$, $m /\!/ P$이면 두 직선 $l$, $m$은 만나거나 평행하거 나 꼬인 위치에 있다.

ㅇ. $P \perp Q$, $P \perp R$이면 두 평면 $Q$, $R$는 만나거나 평행하다.

ㅈ. $l /\!/ P$, $l /\!/ Q$이면 두 평면 $P$, $Q$는 만나거나 평행하다.

| | | | | | |
|---|---|---|---|---|---|
| 1 ④, ⑤ | 2 6 | 3 풀이 참조 | 4 20 | 5 풀이 참조 | 6 ⑤ |
| 7 5 | 8 ㄱ, ㄹ, ㅁ | 9 6 | 10 $\overline{EH}$ | 11 ①, ④ | 12 면 IJKL |
| 13 꼬인 위치 | 14 7 | 15 2 | 16 2 | 17 15° | 18 $\overline{EF}$, $\overline{FG}$ |
| 19 ④ | 20 ②, ⑤ | | | | |

**문제 풀이**

**1** ④ 서로 다른 세 직선 중에서 두 직선이 반드시 평행하지는 않다.
⑤ 공간에서 서로 만나지 않는 두 직선은 평행하거나 꼬인 위치에 있다.

**2** 네 직선 $a$, $b$, $c$, $d$ 중에서 두 직선을 포함하는 평면은
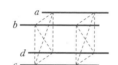
직선 $a$와 직선 $b$를 포함하는 평면,
직선 $a$와 직선 $c$를 포함하는 평면,
직선 $a$와 직선 $d$를 포함하는 평면,
직선 $b$와 직선 $c$를 포함하는 평면,
직선 $b$와 직선 $d$를 포함하는 평면,
직선 $c$와 직선 $d$를 포함하는 평면으로 평면의 개수는 6이다.

**3** 서술형
**표현 단계** 두 직선이 평행하려면 다음 두 조건을 모두 만족해야 한다.
① 만나지 않는다.
② 한 평면 위에 있다.
**풀이 단계** $P /\!/ Q$이므로 두 평면 $P$와 $Q$는 만나지 않는다.
직선 $a$는 평면 $P$ 위에 있고, 직선 $b$는 평면 $Q$ 위에 있으므로 두 직선 $a$, $b$는 서로 만나지 않는다.
그런데 두 직선 $a$, $b$는 한 평면 $R$ 위에 있다.
**확인 단계** 따라서 두 직선 $a$, $b$는 한 평면 위에 있으면서 서로 만나지 않으므로 서로 평행하다.

**4** (i) 평면 $P$ 위의 두 점과 평면 $Q$ 위의 한 점으로 만들 수 있는 평면의 개수 : $3 \times 3 = 9$
(ii) 평면 $P$ 위의 한 점과 평면 $Q$ 위의 두 점으로 만들 수 있는 평면의 개수 : $3 \times 3 = 9$
(iii) 평면 $P$와 평면 $Q$ : 2
(i), (ii), (iii)에서 평면의 개수는
$9 + 9 + 2 = 20$

**5** 서술형
**풀이 단계** 평면이 하나로 결정되기 위한 조건은 다음과 같다.
첫째, 한 직선 위에 있지 않은 세 점이 주어진 경우
둘째, 한 직선과 그 직선 밖에 있는 한 점이 주어진 경우
셋째, 한 점에서 만나는 두 직선이 주어진 경우
넷째, 평행한 두 직선이 주어진 경우
한 직선 위에 있는 세 점은 한 평면을 결정할 수 없으므로 6개의 점 A, B, C, D, E, F로 만들 수 있는 평면은 다음과 같이 13개이다.
(i) 평면 $P$ 위의 두 점과 평면 $Q$ 위의 한 점으로 만들 수 있는 평면
⇨ 면 ABD, 면 ABE, 면 ABF, 면 BCD, 면 BCE, 면 BCF, 면 ACD, 면 ACE, 면 ACF
(ii) 평면 $P$ 위의 한 점과 평면 $Q$ 위의 세 점 D, E, F로 만들 수 있는 평면
⇨ 면 ADEF, 면 BDEF, 면 CDEF
(iii) 평면 $P$ 위의 세 점으로 만들 수 있는 평면
⇨ 면 ABC

**6** 전개도로 입체도형을 만들면 오른쪽 그림과 같다.
①, ②, ③, ④ 꼬인 위치에 있다.
⑤ $\overline{AC}$와 $\overline{DE}$는 한 점 A(E)에서 만난다.
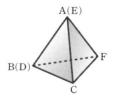

**7** $\overline{CD}$와 수직으로 만나는 모서리는 $\overline{AD}$, $\overline{BC}$, $\overline{CG}$, $\overline{DH}$이므로
$a = 4$
또, $\overline{CD}$와 평행한 모서리는 $\overline{AB}$, $\overline{EF}$, $\overline{HG}$이므로
$b = 3$
$\therefore 2a - b = 2 \times 4 - 3 = 5$

**TIP** $\overline{CD}$와 수직으로 만나는 모서리는 $\overline{CD}$와 수직인 평면 CBFG, 평면 AEHD 위에 있는 모서리임을 이해한다.

**8** 꼬인 위치는 공간에서 만나지도 않고, 평행하지도 않은 두 직선의 위치 관계이므로 보기 중에서 $\overline{KN}$, $\overline{DG}$, $\overline{MN}$이 $\overline{CJ}$와 꼬인 위치에 있다.

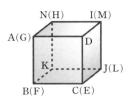

**9** 서술형

변형 단계 주어진 전개도로 입체도형을 만들면 오른쪽 그림과 같다.

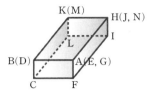

풀이 단계 $\overline{EF}$와 수직인 면은 면 ABMN과 면 CFIL이므로 $a=2$
$\overline{LM}$과 꼬인 위치에 있는 모서리는 $\overline{CF}$, $\overline{DE}$, $\overline{NA}$, $\overline{IF}$이므로 $b=4$

확인 단계 ∴ $a+b=2+4=6$

**10** 서술형

표현 단계 꼬인 위치에 있는 두 직선의 조건은 다음과 같다.
① 만나지 않는다.
② 평행하지 않는다.
③ 한 평면 위에 있지 않다.

변형 단계 $\overline{CD}$와 꼬인 위치에 있는 모서리는 $\overline{AE}$, $\overline{BF}$, $\overline{EF}$, $\overline{EH}$, $\overline{FG}$, $\overline{GH}$, $\overline{IJ}$, $\overline{JK}$, $\overline{JG}$이고, $\overline{DH}$와 수직으로 만나는 모서리는 $\overline{AD}$, $\overline{CD}$, $\overline{IK}$, $\overline{JK}$, $\overline{EH}$, $\overline{GH}$이므로 두 조건을 모두 만족하는 모서리는 $\overline{EH}$, $\overline{GH}$, $\overline{JK}$이다.

풀이 단계 그러므로 이 중에서 면 JGHK에 포함되지 않는 모서리는 $\overline{EH}$이다.

확인 단계 $\overline{EH}$

**11** 두 평면 $P$, $Q$가 수직이 되려면 평면 $P$가 평면 $Q$에 수직인 직선을 포함해야 하므로 두 평면 $P$, $Q$가 수직이 되기 위한 조건은 $\overline{AO}\perp\overline{CD}$, $\overline{AO}\perp\overline{BO}$이다.

**12** 면 ABMN과 수직인 면은 면 BCLM, 면 CDEF, 면 FGHI, 면 IJKL이고, 이 중에서 면 CDEF와 평행한 면은 면 IJKL이다.

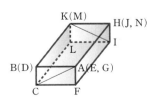

**13** $\overline{CE}$와 $\overline{KI}$는 만나지도 않고, 평행하지도 않으므로 꼬인 위치에 있다.

**14** $\overline{AB}$와 꼬인 위치에 있는 모서리는 $\overline{CH}$, $\overline{DI}$, $\overline{EJ}$, $\overline{GH}$, $\overline{HI}$, $\overline{IJ}$, $\overline{JF}$이므로 $a=7$
$\overline{AB}$와 평행한 모서리는 $\overline{FG}$이므로 $b=1$
$\overline{AB}$와 수직으로 만나는 모서리는 $\overline{AF}$, $\overline{BG}$이므로 $c=2$
∴ $a-2b+c=7-2+2=7$

**15** 서로 평행한 평면은 면 ABCDE와 면 FGHIJ이므로 1쌍이다. 즉, $x=1$
면 ABCDE와 수직인 평면은 옆면 5개이므로 $y=5$
면 ABGF와 수직인 평면은
면 ABCDE와 면 FGHIJ이므로 $z=2$
∴ $3x-y+2z=3-5+4=2$

**16** 면 ACD와 수직인 모서리는 $\overline{AE}$, $\overline{CG}$, $\overline{DH}$이므로 $a=3$
면 AEHD와 수직인 면은 면 ACD, 면 AFE, 면 CGHD, 면 EFGH이므로 $b=4$
면 ACF와 평행한 면은 없으므로 $c=0$
∴ $2a-b+c=6-4+0=2$

**17** △AFC는 정삼각형이므로 ∠AFC=60°
△ACD는 직각이등변삼각형이므로 ∠ACD=45°
또, 면 ACD와 $\overline{CG}$는 수직이므로 ∠ACG=90°
∴ ∠AFC+∠ACD-∠ACG
=60°+45°-90°=15°

**18** $\overline{AC}$와 꼬인 위치에 있는 모서리는 $\overline{DH}$, $\overline{EF}$, $\overline{FG}$, $\overline{GH}$, $\overline{EH}$이고, $\overline{DH}$와 꼬인 위치에 있는 모서리는 $\overline{AC}$, $\overline{AF}$, $\overline{CF}$, $\overline{EF}$, $\overline{FG}$이다.
따라서 $\overline{AC}$, $\overline{DH}$와 동시에 꼬인 위치에 있는 모서리는 $\overline{EF}$, $\overline{FG}$이다.

**19** ② 면 ACD와 평행한 모서리는 $\overline{EF}$, $\overline{FG}$, $\overline{GH}$, $\overline{HE}$의 4개이다.
④ $\overline{AD}$와 꼬인 위치에 있는 모서리는 $\overline{CF}$, $\overline{CG}$, $\overline{EF}$, $\overline{GH}$의 4개이다.

**20** ① $l\,/\!/\,m$, $l\perp n$이면 두 직선 $m$, $n$은 만나거나 꼬인 위치에 있다.
③ $l\perp m$, $l\perp n$이면 두 직선 $m$, $n$은 만나거나 평행하거나 꼬인 위치에 있다.
④ $P\perp Q$, $Q\perp R$이면 두 평면 $P$, $R$는 만나거나 평행하다.

# 3<sup>STEP</sup> 최고 실력 완성하기

| | | | | |
|---|---|---|---|---|
| **1** 13 | **2** 9 | **3** 8 | **4** ㄴ, ㅂ | **5** $\overline{CI}$, $\overline{DJ}$, $\overline{EK}$, $\overline{FL}$, $\overline{HI}$, $\overline{IJ}$, $\overline{KL}$, $\overline{LG}$ |
| **6** 0 | **7** ②, ④ | **8** 4 | **9** 1과 7, 2와 9, 3과 8, 4와 12, 5와 11, 6과 10 | |

**1** (i) 면 ABC, 면 ABD, 면 ABE, 면 ABF의 4개
(ii) 면 ACD, 면 ACE, 면 ACF, 면 BCD, 면 BCE,
　면 BCF의 6개
(iii) 면 ADEF, 면 BDEF의 2개
(iv) 면 CDEF의 1개
따라서 구하는 평면의 개수는
$4+6+2+1=13$

**2** $\overline{BE}$와 평행한 면은 면 AHJD, 면 CGFIJD이므로
$a=2$
$\overline{BC}$와 꼬인 위치에 있는 모서리는 $\overline{AH}$, $\overline{DJ}$, $\overline{EF}$, $\overline{FG}$, $\overline{FI}$,
$\overline{HI}$, $\overline{IJ}$이므로 $b=7$
$\therefore a+b=2+7=9$

**3** $\overline{CD}$와 꼬인 위치에 있는 모서리는 $\overline{AF}$, $\overline{BG}$, $\overline{JH}$, $\overline{EI}$,
$\overline{FG}$, $\overline{GH}$, $\overline{HI}$, $\overline{IF}$이므로 모서리의 개수는 8이다.

**4** $\overline{AD}$와 꼬인 위치에 있는 모서
리는 $\overline{BC}$, $\overline{EJ}$, $\overline{FI}$, $\overline{JI}$이다.

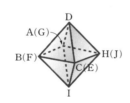

**5** 꼬인 위치에 있는 두 직선은 만나지도 않고, 평행하지
도 않으며 한 평면 위에 있지 않다.

**6** $\overline{CD}$와 평행한 면은 면 AGLF, 면 GHIJKL이므로
$a=2$
면 ABCDEF와 평행한 모서리는 $\overline{GH}$, $\overline{HI}$, $\overline{IJ}$, $\overline{JK}$, $\overline{KL}$,
$\overline{LG}$이므로 $b=6$
$\overline{AG}$와 평행하지 않은 면은 면 ABHG, 면 AGLF,
면 ABCDEF, 면 GHIJKL이므로 $c=4$
$\therefore a-b+c=2-6+4=0$

**7** ① 면 DEG와 모서리 DH는 한 점에서 만난다.
③ 면 EGH와 면 DEG가 이루는 각은 90°가 아니다.
⑤ 모서리 DE와 모서리 GH는 꼬인 위치에 있다.

**8** 주어진 전개도로 입체도형을 만들
면 오른쪽 그림과 같다.
$\overline{AB}$와 꼬인 위치에 있는 모서리는
$\overline{IJ}$, $\overline{CI}$, $\overline{IF}$이므로 $a=3$
$\overline{AB}$와 평행한 평면은 면 CFI이므로 $b=1$
$\overline{AB}$와 한 점에서 만나는 평면은 면 FGHI, 면 BCIJ이므로
$c=2$
$\therefore a-b+c=3-1+2=4$

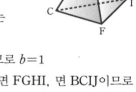

**9** 주어진 전개도로 입체도형을 만들 때 평행한 면은
1과 7, 2와 9, 3과 8, 4와 12, 5와 11, 6과 10이다.

# 3 작도와 합동

## 1 STEP 주제별 실력다지기

43~48쪽

**1** ㄷ, ㅅ, ㅈ
**2** (1) ㉢ → ㉠ → ㉡ (2) ③, ⑤
**3** ㄹ, ㅂ, ㅅ
**4** (1) ㉡ → ㉠ → ㉢ (2) ③ (3) ②, ④
**5** (1) ㉠ → ㉣ → ㉡ → ㉤ → ㉢ → ㉥ (2) ② (3) ③
**6** (1) △AOD, △COB (2) ③
**7** ⑤
**8** 5
**9** 8
**10** ②
**11** $\overline{AC}$의 길이 또는 ∠B의 크기 또는 ∠C의 크기
**12** ㄱ, ㄹ
**13** SAS 합동
**14** △ACE, ASA 합동
**15** (1) △ACD, SAS 합동 (2) 120°
**16** 60°−∠a
**17** 120°

---

**최상위 03**
**NOTE** **삼각형이 결정되기 위한 조건**

삼각형의 세 변의 길이가 $a$, $b$, $x$일 때, 어느 한 변의 길이는 나머지 두 변의 길이의 합보다 작다.

(1) $a < b+x$에서 $a-b < x$

(2) $b < a+x$에서 $b-a < x$

(3) $x < a+b$

한편, $a-b$와 $b-a = -(a-b)$는 절댓값이 같고 부호가 다르므로 $a-b$와 $b-a$ 중 최댓값은 $|a-b|$와 같다.

따라서 (1)~(3)에 의하여 삼각형의 세 변의 길이가 $a$, $b$, $x$일 때, 삼각형이 결정되기 위한 $x$의 범위는 $|a-b| < x < a+b$이다.

**1** (i) 평각의 이등분선의 작도로 $90°$의 작도가 가능하다.

(ii) $90°$의 삼등분선의 작도로 $30°$, $60°$의 작도가 가능하다.

(iii) 각의 이등분선의 작도로 다음 각의 작도가 가능하다.

$$90° \rightarrow 45° \rightarrow 22.5° \rightarrow \cdots$$
$$60° \rightarrow 30° \rightarrow 15° \rightarrow 7.5° \rightarrow \cdots$$

(iv) 작도 가능한 각끼리 더하거나 뺀 각의 작도가 가능하다.

$$135°=90°+45°, \ 120°=90°+30°, \ 75°=60°+15°, \cdots$$

따라서 눈금 없는 자와 컴퍼스만으로 그릴 수 없는 각은 ㄷ, ㅅ, ㅈ이다.

**2** (2) ① 두 점 A, B는 점 O를 중심으로 하는 원 위에 있으므로 $\overline{OA}=\overline{OB}$

② 점 P는 두 점 A, B를 중심으로 각각 반지름의 길이가 같은 원을 그려 만나는 점이므로 $\overline{AP}=\overline{BP}$

④ $\overrightarrow{OP}$는 $\angle XOY$의 이등분선이므로
$$\angle XOP = \angle YOP$$

**3** ㄱ, ㅇ. $\overrightarrow{PQ}$는 $\overline{AB}$의 수직이등분선이므로
$$\overline{AM}=\frac{1}{2}\overline{AB}, \ \angle AMP=90°$$

ㄴ, ㅁ. 두 점 A, B를 중심으로 각각 반지름의 길이가 같은 원을 그린 것이므로 $\overline{AP}=\overline{AQ}=\overline{BP}=\overline{BQ}$

ㄷ. △APM과 △AQM에서
$$\overline{AP}=\overline{AQ}, \ \angle AMP=\angle AMQ=90°$$
이고, △AQP는 $\overline{AP}=\overline{AQ}$인 이등변삼각형이므로
$$\angle APM = \angle AQM$$
따라서 $\angle PAM = \angle QAM$이므로
$$△APM \equiv △AQM \ (ASA \ 합동)$$
$$\therefore \overline{MP}=\overline{MQ}$$

**4** (3) ① 점 P는 두 점 C, D를 중심으로 각각 반지름의 길이가 같은 원을 그려 만나는 점이므로 $\overline{CP}=\overline{DP}$

③ 두 점 C, D는 점 O를 중심으로 하는 원 위에 있으므로 $\overline{CO}=\overline{DO}$

⑤ $\overrightarrow{OP}$는 직선 AB의 수선이므로
$$\angle AOP = \angle BOP = 90°$$

**5** (3) ①, ②, ④ 두 점 P, Q를 중심으로 각각 반지름의 길이가 같은 원을 그린 것이므로
$$\overline{CP}=\overline{DP}=\overline{AQ}=\overline{BQ}$$

③ 두 점 A, C를 중심으로 각각 반지름의 길이가 같은 원을 그린 것이므로 $\overline{AB}=\overline{CD}$

⑤ $\angle CPD$는 $\angle AQB$와 크기가 같은 동위각을 작도한 것이므로 $\angle CPD=\angle AQB$

**6** (1) 세 점 O, A, B를 중심으로 각각 반지름의 길이가 같은 원을 그린 것이므로
$$\overline{OA}=\overline{OB}=\overline{OC}=\overline{OD}=\overline{AD}=\overline{BC}$$
따라서 △AOD, △COB가 정삼각형이다.

(2) ②, ③ $\overrightarrow{OC}$, $\overrightarrow{OD}$가 직각인 $\angle AOB$의 삼등분선이므로
$$\angle AOC = \angle COD = \frac{1}{3} \times \angle AOB = 30°$$
$$\therefore \angle AOD = \angle AOC + \angle COD = 60°$$
△AOC에서 $\overline{OA}=\overline{OC}$, $\angle AOC=30°$이므로
$$\angle OAC = \angle OCA = 75°$$
$$\therefore \angle AOD \ne \angle OCA$$

④ △BOD에서 $\overline{OB}=\overline{OD}$, $\angle BOD=30°$이므로
$$\angle OBD = 75°$$

①, ⑤ △COB는 정삼각형이므로 $\angle OBC=60°$, $\overline{OB}=\overline{BC}$

또한, $\overline{OA}=\overline{OB}$이므로 $\overline{OA}=\overline{BC}$

> **TIP** $\overline{OB}=\overline{OC}$와 $\angle COB=60°$임을 통해서도 △COB가 정삼각형임을 알 수 있다.
> 마찬가지로 $\overline{OA}=\overline{OD}$와 $\angle AOD=60°$임을 통해서 △AOD가 정삼각형임을 알 수 있다.

**7** △ABC의 세 변의 수직이등분선의 교점은 한 점에서 만나며 이 점이 세 점 A, B, C를 지나는 원의 중심이 된다.

**8** $x$ cm가 가장 긴 변일 때, $3+7>x$ $\quad \therefore x<10$

$7$ cm가 가장 긴 변일 때, $3+x>7$ $\quad \therefore x>4$

$\therefore 4<x<10$

따라서 $x$의 값으로 알맞은 자연수의 개수는 5, 6, 7, 8, 9의 5이다.

**다른 풀이**

삼각형의 한 변의 길이는 다른 두 변의 길이의 차보다 크고, 다른 두 변의 길이의 합보다 작아야 한다.

즉, 삼각형의 세 변의 길이를 $a$, $b$, $x$라 하면
$$|a-b|<x<a+b$$이므로
$$7-3<x<3+7, \ 4<x<10$$
따라서 구하는 자연수 $x$의 개수는 5, 6, 7, 8, 9의 5이다.

**9** $(4, 5, 6), (4, 5, 8), (4, 5, 10), (4, 6, 8),$
$(4, 6, 10), (4, 8, 10), (5, 6, 8), (5, 6, 10),$
$(5, 8, 10), (6, 8, 10)$ 중에서

(가장 긴 변의 길이) < (다른 두 변의 길이의 합)을 만족하는 삼각형의 개수는 $(4, 5, 10), (4, 6, 10)$을 제외한 8이다.

**10** ① $\angle B = 180° - (\angle A + \angle C)$이므로 $\overline{AB}$의 양 끝 각 $\angle A$, $\angle B$가 주어진 것과 같은 경우이다.

따라서 삼각형이 하나로 결정된다.

② $\overline{AB}$, $\overline{BC}$의 끼인각인 $\angle B$가 주어지지 않고, $\angle A$가 주어졌으므로 삼각형이 하나로 결정되지 않는다.

③ $\overline{AB}$, $\overline{AC}$의 끼인각인 $\angle A$가 주어졌으므로 삼각형이 하나로 결정된다.

④ $\angle A = 180° - (\angle B + \angle C)$이므로 $\overline{AB}$의 양 끝 각 $\angle A$, $\angle B$가 주어진 것과 같은 경우이다.

따라서 삼각형이 하나로 결정된다.

⑤ 세 변의 길이가 주어졌으므로 삼각형이 하나로 결정된다.

**11** $\angle A$의 크기와 $\overline{AB}$의 길이가 주어졌을 때,

( i ) $\angle A$가 끼인각이 되는 경우 $\overline{AC}$의 길이가 주어지면 삼각형이 하나로 결정된다.

( ii ) $\angle A$가 양 끝 각 중의 하나가 되는 경우 $\angle B$의 크기가 주어지면 삼각형이 하나로 결정된다.

( iii ) $\angle A$가 양 끝 각 중의 하나가 되는 경우 $\angle C$의 크기가 주어지면 $\angle B$의 크기를 구할 수 있으므로 삼각형이 하나로 결정된다.

따라서 $\overline{AC}$의 길이 또는 $\angle B$의 크기 또는 $\angle C$의 크기가 주어질 때, 삼각형 ABC를 작도할 수 있다.

**12** ㄱ. 한 밑각의 크기가 같은 두 이등변삼각형은 모양은 같지만 크기가 다를 수도 있다.

ㄴ. SAS 합동

ㄷ. ASA 합동

ㄹ. 세 각의 크기가 각각 같은 두 삼각형은 모양은 같지만 크기가 다를 수도 있다.

ㅁ, ㅂ, ㅅ. ASA 합동

따라서 두 삼각형이 합동이 아닌 것은 ㄱ, ㄹ이다.

**13** △ABC와 △DBE에서

$\angle B$는 공통, $\overline{AB} = \overline{DB}$

또, $\overline{AB} = \overline{BD}$, $\overline{AE} = \overline{CD}$이므로

$\overline{BC} = \overline{BD} + \overline{DC} = \overline{BA} + \overline{AE} = \overline{BE}$

$\therefore$ △ABC $\equiv$ △DBE (SAS 합동)

**14** △ABD와 △ACE에서

$\overline{AB} = \overline{AC}$, $\angle A$는 공통

또, $\angle ADB = \angle AEC = 90°$이므로 $\angle ABD = \angle ACE$

$\therefore$ △ABD $\equiv$ △ACE (ASA 합동)

**15** (1) △BCE와 △ACD에서

△ABC가 정삼각형이므로 $\overline{BC} = \overline{AC}$

또, △ECD가 정삼각형이므로 $\overline{CE} = \overline{CD}$

$\angle BCE = 60° + \angle ACE = \angle ACD$

$\therefore$ △BCE $\equiv$ △ACD (SAS 합동)

(2) △BCE $\equiv$ △ACD이므로 $\angle CDA = \angle CEB$이고,

△BCE에서 한 외각의 크기는 그와 이웃하지 않는 두 내각의 크기의 합과 같으므로

$\angle CBE + \angle CEB = \angle ECD$

따라서 △FBD에서

$\angle BFD = 180° - (\angle CBE + \angle CDA)$
$\qquad\quad = 180° - (\angle CBE + \angle CEB)$
$\qquad\quad = 180° - \angle ECD$
$\qquad\quad = 180° - 60° = 120°$

**16** △ABD와 △CBE에서

△ABC가 정삼각형이므로 $\overline{AB} = \overline{CB}$

또, △BDE가 정삼각형이므로 $\overline{BD} = \overline{BE}$

$\angle ABD = 60° - \angle DBF = \angle CBE$

$\therefore$ △ABD $\equiv$ △CBE (SAS 합동)

따라서 $\angle BCE = \angle BAD$이고,

$\angle BAD + \angle ABD = \angle BDE = 60°$이므로

$\angle BCE = \angle BAD = \angle BDE - \angle ABD = 60° - \angle a$

**17** △ABD와 △BCE에서

△ABC는 정삼각형이므로

$\overline{AB} = \overline{BC}$, $\angle B = \angle C = 60°$

또, $\overline{BD} = \overline{CE}$이므로

△ABD $\equiv$ △BCE (SAS 합동)

따라서 $\angle BAD = \angle CBE$이므로

$\angle AFB = 180° - (\angle BAF + \angle ABF)$
$\qquad\quad = 180° - (\angle CBE + \angle ABF)$
$\qquad\quad = 180° - \angle ABC$
$\qquad\quad = 180° - 60° = 120°$

$\therefore$ $\angle DFE = \angle AFB$
$\qquad\qquad = 120°$ (맞꼭지각)

| | | | | | |
|---|---|---|---|---|---|
| **1** 1 | **2** 풀이 참조 | **3** SSS 합동 | **4** ③ | **5** 풀이 참조 | **6** 풀이 참조 |
| **7** $x>5$ | **8** $14<x<28$ | **9** 10 cm | **10** ② | **11** 정삼각형 | |
| **12** △ADC, SAS 합동 | | **13** 90° | **14** 6 cm | **15** 9 cm² | **16** 풀이 참조 |
| **17** 130° | | | | | |

**문제 풀이**

**1** $\overline{AB}=5$ cm, $\overline{AC}=4$ cm, ∠B=50°인 조건으로 작도할 수 있는 삼각형은 다음과 같다.

 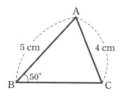

∴ $a=2$

또한, 한 변의 길이가 6 cm, 두 각의 크기가 40°, 50°인 조건이 주어지면 나머지 한 각의 크기가 90°임을 알 수 있으므로 작도할 수 있는 삼각형은 다음과 같다.

 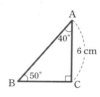 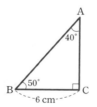

∴ $b=3$

∴ $2a-b=2×2-3=1$

**2** 서술형

**풀이 단계** 삼각형이 한 가지로 결정되는 조건은 다음과 같다.

① 세 변의 길이가 주어질 때
② 두 변의 길이와 그 끼인각의 크기가 주어질 때
③ 한 변의 길이와 그 양 끝 각의 크기가 주어질 때

조건에서 두 변의 길이와 끼인각이 아닌 다른 한 각의 크기가 주어졌으므로 삼각형 ABC는 다음과 같이 2가지로 작도된다.

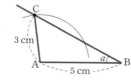 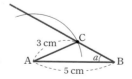

**3** 두 점 A, B는 점 O를 중심으로 하는 원 위의 점이므로 $\overline{OA}=\overline{OB}$

점 P는 두 점 A, B를 중심으로 각각 반지름의 길이가 같은 원을 그려 만나는 점이므로 $\overline{AP}=\overline{BP}$

또, $\overline{OP}$는 공통이므로
△AOP≡△BOP (SSS 합동)

**4** △AOP와 △BOP에서
$\overrightarrow{OP}$는 ∠XOY의 이등분선이므로 ∠AOP=∠BOP
∠PAO=∠PBO=90°이므로 ∠OPA=∠OPB
또, $\overline{OP}$는 공통이므로
△AOP≡△BOP (ASA 합동)
∴ $\overline{AP}=\overline{BP}$

**5** 서술형

**표현 단계**

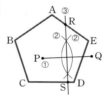

**변형 단계** 두 점 P, Q의 수직이등분선과 오각형 ABCDE의 교점이 구하는 점이고,

**풀이 단계** 작도 순서는 다음과 같다.

① $\overline{PQ}$를 긋는다.
② 두 점 P, Q를 중심으로 하고 반지름의 길이가 같은 두 원을 그린다.
③ 두 원의 교점을 연결한다.

**확인 단계** ③의 직선과 오각형의 교점을 R, S라 하면 오각형 ABCDE 위의 점에서 두 점 P, Q에 이르는 거리가 같은 점 R, 점 S가 작도된다.

**6** 서술형

**표현 단계**

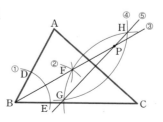

**변형 단계** 두 변 AB, BC에서 같은 거리에 있는 점은 ∠B의 이등분선 위에 있고, 두 점 A, C에서 같은 거리에 있는 점은 $\overline{AC}$의 수직이등분선 위에 있다.

따라서 ∠B의 이등분선과 $\overline{AC}$의 수직이등분선의 교점이 구하는 점이다.

**풀이 단계** ① 점 B를 중심으로 적당한 원을 그려 $\overline{AB}$, $\overline{BC}$와 만나는 두 점을 각각 D, E라 하자.

② 두 점 D, E를 각각 중심으로 하고 반지름의 길이가 같은 두 원을 그려 두 원이 만나는 점을 F라 하자.

③ $\overrightarrow{BF}$를 그린다. 이때 $\overrightarrow{BF}$가 ∠B의 이등분선이다.

④ 두 점 A, C를 각각 중심으로 하고 반지름의 길이가 같은 두 원을 그려 두 원이 만나는 두 점을 각각 G, H라 하자.

⑤ $\overleftrightarrow{GH}$를 그린다. 이때 $\overleftrightarrow{GH}$가 $\overline{AC}$의 수직이등분선이다.

**확인 단계** $\overrightarrow{BF}$와 $\overleftrightarrow{GH}$의 교점을 P라 하면 $\overline{AB}$, $\overline{BC}$에서 같은 거리에 있고, 두 점 A, C에서도 같은 거리에 있는 점 P가 작도된다.

**7** 세 변의 길이 $x-2$, $x$, $x+3$ 중에서 가장 긴 변의 길이가 $x+3$이므로 삼각형을 작도할 수 있으려면 $(x-2)+x>x+3$이어야 한다. 즉,

$2x-2>x+3$ ∴ $x>5$

**8** 서술형

**표현 단계** △ABC의 세 변의 길이는 7 cm, 21 cm, $x$ cm이므로

**변형 단계** 가장 긴 변의 길이가 $x$ cm일 때와 21 cm일 때로 나누어 생각한다.

**풀이 단계** (i) $x$ cm가 가장 긴 변일 때

$x<7+21$

∴ $x<28$

(ii) 21 cm가 가장 긴 변일 때

$21<x+7$

∴ $x>14$

**확인 단계** ∴ $14<x<28$

**9** △AQB와 △APC에서

△AQP, △ABC는 정삼각형이므로

$\overline{AQ}=\overline{AP}$, $\overline{AB}=\overline{AC}$

또, ∠QAB=60°+∠PAB=∠PAC이므로

△AQB≡△APC (SAS 합동)

∴ $\overline{QB}=\overline{PC}=\overline{PB}+\overline{BC}$

$=6+4=10$(cm)

**10** △ACD와 △BCE에서

△ABC, △CDE는 정삼각형이므로

$\overline{AC}=\overline{BC}$, $\overline{CD}=\overline{CE}$

∠ACD=∠BCE=60°

∴ △ACD≡△BCE (SAS 합동)

**11** 서술형

**표현 단계** △ABC는 정삼각형이므로

$\overline{AB}=\overline{BC}=\overline{CA}$, ∠A=∠B=∠C=60°

$\overline{AD}=\overline{BE}=\overline{CF}$이므로 $\overline{AF}=\overline{BD}=\overline{CE}$

**변형 단계** △ADF, △BED, △CFE에서

$\overline{AD}=\overline{BE}=\overline{CF}$ ······ ㉠

∠A=∠B=∠C=60° ······ ㉡

$\overline{AF}=\overline{BD}=\overline{CE}$ ······ ㉢

**풀이 단계** ㉠, ㉡, ㉢에서 두 변의 길이와 그 끼인각의 크기가 각각 같으므로

△ADF≡△BED≡△CFE (SAS 합동)

∴ $\overline{DF}=\overline{ED}=\overline{FE}$ (대응변)

**확인 단계** 따라서 △DEF는 정삼각형이다.

**12** △ABE와 △ADC에서

△ADB, △ACE는 정삼각형이므로

$\overline{AB}=\overline{AD}$, $\overline{AE}=\overline{AC}$

∠BAE=60°+∠BAC=∠DAC

∴ △ABE≡△ADC (SAS 합동)

**13** △ABF와 △DAE에서

□ABCD는 정사각형이므로

$\overline{AB}=\overline{DA}$, ∠ABF=∠DAE=90°

또, $\overline{BF}=\overline{AE}$이므로

△ABF≡△DAE (SAS 합동)

∠ADE+∠AED=90°이고, ∠ADE=∠BAF이므로

∠BAF+∠AED=90°

∴ ∠DGF=∠AGE

$=180°-(∠BAF+∠AED)$

$=180°-90°=90°$

**14** △ABF와 △AEH에서

△ABC와 △ADE는 합동인 정삼각형이므로

$\overline{AB}=\overline{AE}=4$ cm

∠ABF=∠AEH=60°

∠BAF=60°-∠FAH=∠EAH

∴ △ABF≡△AEH (ASA 합동)

따라서 $\overline{AH}=\overline{AF}=3.5$ cm, $\overline{HE}=\overline{FB}=2.5$ cm

∴ $\overline{AH}+\overline{HE}=3.5+2.5=6$(cm)

**15** △OBE와 △OCF에서 정사각형 ABCD의 두 대각선은 길이가 같고, 서로 다른 것을 수직이등분하므로

$\overline{OB}=\overline{OC}$, $\angle OBE=\angle OCF=45°$

$\angle BOE=90°-\angle EOC=\angle COF$

$\therefore$ △OBE≡△OCF (ASA 합동)

따라서 겹쳐진 부분의 넓이는

△OEC+△OCF=△OEC+△OBE=△OBC

$$=6\times6\times\frac{1}{4}=9(\text{cm}^2)$$

> **TIP** 크기가 같은 두 정사각형에 대하여 한 정사각형의 꼭짓점이 다른 정사각형의 두 대각선의 교점과 일치하는 경우 두 정사각형의 겹쳐진 부분의 넓이는 정사각형의 넓이의 $\frac{1}{4}$임을 이해한다.

**16** 서술형

**표현 단계**

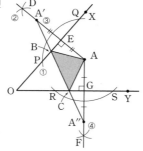

**변형 단계** 점 A를 $\overrightarrow{OX}$와 $\overrightarrow{OY}$에 대하여 대칭이동한 점을 각각 A′, A″이라고 하면 $\overline{AB}=\overline{A'B}$, $\overline{AC}=\overline{A''C}$이므로 △ABC의 둘레의 길이가 최소가 되는 두 꼭짓점 B, C는 두 점 A′, A″을 연결한 선분과 $\overrightarrow{OX}$, $\overrightarrow{OY}$의 교점이다.

**풀이 단계** 작도 순서는 다음과 같다.

① 점 A를 중심으로 하는 원을 그려 $\overrightarrow{OX}$와의 교점을 P, Q라 하자.

② 두 점 P, Q를 중심으로 하고 반지름의 길이가 같은 두 원을 그려 교점을 D라 하자.

③ 두 점 A, D를 연결하고 $\overline{AE}=\overline{A'E}$인 점 A′을 정한다.

④ 같은 방법으로 $\overrightarrow{OY}$에 대하여 점 A″을 정한다.

**확인 단계** 두 점 A′, A″을 연결한 선분과 $\overrightarrow{OX}$, $\overrightarrow{OY}$의 교점을 각각 B, C라 하면 △ABC의 둘레의 길이가 최소인 삼각형의 두 꼭짓점 B, C가 작도된다.

**17** 서술형

**표현 단계** △ABC는 정삼각형이므로 $\overline{AC}=\overline{BC}$

△CED는 정삼각형이므로 $\overline{CE}=\overline{CD}$

**변형 단계** △AEC와 △BDC에서

$\overline{AC}=\overline{BC}$ ...... ㉠

$\angle ACE=60°-\angle BCE=\angle BCD$ ...... ㉡

$\overline{CE}=\overline{CD}$ ...... ㉢

**풀이 단계** ㉠, ㉡, ㉢에서 두 변의 길이와 그 끼인각의 크기가 각각 같으므로 △AEC≡△BDC (SAS 합동)

$\angle AEC=\angle BDC$ (대응각)이므로

$\angle AEB$

$=360°-(\angle AEC+\angle BEC)$

$=360°-(\angle BDC+\angle BEC)$

$=360°-\{(\angle BDE+60°)+(\angle BED+60°)\}$

$=360°-\{120°+(\angle BDE+\angle BED)\}$

$=360°-\{120°+(180°-\angle EBD)\}$

$=360°-\{120°+(180°-70°)\}$

$=130°$

**확인 단계** 따라서 △AEC≡△BDC를 이용하여 $\angle AEB=130°$임을 확인할 수 있다.

**1** 2    **2** ⑤    **3** 8    **4** 90°    **5** 5 cm    **6** 42 cm

**7** 45°    **8** ⑤

**9** ㉠ 원과 넓이가 같은 정사각형의 작도  ㉡ 주어진 정육면체의 부피의 2배인 정육면체의 작도    **10** 풀이 참조

**11** Ⅱ

**문제 풀이**

**1** 각 도형을 작도할 때, 컴퍼스를 이용하는 횟수는 다음과 같다.

ㄱ. 각의 이등분선의 작도 : 3번

ㄴ. 평행선의 작도 : 4번

ㄷ. 크기가 같은 각의 작도 : 4번

ㄹ. 선분의 수직이등분선의 작도 : 2번

ㅁ. 직각의 삼등분선의 작도 : 3번

따라서 $a=1$, $b=2$, $c=2$이므로

$2a-b+c=2\times1-2+2=2$

**2** ∠XOY의 두 반직선 $\overrightarrow{OX}$와 $\overrightarrow{OY}$로부터 같은 거리에 있는 점은 ∠XOY의 이등분선 위의 점이고, 점 A와 점 B로부터 같은 거리에 있는 점은 선분 AB의 수직이등분선 위의 점이다.

따라서 ∠XOY의 이등분선과 $\overline{AB}$의 수직이등분선의 교점을 구하면 된다.

**3** $a\leq b\leq c$, $a+b+c=20$이고, $c<a+b$이므로

$2c<a+b+c\leq3c$, $2c<20\leq3c$

$\therefore \dfrac{20}{3}\leq c<10$

그런데, $c$는 자연수이므로 7 또는 8 또는 9이다.

(i) $c=9$일 때 $a+b=11$, $a\leq b\leq c$이므로 $6\leq b\leq9$

따라서 삼각형이 될 수 있는 경우는 (2, 9, 9), (3, 8, 9), (4, 7, 9), (5, 6, 9)의 4가지이다.

(ii) $c=8$일 때 $a+b=12$, $a\leq b\leq c$이므로 $6\leq b\leq8$

따라서 삼각형이 될 수 있는 경우는 (4, 8, 8), (5, 7, 8), (6, 6, 8)의 3가지이다.

(iii) $c=7$일 때 $a+b=13$, $a\leq b\leq c$이므로 $b=7$

따라서 삼각형이 될 수 있는 경우는 (6, 7, 7)의 1가지이다.

(i), (ii), (iii)에 의하여 구하는 삼각형의 개수는 $4+3+1=8$

**4** △ADC와 △ABG에서

□ADEB, □ACFG는 정사각형이므로

$\overline{AD}=\overline{AB}$, $\overline{AC}=\overline{AG}$

∠DAC=90°+∠BAC=∠BAG

∴ △ADC≡△ABG (SAS 합동)

따라서 △ADH와 △PBH에서

∠ADH=∠PBH ( ∵ △ADC≡△ABG),

∠AHD=∠BHP (맞꼭지각)이고,

삼각형의 세 내각의 크기의 합은 180°이므로

∠DPB=∠BPH=∠DAH=90°

**5** △ADC와 △BEC에서

△ABC, △CDE는 정삼각형이므로

$\overline{AC}=\overline{BC}$, $\overline{CD}=\overline{CE}$

∠ACD=60°−∠BCD=∠BCE

∴ △ADC≡△BEC (SAS 합동)

따라서 $\overline{BE}=\overline{AD}=3$ cm이므로

$\overline{BD}+\overline{BE}=2+3=5$(cm)

**6** △ABC와 △FDC에서

$\overline{AC}=\overline{FC}$, $\overline{BC}=\overline{DC}$,

∠ACB=60°−∠ACD=∠FCD이므로

△ABC≡△FDC (SAS 합동)

∴ $\overline{FD}=6$ cm, $\overline{CF}=9$ cm

또, △ABC와 △EBD에서

$\overline{AB}=\overline{EB}$, $\overline{BC}=\overline{BD}$,

∠ABC=60°−∠ABD=∠EBD이므로

△ABC≡△EBD (SAS 합동)

∴ $\overline{EB}=6$ cm, $\overline{DE}=9$ cm

따라서 오각형 BCFDE의 둘레의 길이는

$\overline{BC}+\overline{CF}+\overline{FD}+\overline{DE}+\overline{EB}$

$=12+9+6+9+6=42$(cm)

**7** $\overline{AB}:\overline{BC}=2:3$이므로

$\overline{AB}=2a$, $\overline{BC}=3a$라 하면

$\overline{BE}:\overline{EC}=1:2$이므로

$\overline{BE}=a$, $\overline{EC}=2a$이고, 점 F는

$\overline{CD}$의 중점이므로

$\overline{CF}=\overline{FD}=a$

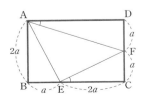

따라서 △ABE와 △ECF에서

$\overline{AB}=\overline{EC}$, $\overline{BE}=\overline{CF}$, $\angle B=\angle C=90°$이므로

△ABE≡△ECF (SAS 합동)

따라서 $\angle EAB=\angle FEC$이므로

$$\begin{aligned}\angle AEF&=180°-(\angle AEB+\angle FEC)\\&=180°-(\angle AEB+\angle EAB)\\&=180°-90°\\&=90°\end{aligned}$$

또, $\overline{AE}=\overline{EF}$이므로 $\angle AFE=\angle FAE=45°$

이때 점 F를 지나고 $\overline{AD}$와 평행

한 선분 HF를 그으면

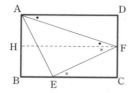

$\overline{AD}/\!/\overline{HF}/\!/\overline{BC}$이므로

$\angle DAF=\angle AFH$,

$\angle CEF=\angle HFE$

$\therefore \angle DAF+\angle CEF=\angle AFH+\angle HFE$

$\qquad\qquad\qquad\qquad =\angle AFE$

$\qquad\qquad\qquad\qquad =45°$

**8** △ABE와 △AGF에서

$\angle BAE=\angle GAF=60°$, $\angle AEB=\angle AFG=30°$,

$\overline{AE}=\overline{AF}$이므로

△ABE≡△AGF (ASA 합동)

① $\overline{AB}=\overline{AG}$ (대응변)

②, ③, ④ △AEF는 $\angle FAE=90°$이고, $\overline{AE}=\overline{AF}$인

　　직각이등변삼각형이므로

$\angle AEF=\angle AFE=45°$

$$\begin{aligned}\angle GFH&=\angle AFE-\angle AFG\\&=45°-30°=15°\end{aligned}$$

$$\begin{aligned}\angle EHD&=\angle HEB=\angle AEF+\angle AEB\\&=45°+30°=75°\end{aligned}$$

⑤ △AHF에서 $\angle FAH=60°$,

　$\angle AHF=\angle EHD=75°$(맞꼭지각)이므로 이등변삼각

형이 아니다.

　따라서 $\overline{AF}\neq\overline{FH}$이므로 $\overline{AE}\neq\overline{FH}$

**10** [방법 1] 정삼각형을 작도한 후 그 한 내각의 이등분선

을 작도하고 이 각을 90°의 각에 2번에 걸쳐 옮기면 3등분

된다.

[방법 2] 정삼각형을 작도한 후 그 한 내각의 이등분선을 작

도하고 이 각을 90°의 각에 옮기고 남은 각을 이등분하면 3

등분 된다.

**11** Ⅰ. 한 가지만 보고 전체가 모두 그럴 것이라고 생각

하는 경우이다.

Ⅱ. 가능한 것처럼 보이는 방법을 무턱대고 적용해서는 안

되는 경우이다.

Ⅲ. 확실하게 입증된 것은 굳이 확인하지 않아도 되는 경우

이다.

따라서 (나)의 상황을 가장 적당하게 설명한 것은 Ⅱ이다.

# I 단원 종합 문제

## 문제 풀이

**1** ① $\overrightarrow{AB}$와 $\overrightarrow{BC}$의 공통 부분은 $\overrightarrow{BC}$이다.
⑤ $\overrightarrow{AC}$와 $\overleftarrow{CD}$의 공통 부분은 점 C이다.

**2** $\overline{PR}=\dfrac{1}{2}\overline{AB}+\dfrac{1}{2}\overline{BC}$

$=\dfrac{1}{2}\times 16+\dfrac{1}{2}\times 10$

$=8+5=13(\text{cm})$

$\overline{QR}=\overline{QC}-\overline{RC}=\dfrac{1}{2}\overline{AC}-\dfrac{1}{2}\overline{BC}$

$=\dfrac{1}{2}\times 26-\dfrac{1}{2}\times 10$

$=13-5=8(\text{cm})$

$\therefore \overline{PR}+\overline{QR}=13+8=21(\text{cm})$

**3** $\overline{AB}=b-a$이므로

$\overline{AP}=\dfrac{b-a}{4}$

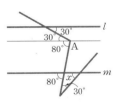

따라서 점 P의 좌표는 $a+\dfrac{b-a}{4}=\dfrac{3a+b}{4}$이다.

$\therefore P\left(\dfrac{3a+b}{4}\right)$

**4** ① $\angle a+\angle f=\angle d$
③ $\angle b$와 $\angle e$는 엇각 관계이다.
⑤ $\angle e$의 동위각은 $\angle c$와 $\angle g$이다.

**5** $\angle BOD=\angle BOC+\angle COD$

$=\dfrac{1}{4}(\angle AOC+\angle COE)$

$=\dfrac{1}{4}\angle AOE$

$=\dfrac{1}{4}\times 180°=45°$

$\angle BOD=\angle GOF$ (맞꼭지각)이므로

$\angle GOF=45°$

**6** $\angle B=\angle x$라 하면 $\angle A=2\angle x$

평행사변형의 대변은 서로 평행하므로

$\angle A+\angle B=180°$

$2\angle x+\angle x=180°$, $3\angle x=180°$, $\angle x=60°$

$\therefore \angle B=60°$

> **TIP** 평행사변형에 대하여 이웃한 두 각의 크기의 합은 항상 180°이다.

**7** 두 직선이 한 점에서 만날 때 2쌍의 맞꼭지각이 생긴다. 즉, 한 점에서 만나는 세 직선 $l$, $m$, $n$에 대하여 두 직선 $l$과 $m$이 만나서 2쌍, 두 직선 $m$과 $n$이 만나서 2쌍, 두 직선 $l$과 $n$이 만나서 2쌍의 맞꼭지각이 생긴다.
또, 두 직선 $l$과 $p$가 만나서 2쌍, 두 직선 $m$과 $p$가 만나서 2쌍, 두 직선 $n$과 $p$가 만나서 2쌍이 생긴다.
따라서 총 12쌍의 맞꼭지각이 생긴다.

**8** 오른쪽 그림과 같이 점 A에서 두 직선 $l$, $m$과 평행한 직선을 그으면 삼각형에서 한 외각의 크기는 그와 이웃하지 않는 두 내각의 크기의 합과 같으므로

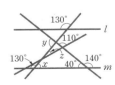

$30°+\angle x=80°$

$\therefore \angle x=80°-30°=50°$

**9** $l/\!/m$이면 동위각의 크기가 같으므로

$\angle x=180°-130°=50°$

삼각형에서 한 외각의 크기는 그와 이웃하지 않는 두 내각의 크기의 합과 같으므로

$\angle y=40°+\angle x$

$=40°+50°=90°$

또, $\angle z+(180°-\angle y)=110°$이므로

$\angle z=110°-90°=20°$

$\therefore \angle x+\angle y+\angle z=50°+90°+20°=160°$

**10** 5시 $x$분이라 하면

$|30° \times 5 - 5.5° \times x| = 90°$

(i) $150° - 5.5°x = 90°$일 때

$5.5°x = 60°$  $\therefore x = \dfrac{60}{5.5} = 10\dfrac{10}{11}$

(ii) $5.5°x - 150° = 90°$일 때

$5.5°x = 240°$  $\therefore x = \dfrac{240}{5.5} = 43\dfrac{7}{11}$

따라서 구하는 시각은 5시 $10\dfrac{10}{11}$분, 5시 $43\dfrac{7}{11}$분이다.

**11** 두 점 A, B에서 두 직선 $l$, $m$과 평행한 직선을 그으면

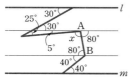

$(5° + \angle x) + 80° = 180°$

$\therefore \angle x = 95°$

**12** ① 한 직선을 포함하는 평면은 무수히 많다.

②, ③, ④, ⑤ 1

**13** ㄱ. $P/\!/l$, $P/\!/m$이면 두 직선 $l$, $m$은 만나거나 평행하거나 꼬인 위치에 있다.

ㅁ. $l/\!/m$, $l \perp n$이면 두 직선 $m$, $n$은 만나거나 꼬인 위치에 있다.

ㅂ. $l/\!/P$, $m \perp P$이면 두 직선 $l$, $m$은 만나거나 꼬인 위치에 있다.

따라서 옳은 것은 ㄴ, ㄷ, ㄹ, ㅅ이다.

**14** $\overline{AI}$와 평행한 면은 면 CGHD, 면 EFGH이다.

**15** $\overline{IK}$와 만나지도 않고, 평행하지도 않은 꼬인 위치에 있는 모서리의 개수는 $\overline{AE}$, $\overline{DH}$, $\overline{CG}$, $\overline{JF}$, $\overline{EF}$, $\overline{EH}$, $\overline{HG}$, $\overline{FG}$의 8이다.

**16** (i) 5개의 점 A, B, C, D, E로 만들 수 있는 평면의 개수 : 1

(ii) 평면 위의 5개의 점 중 2개와 점 F로 만들 수 있는 평면의 개수 : $\dfrac{5 \times 4}{2} = 10$

(i), (ii)에서 평면의 개수는 $1 + 10 = 11$

**17** 오른쪽 그림과 같이 전개도를 접어 입체도형으로 만들어 살펴보면 $\overline{KN}$과 만나지도 않고, 평행하지도 않은 꼬인 위치에 있는 모서리는 $\overline{JG}$, $\overline{AB}$, $\overline{EF}$, $\overline{BC}$이다.

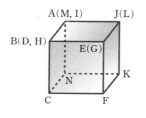

**18** ⑤ $\overline{AB}$와 면 BFHD는 한 점에서 만난다.

**19** $\triangle ABE$와 $\triangle FCE$에서

$\overline{BE} = \overline{CE}$, $\angle AEB = \angle FEC$ (맞꼭지각)

$\overline{AB}/\!/\overline{DF}$이므로

$\angle ABE = \angle FCE$ (엇각)

$\therefore \triangle ABE \equiv \triangle FCE$ (ASA 합동)

**20** 보조선 BD를 그으면 $\triangle ABD$와 $\triangle ACE$에서 $\triangle ABC$, $\triangle ADE$가 정삼각형이므로

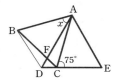

$\overline{AB} = \overline{AC}$, $\overline{AD} = \overline{AE}$

$\angle BAD = 60° - \angle DAC = \angle CAE$

$\therefore \triangle ABD \equiv \triangle ACE$ (SAS 합동)

따라서 $\angle x = \angle CAE$이고, $\triangle ACE$의 내각의 크기의 합이 $180°$이므로

$\angle CAE + 75° + 60° = 180°$에서 $\angle CAE = 45°$

$\therefore \angle x = 45°$

**21** (i) $\triangle ABC$와 $\triangle DCB$에서

$\overline{BC}$는 공통, $\overline{AB} = \overline{DC}$, $\overline{AC} = \overline{DB}$

$\therefore \triangle ABC \equiv \triangle DCB$ (SSS 합동)

(ii) $\triangle ABD$와 $\triangle DCA$에서

$\overline{AD}$는 공통, $\overline{AB} = \overline{DC}$, $\overline{AC} = \overline{DB}$

$\therefore \triangle ABD \equiv \triangle DCA$ (SSS 합동)

(iii) $\triangle ABP$와 $\triangle DCP$에서

$\overline{AB} = \overline{DC}$

$\triangle ABC \equiv \triangle DCB$이므로 $\angle BAP = \angle CDP$

$\triangle ABD \equiv \triangle DCA$이므로 $\angle ABP = \angle DCP$

$\therefore \triangle ABP \equiv \triangle DCP$ (ASA 합동)

따라서 합동인 삼각형은 모두 3쌍이다.

**22** ① 점 Q는 두 점 C, D를 중심으로 각각 반지름의 길이가 같은 원을 그려 만나는 점이므로 $\overline{CQ} = \overline{DQ}$

② 두 점 C, D는 점 P를 중심으로 하는 원 위에 있으므로 $\overline{CP} = \overline{DP}$

⑤ $\overrightarrow{PQ}$는 직선 AB의 수선이므로

$\angle PHC = \angle PHD = 90°$

**23** $\triangle ADE$와 $\triangle BCE$에서

□ABCD는 직사각형이므로 $\overline{AD} = \overline{BC}$

$\overline{DE} = \overline{CE}$이고, $\triangle EDC$는 이등변삼각형이므로

∠CDE=∠DCE

∠ADE=90°+∠CDE

   =90°+∠DCE

   =∠BCE

∴ △ADE≡△BCE (SAS 합동)

**24** △ADC와 △ABH에서

$\overline{AD}=\overline{AB}$, $\overline{AC}=\overline{AH}$

∠DAC=60°+∠BAC=∠BAH

∴ △ADC≡△ABH (SAS 합동)

따라서 ∠ADC=∠ABH이므로

∠DFH=∠BDC+∠DBH

   =∠BDC+∠DBA+∠ABH

   =∠BDC+∠DBA+∠ADC

   =∠DBA+∠ADB

   =60°+60°

   =120°

**25** $\overline{AC}\ /\!/\ \overline{DE}$이므로

∠DEB=∠ACB=75° (동위각)

또, 삼각형의 한 외각의 크기는 그와 이웃하지 않는 두 내각의 크기의 합과 같으므로

∠DME=∠DEB-∠EDM

   =75°-35°

   =40°

∴ ∠DMC=180°-∠DME

   =180°-40°

   =140°

# 1 다각형

## 1 STEP 주제별 실력다지기

| | | | | |
|---|---|---|---|---|
| **1** 55° | **2** 삼각형, 사각형, 오각형, 육각형 | **3** 13 | **4** 4가지 | **5** 90 |
| **6** 정오각형 | **7** 십일각형 | **8** (가) $\overline{ED}$ (나) ∠ABC (다) $\overline{AD}$ | **9** (가) 엇각 (나) ∠DAB (다) ∠EAC | |
| **10** (가) $\overline{AB}$ (나) ∠ACE (다) ∠ECD (라) ∠B | | **11** 75° | **12** 60° | **13** 45° |
| **14** (1) 125° (2) 120° | **15** 52.5° | **16** 60° | **17** ∠BIC=126°, ∠IEC=36° | **18** (1) 40° (2) 90° |
| **19** 45° | **20** 21° | **21** 180° | **22** (1) 116° (2) 102° | **23** (1) ∠AEB=∠EAD=36° (2) 108° |
| **24** 174° | **25** (1) 540° (2) 360° | | | |

### 최상위 04 NOTE   $n$각형의 대각선의 개수

오른쪽 그림과 같은 오각형 ABCDE의 대각
선의 총 개수를 구해 보자.

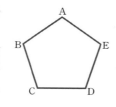

| | A | B | C | D | E |
|---|---|---|---|---|---|
| A | | | $\overline{AC}$ | $\overline{AD}$ | |
| B | | | | $\overline{BD}$ | $\overline{BE}$ |
| C | $\overline{CA}$ | | | | $\overline{CE}$ |
| D | $\overline{DA}$ | $\overline{DB}$ | | | |
| E | | $\overline{EB}$ | $\overline{EC}$ | | |

위와 같이 한 꼭짓점에서 이웃한 꼭짓점으로 대각선을 그을 수 없기
때문에, 한 꼭짓점에서 그을 수 있는 대각선의 개수는 5−3=2이다.

이때 $\overline{AC}=\overline{CA}$, $\overline{AD}=\overline{DA}$, …와 같이 2가지씩 중복이 된다.
따라서 오각형 ABCDE의 대각선의 개수는
$$\frac{5\times(5-3)}{2}=\frac{5\times2}{2}=5$$이다.
마찬가지로 생각하면 $n$각형의 한 꼭짓점에서 그을 수 있는 대각선
의 개수는 $n-3$이고 2가지씩 중복이 발생하므로 $n$각형의 대각선
의 총 개수는 $\frac{n(n-3)}{2}$이다.

**1** 다각형에서 한 내각의 크기와 그 외각의 크기의 합은 180°이므로

(∠E의 외각의 크기)

$=180°-(∠E의 내각의 크기)$

$=180°-125°$

$=55°$

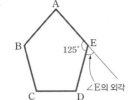

**2** 삼각형 AGF, 삼각형 AGE, …

사각형 AGFE, 사각형 AGFD, …

오각형 AGFED, 오각형 AGFEC, …

육각형 AGFEDC, 육각형 BGFEDC, …

따라서 만들 수 있는 다각형은 삼각형, 사각형, 오각형, 육각형이다.

**3** (ⅰ) 작은 삼각형 1개로 이루어진

  정삼각형 : 9개

(ⅱ) 작은 삼각형 4개로 이루어진

  정삼각형 : 3개

(ⅲ) 작은 삼각형 9개로 이루어진

  정삼각형 : 1개

따라서 정삼각형의 개수는

$9+3+1=13$

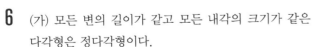

**TIP** 작은 정삼각형의 개수에 따라 분류하면 쉽게 구할 수 있다.

**4** 찾을 수 있는 다각형은 삼각형, 사각형, 오각형, 육각형의 4가지이다.

**5** 구하는 다각형을 $n$각형이라 하면

$n-3=12$, $n=15$

이므로 십오각형이다.

따라서 십오각형의 대각선의 개수는

$\dfrac{15×(15-3)}{2}=90$

**6** (가) 모든 변의 길이가 같고 모든 내각의 크기가 같은 다각형은 정다각형이다.

(나) 구하는 다각형을 $n$각형이라 하면

$\dfrac{n(n-3)}{2}=5$, $n(n-3)=10=5×2$

$∴ n=5$

따라서 조건을 만족하는 다각형은 정오각형이다.

**7** 구하는 다각형을 $n$각형이라 하면

$\dfrac{n(n-3)}{2}=44$, $n(n-3)=88=11×8$

$∴ n=11$

따라서 구하는 다각형은 십일각형이다.

**8** △ABC와 △AED에서

$\overline{AB}=\overline{AE}$, $\overline{BC}=\boxed{\overline{ED}}$, $∠ABC=∠AED$

이므로 △ABC≡△AED (SAS합동)

$∴ \overline{AC}=\boxed{\overline{AD}}$

같은 방법으로 하면 $\overline{AC}=\overline{BD}=\overline{CE}=\boxed{\overline{AD}}=\overline{BE}$

따라서 정오각형의 모든 대각선의 길이는 서로 같다.

**9** △ABC의 꼭짓점 A를 지나 $\overline{BC}$에 평행한 직선 DE를 그으면

$∠B=∠DAB(\boxed{엇각})$, $∠C=∠EAC(\boxed{엇각})$

$∴ ∠A+∠B+∠C=∠A+\boxed{∠DAB}+\boxed{∠EAC}$

$=180°$

**10** △ABC의 점 C를 지나고 $\boxed{\overline{AB}}$에 평행한 반직선 CE를 그으면 $\boxed{\overrightarrow{AB}}/\!/\overrightarrow{CE}$이므로

$∠A=\boxed{∠ACE}$ (엇각), $∠B=\boxed{∠ECD}$ (동위각)

$∴ ∠ACD=\boxed{∠ACE}+\boxed{∠ECD}=∠A+\boxed{∠B}$

**11** △ABC의 세 외각의 크기의 합은 360°이므로 ∠B에 대한 외각의 크기는

$360°-(120°+135°)=105°$

한 내각과 이웃하는 외각의 크기의 합은 180°이므로

$∠B=180°-105°=75°$

**다른 풀이**

$∠BAC=180°-120°=60°$

$∠BCA=180°-135°=45°$

삼각형의 세 내각의 크기의 합은 180°이므로

$∠B=180°-(60°+45°)=75°$

**12** △CDE에서

$∠DCE=180°-(70°+30°)=80°$

$∴ ∠ACB=∠DCE=80°$ (맞꼭지각)

따라서 △ACB에서

$∠A=180°-(80°+40°)=60°$

**다른 풀이**

△ACB와 △CDE에서 ∠ACD는 ∠DCE와 ∠ACB의 외각이므로

$∠ACD=∠A+40°=30°+70°$

$∴ ∠A=100°-40°=60°$

**13** 삼각형의 세 내각의 크기의 비가 3 : 4 : 5이므로 세 내각의 크기를 각각 $3\angle a$, $4\angle a$, $5\angle a$라 하면
$3\angle a+4\angle a+5\angle a=180°$ $\therefore \angle a=15°$
따라서 가장 작은 내각의 크기는
$3\angle a=3\times15°=45°$

**다른 풀이**
가장 작은 내각의 크기는
$180°\times\dfrac{3}{3+4+5}=180°\times\dfrac{1}{4}=45°$

**14** 문제의 조건에 맞게 그림을 그리면 오른쪽 그림과 같다.

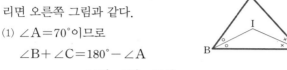

(1) $\angle A=70°$이므로
$\angle B+\angle C=180°-\angle A$
$=180°-70°=110°$
$\therefore \angle BIC=180°-(\angle IBC+\angle ICB)$
$=180°-\dfrac{1}{2}(\angle B+\angle C)=125°$

(2) $\angle IBC+\angle ICB=180°-\angle BIC$
$=180°-150°=30°$
$\therefore \angle A=180°-(\angle B+\angle C)$
$=180°-2(\angle IBC+\angle ICB)$
$=180°-2\times30°=120°$

**15** $\angle IAC=\angle a$, $\angle ICA=\angle b$라 하면
$2\angle a+2\angle b=(180°-\angle CAB)+(180°-\angle ACB)$
$=360°-(\angle CAB+\angle ACB)$
$=360°-105°=255°$
$\therefore \angle a+\angle b=127.5°$
따라서 △IAC에서
$\angle AIC=180°-(\angle a+\angle b)$
$=180°-127.5°$
$=52.5°$

**다른 풀이**
삼각형의 세 외각의 크기의 합은 360°이므로
$\angle CAE+\angle ACD$
$=360°-(180°-\angle B)$
$=180°+\angle B$
$=180°+75°$
$=255°$

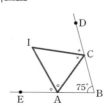

$\therefore \angle AIC=180°-(\angle IAC+\angle ICA)$
$=180°-\dfrac{1}{2}(\angle CAE+\angle ACD)$
$=180°-\dfrac{1}{2}\times255°$
$=180°-127.5°=52.5°$

**16** $\angle IAC=\angle a$, $\angle ICA=\angle b$라 하면
$\angle a+\angle b=180°-60°=120°$
삼각형의 세 외각의 크기의 합은 360°이므로
$2\angle a+2\angle b=360°-(180°-\angle B)$
$=180°+\angle B$
$\therefore \angle B=2(\angle a+\angle b)-180°$
$=240°-180°=60°$

**17** $\angle B+\angle ACB=180°-72°=108°$이므로
$\angle BIC=180°-(\angle IBC+\angle ICB)$
$=180°-\dfrac{1}{2}(\angle B+\angle ACB)$
$=180°-\dfrac{1}{2}\times108°$
$=180°-54°=126°$
△ICE에서 $\angle BIC=\angle ICE+\angle IEC$, $\angle ICE=90°$이므로
$\angle IEC=\angle BIC-\angle ICE$
$=126°-90°=36°$

**18** (1) △ABC는 이등변삼각형이므로
$\angle ABC=\angle C=\angle x$
$\therefore \angle BAD=\angle ABC+\angle C=2\angle x$
또, △BAD도 이등변삼각형이므로
$\angle BDA=\angle BAD=2\angle x$
따라서 △DBC에서
$\angle DBE=\angle C+\angle CDB$이므로
$\angle x+2\angle x=120°$
$\therefore \angle x=40°$

(2) △ABC는 이등변삼각형이므로
$\angle ABC=\angle C=30°$
$\therefore \angle BAD=\angle C+\angle ABC$
$=30°+30°=60°$
또, △ABD도 이등변삼각형이므로
$\angle BDA=\angle BAD=60°$
따라서 △DBC에서
$\angle x=\angle C+\angle BDC$
$=30°+60°=90°$

**19** 보조선 BC를 그으면 △ABC에서
$\angle DBC+\angle DCB=180°-115°=65°$
$\therefore \angle A=180°-(40°+30°+\angle DBC+\angle DCB)$
$=180°-(40°+30°+65°)=45°$

오른쪽 그림과 같이 $\overline{AD}$의 연장선 위
에 점 E를 잡으면 $\triangle ABD$에서
$\angle BDE = 40° + \angle BAD$
또, $\triangle ADC$에서
$\angle CDE = 30° + \angle CAD$
따라서
$\angle BDC = \angle BDE + \angle CDE$
$\qquad = (40° + \angle BAD) + (30° + \angle CAD)$
$\qquad = 70° + \angle A$
즉, $\angle A = \angle BDC - 70°$
$\qquad = 115° - 70° = 45°$

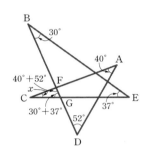

**20** $\overline{CA}$, $\overline{CE}$와 $\overline{BD}$가 만나는
점을 각각 F, G라 하자.
$\triangle AFD$에서
$\angle CFG = 40° + 52° = 92°$
$\triangle BGE$에서
$\angle CGF = 30° + 37° = 67°$
따라서 $\triangle FCG$에서
$\angle x + 92° + 67° = 180°$
$\therefore \angle x = 21°$

**21** 오른쪽 그림과 같이 보조선
CD를 그으면 $\triangle GCD$에서
$\angle g + \angle GCD + \angle GDC$
$= \angle g + (\angle c + \angle ICD)$
$\qquad\qquad + (\angle d + \angle IDC)$
$= 180°$ ······ ㉠
$\triangle BJF$에서 $\angle b + \angle f = \angle HJI$
$\triangle AHE$에서 $\angle a + \angle e = \angle IHJ$
이고, $\angle HIJ = \angle CID$(맞꼭지각)이므로
$\angle ICD + \angle IDC = \angle HJI + \angle IHJ$
$\qquad\qquad = \angle a + \angle b + \angle e + \angle f$
따라서 ㉠에 대입하면
$\angle a + \angle b + \angle c + \angle d + \angle e + \angle f + \angle g = 180°$

**22** (1) 다각형의 외각의 크기의 합은 항상 $360°$이므로
$82° + 74° + (180° - 120°) + (180° - \angle x) + 80° = 360°$
$476° - \angle x = 360°$
$\therefore \angle x = 116°$

(2) 다각형의 외각의 크기의 합은 항상 $360°$이므로
$62° + 73° + 55° + 56° + (180° - \angle x) + 36° = 360°$
$462° - \angle x = 360°$
$\therefore \angle x = 102°$

**23** (1) 정오각형의 한 내각의 크기는
$\dfrac{180° \times (5-2)}{5} = 108°$
$\triangle ABE$, $\triangle EAD$는 각각 $\overline{AB} = \overline{AE}$, $\overline{EA} = \overline{ED}$인 이등
변삼각형이므로
$\angle AEB = \angle EAD = \dfrac{1}{2} \times (180° - 108°) = 36°$

(2) $\triangle AEF$에서
$\angle x = 180° - (\angle FAE + \angle FEA)$
$\qquad = 180° - (36° + 36°)$
$\qquad = 108°$

**24** 오른쪽 그림에서 $\square ABDF$의 내
각의 크기의 합은 $360°$이므로
$\angle a = 360° - (77° + 105° + 85°)$
$\qquad = 93°$
또, $\triangle GCE$의 내각의 크기의 합은
$180°$이므로
$\angle b = 180° - (60° + 39°) = 81°$
$\therefore \angle a + \angle b = 93° + 81° = 174°$

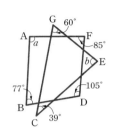

**25** (1) 오른쪽 그림과 같이 보조
선 AE를 그으면 맞꼭지각의
성질에 의하여
$\angle AHE = \angle GHF$이므로
$\triangle AHE$와 $\triangle GHF$에서
$\angle f + \angle g = \angle x + \angle y$
$\therefore \angle a + \angle b + \angle c + \angle d + \angle e + \angle f + \angle g$
$= \angle a + \angle b + \angle c + \angle d + \angle e + \angle x + \angle y$
$= (오각형 \ ABCDE의 \ 내각의 \ 크기의 \ 합)$
$= 180° \times (5-2)$
$= 540°$

(2) 오른쪽 그림과 같이 보조선 AB
를 그으면 $\triangle ABG$와 $\triangle CFG$에
서
$\angle x + \angle y = \angle c + \angle f$
$\therefore \angle a + \angle b + \angle c + \angle d$
$\qquad\qquad + \angle e + \angle f$
$= \angle a + \angle b + \angle d + \angle e + \angle x + \angle y$
$= (사각형 \ ABDE의 \ 내각의 \ 크기의 \ 합)$
$= 360°$

# 2 STEP 실력 높이기

| | | | | | |
|---|---|---|---|---|---|
| **1** 10개 | **2** 170 | **3** 15 | **4** 54 | **5** 24 | **6** 204 |
| **7** 50° | **8** 60° | **9** 102.5° | **10** 205° | **11** (1) 108° (2) 360° | **12** 324° |
| **13** 770° | **14** 30° | **15** 45° | **16** $\frac{1}{2}$배 | **17** 70° | **18** 18°≤∠$x$<22.5° |

## 문제 풀이

**1**

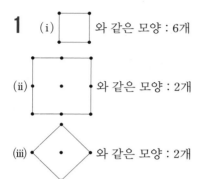

(i) ☐ 와 같은 모양 : 6개

(ii) 와 같은 모양 : 2개

(iii) ◇ 와 같은 모양 : 2개

따라서 만들 수 있는 정사각형의 개수는
6+2+2=10(개)

> **TIP** 정사각형의 모양에 따라 분류하면 쉽게 구할 수 있다.

**2** 다각형의 내부의 한 점 O에서 각 꼭짓점에 선분을 그으면 변의 개수만큼 삼각형이 생긴다. 이때 삼각형이 모두 20개 생겼으므로 이 다각형은 이십각형이다.
따라서 이십각형의 대각선의 개수는
$$\frac{20\times(20-3)}{2}=170$$

**3** 서술형

**표현 단계** 오른쪽 다음 그림과 같이 6개 도시를 그림으로 그린다.

**변형 단계** 오른쪽 그림과 같이 6개의 도시를 꼭짓점으로 하는 육각형을 만들면 직통 도로는 각 변과 대각선이 된다.

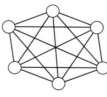

**풀이 단계** ∴ (직통 도로의 개수)
= (육각형의 변의 개수)
+ (육각형의 대각선의 개수)
$$=6+\frac{6\times(6-3)}{2}=6+9$$

**확인 단계** =15

**4** 서술형

**표현 단계** 정$n$각형의 한 외각의 크기는 $\frac{360°}{n}$이므로

**변형 단계** $\frac{360°}{n}=30°$    ∴ $n=12$

**풀이 단계** $n$각형의 대각선의 개수는 $\frac{n(n-3)}{2}$이다.
즉, 정십이각형의 대각선의 개수는

**확인 단계** $\frac{12\times(12-3)}{2}=54$

**5** 길이가 같은 두 변 사이에 있는 점이 A일 때, 만들 수 있는 이등변삼각형은 △ABH, △ACG, △ADF의 3개이다.

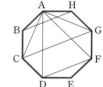

같은 방법으로 하면 나머지 꼭짓점 B, C, …, H에서도 이등변삼각형이 각각 3개씩 만들어지므로 구하는 이등변삼각형의 개수는 3×8=24

**6** 서술형

**표현 단계** 대각선 AD, BE, CF를 긋고, 그 교점을 O라 하자.

**변형 단계**

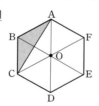

**풀이 단계** 위의 그림에서 $\overline{AB}/\!/\overline{CF}$이므로
△ABO=△ABC=34
즉, △ABO=△BCO=△CDO=△DEO
=△EFO=△FAO이므로 정육각형 ABCDEF의 넓이는

**확인 단계** 34×6=204

**7** ∠B=∠E=90°이므로 $\overline{AB}/\!/\overline{DE}$
∴ ∠CFE=∠A=40°(동위각),
∠AFD=∠A=40°(엇각)
또한 △DFC에서 ∠CDF=30°이고,
∠CFE=40°이므로
∠DCF=∠CFE-∠CDF

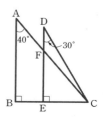

$$=40°-30°=10°$$
$$\therefore \angle DCF + \angle AFD = 10° + 40° = 50°$$

## 8 서술형

**표현 단계** $\angle EBC = \angle a$, $\angle ACD = \angle b$라 하자.

**변형 단계**

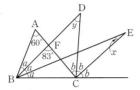

**풀이 단계** △ABF에서 $60° + \angle a = 83°$  $\therefore \angle a = 23°$

△ABC에서 $60° + 3\angle a = 3\angle b$

$60° + 3 \times 23° = 3\angle b$  $\therefore \angle b = 43°$

△BCE에서 $\angle x = 43° - 23° = 20°$

△BCD에서 $\angle y = 2 \times 43° - 2 \times 23° = 40°$

**확인 단계** $\therefore \angle x + \angle y = 20° + 40° = 60°$

## 9

사각형 ABCD의 내각의 크기의 합은 360°이므로 $\angle IBC = \angle a$, $\angle ICB = \angle b$라 하면

$75° + 130° + 2(\angle a + \angle b) = 360°$

$\therefore \angle a + \angle b = 77.5°$

또, △IBC의 내각의 크기의 합은 180°이므로 $\angle x + \angle a + \angle b = 180°$, $\angle x + 77.5° = 180°$

$\therefore \angle x = 102.5°$

## 10

오른쪽 그림과 같이 보조선 AD를 그으면 사각형 ABCD의 내각의 크기의 합은 360°이므로

$\angle a + 70° + 65°$
$\qquad + 120° + 80° + \angle b = 360°$

$\therefore \angle a + \angle b = 25°$

△AED의 내각의 크기의 합은 180°이므로

$\angle y = 180° - (\angle a + \angle b) = 180° - 25° = 155°$

$\therefore \angle x = 360° - \angle y = 360° - 155° = 205°$

## 11

(1) 정오각형의 한 내각의 크기는

$\dfrac{180° \times (5-2)}{5} = 108°$이고,

△ABE, △CDB는 각각 이등변삼각형이므로

$\angle a = \angle c = \dfrac{1}{2} \times (180° - 108°) = 36°$

$\therefore \angle b = 108° - 36° \times 2 = 36°$

$\therefore \angle a + \angle b + \angle c = 36° + 36° + 36° = 108°$

**다른 풀이**

△ABE, △CDB가 이등변삼각형이므로 오른쪽 그림에서

$\angle a + \angle b + \angle c$
= (정오각형의 한 내각의 크기)
$= 108°$

(2) 오른쪽 그림과 같이 보조선 AC, DF를 그으면

$\angle GDF + \angle GFD$
$= \angle GAC + \angle GCA$

$\therefore \angle a + \angle b + \angle c + \angle d + \angle e + \angle f$
= (△ABC의 내각의 크기의 합)
$\qquad$ + (△DEF의 내각의 크기의 합)
$= 180° \times 2 = 360°$

## 12

정오각형과 정육각형의 한 내각의 크기는 각각

$\dfrac{180° \times (5-2)}{5} = 108°$, $\dfrac{180° \times (6-2)}{6} = 120°$이므로

$\angle y = 360° - (108° + 120°) = 132°$

사각형의 내각의 크기의 합은 360°이므로

$\angle x = 360° - \{(180° - 120°) + 132° + (180° - 108°)\} = 96°$

$\angle z = \angle x = 96°$이므로

$\angle x + \angle y + \angle z = 96° + 132° + 96° = 324°$

**다른 풀이**

오각형의 내각의 크기의 합은 $180° \times (5-2) = 540°$

$\angle x + \angle z$ = (오각형의 내각의 크기의 합)
$\qquad$ $- 2 \times$ (정육각형의 한 내각의 크기)
$\qquad$ $-$ (정오각형의 한 내각의 크기)
$= 540° - 2 \times 120° - 108° = 192°$

$\therefore \angle x + \angle y + \angle z = 192° + 132° = 324°$

## 13 서술형

**표현 단계** $\overline{AI}$와 다른 선분의 교점을 각각 J, K, L, M이라 하고, $\overline{GK}$와 $\overline{FL}$의 연장선의 교점을 N이라 하자.

**변형 단계** △JHI에서
$\angle GJK = \angle H + \angle I$

△GJK에서
$\angle GKL = \angle G + \angle GJK$
$\qquad = \angle G + \angle H + \angle I$

△KNL에서 $\angle GKL = 50° + \angle KLN$

즉, $\angle G + \angle H + \angle I = 50° + \angle KLN$이므로

$\angle KLN = \angle G + \angle H + \angle I - 50°$

이때 $\angle KLN = \angle FLM$이므로

$\angle FLM = \angle G + \angle H + \angle I - 50°$

△FLM에서

$\angle LME = \angle F + \angle FLM$
$\qquad = \angle F + \angle G + \angle H + \angle I - 50°$

풀이 단계 육각형 ABCDEM의 내각의
크기의 총합은

$180° \times (6-2) = 720°$이므로

$\angle A + \angle B + \angle C + \angle D$
$\qquad + \angle E + \angle LME = 720°$

$\angle A + \angle B + \angle C + \angle D + \angle E + \angle F + \angle G$
$\qquad + \angle H + \angle I - 50° = 720°$

확인 단계 $\therefore \angle A + \angle B + \angle C + \angle D + \angle E + \angle F + \angle G$
$\qquad + \angle H + \angle I = 770°$

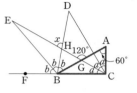

**14** △AED는 정삼각형이므로 $\angle EAD = 60°$

$\therefore \angle EAB = 90° - 60° = 30°$

△ABE는 $\overline{AB} = \overline{AE}$인 이등변삼각형이므로

$\angle ABE = \dfrac{1}{2} \times (180° - 30°) = 75°$

△ABD는 $\overline{AB} = \overline{AD}$인 직각이등변삼각형이므로

$\angle ABD = \dfrac{1}{2} \times (180° - 90°) = 45°$

$\therefore \angle DBE = \angle ABE - \angle ABD$
$\qquad = 75° - 45° = 30°$

**15** △DEA는 $\overline{DE} = \overline{DA}$인 이등변삼각형이므로

$\angle DEA = \dfrac{1}{2} \times (180° - 35°) = 72.5°$

또, △DEC는 $\overline{DE} = \overline{DC}$인 이등변삼각형이고,
$\angle EDC = 35° + 90° = 125°$이므로

$\angle DEC = \dfrac{1}{2} \times (180° - 125°) = 27.5°$

$\therefore \angle x = \angle DEA - \angle DEC = 72.5° - 27.5° = 45$

**16** 서술형

표현 단계 점 M에서 $\overline{BC}$, $\overline{AC}$에 내린 수선의 발을 각각 D, E라 하자.

변형 단계

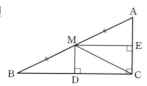

풀이 단계 △AME와 △MBD에서

$\overline{AM} = \overline{MB}$

$\angle MAE = \angle BMD$ (동위각)

$\angle AME = \angle MBD$ (동위각)

이므로 △AME ≡ △MBD (ASA 합동) $\cdots\cdots$ ㉠

△AME와 △CME에서

$\overline{AE} = \overline{MD} = \overline{CE}$

$\overline{ME}$는 공통

$\angle MEA = \angle MEC = 90°$

이므로 △AME ≡ △CME (SAS 합동) $\cdots\cdots$ ㉡

㉠, ㉡에 의하여 $\overline{MC} = \overline{MA} = \dfrac{1}{2}\overline{AB}$

확인 단계 따라서 $\overline{MC}$의 길이는 $\overline{AB}$의 길이의 $\dfrac{1}{2}$배이다.

**17** 오른쪽 그림과 같이
$\angle C = 3\angle a$, $\angle ABF = 3\angle b$라
하고, $\overline{AB}$와 $\overline{CE}$의 교점을 G,
$\overline{CE}$와 $\overline{BD}$의 교점을 H라 하면
△AGC에서

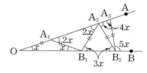

$60° + 2\angle a = 120°$ $\qquad \therefore \angle a = 30°$

△ABC에서

$\angle ABF = 3\angle b = \angle ACB + \angle BAC$
$\qquad = 90° + 60° = 150°$

$\therefore \angle b = 50°$

$\angle HBC = 180° - \angle HBF = 180° - 100° = 80°$
이므로 △HBC에서

$\angle x = 180° - (\angle HBC + \angle HCB)$
$\qquad = 180° - (80° + 30°) = 70°$

**18** △$A_1OB_1$은 이등변삼각
형이므로

$\angle A_1OB_1 = \angle A_1B_1O = \angle x$

$\therefore \angle B_1A_1A_2$
$\qquad = \angle A_1OB_1 + \angle A_1B_1O = 2\angle x$

또, △$B_1A_1A_2$가 이등변삼각형이므로

$\angle B_1A_1A_2 = \angle B_1A_2A_1 = 2\angle x$

따라서 △$A_2OB_1$에서 $\angle A_2B_1B_2 = \angle x + 2\angle x = 3\angle x$

△$A_2B_1B_2$가 이등변삼각형이므로 $\angle A_2B_2B_1 = 3\angle x$

같은 방법으로 하면 $\angle B_2A_2A_3 = 4\angle x$,

$\angle A_3B_2B_3 = 5\angle x$

이때 이등변삼각형 $B_2A_2A_3$는 만들어지므로

$\angle B_2A_2A_3$는 90°보다 작아야 한다.

즉, $4\angle x < 90°$ $\qquad \therefore \angle x < 22.5°$

또, △$A_3B_2B_3$는 만들어지지 않아야 하므로 $\angle A_3B_2B_3$는
90°보다 크거나 같아야 한다.

즉, $5\angle x \geq 90°$ $\qquad \therefore \angle x \geq 18°$

따라서 구하는 $\angle x$의 범위는

$18° \leq \angle x < 22.5°$

# $3^{\text{STEP}}$ 최고 실력 완성하기

1 정칠각형, 정팔각형, 정구각형  2 45°  3 ④  4 720°  5 95°

6 92°  7 24  8 풀이 참조

**문제 풀이**

**1** 조건 (가)에서 모든 변의 길이가 같고, 모든 내각의 크기가 같은 다각형은 정다각형이다.

구하는 다각형을 정$n$각형이라 하면

조건 (나)에서 $\dfrac{n(n-3)}{2}<30$이므로 $n(n-3)<60$

조건 (다)에서 $\dfrac{180°\times(n-2)}{n}>120°$이므로

$180°\times(n-2)>120°\times n$

$60°\times n>360°$  ∴ $n>6$

조건 (라)에서 $\dfrac{360°}{n}>30$ 이므로 $n<12$

조건 (다), (라)에서 $6<n<12$이므로 $n=7,\ 8,\ 9,\ 10,\ 11$

이고, 이 중 (나)를 만족하는 $n$의 값은 7, 8, 9이다.

따라서 구하는 다각형은 정칠각형, 정팔각형, 정구각형이다.

**2** $\angle ADE=\angle a$, $\angle ABF=\angle b$라 하면

사각형 ABCD에서

$60°+2\angle b+150°+2\angle a=360°$

∴ $\angle a+\angle b=75°$

△AED에서

$\angle AED=180°-(60°+\angle a)=120°-\angle a$

또, △BEF에서 $\angle x+\angle b=\angle AED$이므로

$\angle x=\angle AED-\angle b=(120°-\angle a)-\angle b$

$\quad=120°-(\angle a+\angle b)=120°-75°$

$\quad=45°$

**3** 삼각형의 한 외각의 크기는 그와 이웃하지 않는 두 내각의 크기의 합과 같으므로

△HBF에서

$\angle IHJ=\angle b+\angle f$

△JCG에서

$\angle HJI=\angle c+\angle g$

따라서 △HIJ에서

$\angle x=\angle IHJ+\angle HJI$

$\quad=(\angle b+\angle f)+(\angle c+\angle g)$

$\quad=\angle b+\angle c+\angle f+\angle g$

**TIP** 오른쪽 그림과 같이
$\angle a+\angle b+\angle c+\angle d+\angle e+\angle f+\angle g$
$=180°$

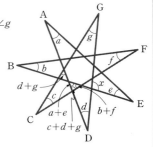

**4** 오른쪽 그림과 같이 보조선 AB, CH를 그으면

$\angle x+\angle y=\angle z+\angle w$이므로

$\angle a+\angle b+\angle c+\angle d+\angle e$
$\qquad+\angle f+\angle g+\angle h$

$=(\square\text{ABDG의 내각의 크기의 합})$
$\qquad\qquad +(\square\text{CEFH의 내각의 크기의 합})$

$=360°+360°=720°$

**5** $\angle AEB=\angle DEF=130°$(맞꼭지각)이므로 보조선 AB를 그으면

$\angle EAB+\angle EBA$

$=180°-130°=50°$

△ABC에서

$\angle CAB+\angle CBA=180°-60°=120°$

이고, $\angle EAG=\angle a$, $\angle EBG=\angle b$라 하면

$\angle CAB+\angle CBA$

$=\angle EAB+\angle EBA+2\angle a+2\angle b$

$=50°+2\angle a+2\angle b$

이므로 $120°=50°+2\angle a+2\angle b$

∴ $\angle a+\angle b=35°$

따라서 △AGB에서

$\angle AGB=180°-(\angle GAB+\angle GBA)$

$\quad=180°-(\angle EAB+\angle EBA+\angle a+\angle b)$

$\quad=180°-(50°+35°)=95°$

**6** $\overline{\text{ED}}$의 연장선과 직선 $l$이 만나

는 점을 F라 하면 $l /\!/ m$이므로

∠GDE=∠AFE(엇각)

사각형 AFEB와 사각형 BEDC에

서 사각형의 내각의 크기의 합은

360°이고,

∠CBE=∠ABE,

∠AFE=∠CDE,

∠BCD=74°, ∠BAF=70°이므로

70°+∠BEF=74°+∠BED에서

∠BED=∠BEF−4°

따라서 ∠BEF=∠$x$(맞꼭지각), ∠BED=∠$x$−4°이므

로 ∠BEF+∠BED=180°에서

∠$x$+(∠$x$−4°)=180°

∴ ∠$x$=92°

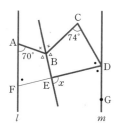

**7** 오른쪽 그림과 같이 보조선

$B_1B_2$, $B_2B_3$, $\cdots$, $B_nB_1$을 그어 주

어진 다각형을 정$n$각형

$B_1B_2\cdots B_n$과 $n$개의 이등변삼각형

으로 나누어 생각하면, 주어진 다

각형의 내각의 크기의 합은

(정$n$각형의 내각의 크기의 합)

$\qquad$ +(이등변삼각형의 내각의 크기의 합)×$n$

$=\angle A_1 \times n + (360° - \angle A_1B_1A_2) \times n$

이므로

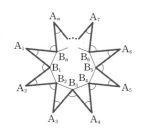

$180° \times (n-2) + 180° \times n$

$=(\angle A_1 + 360° - \angle A_1B_1A_2) \times n$

$360° \times n - 360° = 360° \times n + (\angle A_1 - \angle A_1B_1A_2) \times n$

$\therefore (\angle A_1B_1A_2 - \angle A_1) \times n = 360°$

그런데 ∠$A_1$은 ∠$A_1B_1A_2$보다 15°만큼 작으므로

∠$A_1B_1A_2$−∠$A_1$=15°이다.

따라서 $15° \times n = 360°$ $\qquad \therefore n = 24$

**8** $n$개의 점을 $A_1$, $A_2$, $A_3$, $\cdots$,

$A_n$이라 하면 오른쪽 그림에서 볼록

다각형의 꼭짓점 $A_{i+1}$의 한 외각의

크기는

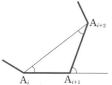

∠$A_{i+1}A_{i+2}A_i$+∠$A_{i+1}A_iA_{i+2}$이고

볼록다각형의 모든 외각의 크기의 합은 360°이므로

$(\angle A_1A_2A_n + \angle A_1A_nA_2) + (\angle A_2A_3A_1 + \angle A_2A_1A_3)$

$\qquad + \cdots + (\angle A_{n-1}A_nA_{n-2} + \angle A_{n-1}A_{n-2}A_n)$

$\qquad\qquad + (\angle A_nA_1A_{n-1} + \angle A_nA_{n-1}A_1)$

$=360°$

∠$A_1A_2A_n$, ∠$A_1A_nA_2$, $\cdots$, ∠$A_nA_1A_{n-1}$, ∠$A_nA_{n-1}A_1$

중 최소인 것을 ∠$a$라 하면

$2n \times \angle a \le 360°$

$\therefore \angle a \le \dfrac{180°}{n}$

즉, 한 각의 크기가 $\dfrac{180°}{n}$보다 크지 않은 삼각형이 반드시

있다.

# 2 원과 부채꼴

## 1<sup>STEP</sup> 주제별 실력다지기

77~80쪽

**1** ①, ③　　**2** (1) $x=15$　(2) $y=100$　　**3** ④　　**4** $4:1$　　**5** $120°$

**6** $2\pi$ cm　　**7** $20$ cm　　**8** 3배

**9** (1) 둘레의 길이 : $(5\pi+10)$ cm, 넓이 : $\dfrac{25}{2}\pi$ cm²　(2) 둘레의 길이 : $\left(\dfrac{7}{2}\pi+14\right)$ cm, 넓이 : $\left(49-\dfrac{49}{4}\pi\right)$ cm²

**10** $1:1$　　**11** $(24+6\pi)$ cm　　**12** (1) $(18\pi-36)$ cm²　(2) $30\pi$ cm²　　**13** $(48-8\pi)$ cm²　　**14** $\left(54-\dfrac{27}{2}\pi\right)$ cm²

**15** $48\pi$ cm²

---

**최상위 05**
**NOTE** **원의 둘레의 길이 구하기**

모든 원은 크기는 달라도 모양은 같기 때문에 원주율은 항상 일정하다.

즉, 원의 크기와 관계없이 $\dfrac{(\text{원의 둘레의 길이})}{(\text{지름의 길이})}$ 의 값은 $3.141592\cdots$ 로 항상 일정하고 이 값을 $\pi$라고 약속한 것이다.

따라서 반지름의 길이가 $r$인 원의 둘레의 길이를 $l$이라 하면

$\pi=\dfrac{(\text{원의 둘레의 길이})}{(\text{지름의 길이})}=\dfrac{l}{2r}$ 이므로 $l=2\pi r$이다.

즉, 원주율 $\pi$의 의미를 정확히 이해하면 원의 둘레의 길이를 쉽게 구할 수 있다.

**1** 호의 길이와 부채꼴의 넓이는 중심각의 크기에 정비례한다.

**2** (1) $120° : 40° = x : 5$, $40x = 600$
　　$\therefore x = 15$
(2) $15 : 3 = y° : 20°$, $3y = 300$
　　$\therefore y = 100$

**3** ① $\angle AOB = 2\angle COD$이므로 $\overarc{AB} : \overarc{CD} = 2 : 1$
　　$\therefore \overarc{AB} = 2\overarc{CD}$
④ 부채꼴의 넓이는 중심각의 크기에 정비례하지만 삼각형의 넓이는 중심각의 크기에 정비례하지 않는다.
⑤ (부채꼴 AOB의 넓이) $= 2 \times$ (부채꼴 COD의 넓이)이므로
　　(부채꼴 COD의 넓이) $=$ (부채꼴 AOB의 넓이) $\times \dfrac{1}{2}$

**4** $\triangle OAB$는 $\overline{OA} = \overline{OB}$인 이등변삼각형이므로
　　$\angle OAB = \angle OBA = \dfrac{1}{2} \times (180° - 120°) = 30°$
$\overline{AB} /\!/ \overline{CD}$이므로 $\angle AOC = \angle OAB = 30°$(엇각)
따라서 호의 길이는 중심각의 크기에 정비례하므로
　　$\overarc{AB} : \overarc{AC} = \angle AOB : \angle AOC$
　　　　　　　$= 120° : 30° = 4 : 1$

**5** 보조선 OB를 그으면 $\triangle AOB$와
$\triangle BOC$는 정삼각형이므로
　　$\angle AOB = \angle BOC = 60°$
따라서 $\overarc{AC}$에 대한 중심각의 크기는
　　$\angle AOC = \angle AOB + \angle BOC$
　　　　　　　$= 120°$

**6** $\overarc{BC} = 2\overarc{AB}$, $\overarc{ADC} = 6\overarc{AB}$이므로
$\overarc{AB} : \overarc{BC} : \overarc{ADC} = 1 : 2 : 6$
따라서 $\overarc{AB}$의 길이는 원의 둘레의 길이의
　　$\dfrac{1}{1+2+6} = \dfrac{1}{9}$,
$\overarc{BC}$의 길이는 원의 둘레의 길이의
　　$\dfrac{2}{1+2+6} = \dfrac{2}{9}$
이므로 $\overarc{ABC}$의 길이는 원의 둘레의 길이의
　　$\dfrac{1}{9} + \dfrac{2}{9} = \dfrac{1}{3}$
　　$\therefore \overarc{ABC} = \dfrac{1}{3} \times (2\pi \times 3) = 2\pi \,(\mathrm{cm})$

**다른 풀이**
$\overarc{AB} : \overarc{BC} : \overarc{CDA} = 1 : 2 : 6$이므로
$\angle AOB : \angle BOC : \angle COA$(큰 쪽의 각)$= 1 : 2 : 6$
$\therefore \angle AOB = 360° \times \dfrac{1}{1+2+6} = 360° \times \dfrac{1}{9} = 40°$
$\angle BOC = 2\angle AOB = 80°$이므로
$\angle AOC = 40° + 80° = 120°$
따라서 $2\pi \times 3 : \overarc{ABC} = 360° : 120°$
$\therefore \overarc{ABC} = 2\pi \times 3 \times \dfrac{120}{360} = 2\pi \,(\mathrm{cm})$

**7** $\overline{AD} /\!/ \overline{OC}$이므로
$\angle DAO = \angle COB = 30°$(동위각)
오른쪽 그림과 같이 $\overline{DO}$를 그으면
$\triangle AOD$는 $\overline{OA} = \overline{OD}$인 이등변삼
각형이므로
$\angle ADO = \angle DAO = 30°$
$\therefore \angle AOD = 180° - (30° + 30°) = 120°$
따라서 $30° : 120° = 5 : \overarc{AD}$에서
$\overarc{AD} = 20 \,\mathrm{cm}$

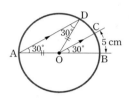

**8** $\triangle EBD$는 직각삼각형이므로
　　$\angle EDB = 90° - 22.5° = 67.5°$
$\triangle ODB$는 이등변삼각형이므로
　　$\angle ODB = \angle OBD = 67.5°$
　　$\therefore \angle BOD = 180° - (67.5° + 67.5°) = 45°$
$\angle BOC = 180° - 45° = 135°$이므로
$\overarc{BD} : \overarc{BC} = 45° : 135° = 1 : 3$
따라서 $\overarc{BC}$는 $\overarc{BD}$의 3배이다.

**9** (1) (어두운 부분의 둘레의 길이)
　　$=$ (큰 부채꼴의 호의 길이)
　　　　　　　　　$+$ (작은 부채꼴의 호의 길이) $+2 \times 5$
　　$= 2\pi \times 10 \times \dfrac{60}{360} + 2\pi \times 5 \times \dfrac{60}{360} + 2 \times 5$
　　$= \dfrac{10}{3}\pi + \dfrac{5}{3}\pi + 10$
　　$= 5\pi + 10 \,(\mathrm{cm})$
　(어두운 부분의 넓이)
　　$=$ (큰 부채꼴의 넓이) $-$ (작은 부채꼴의 넓이)
　　$= \pi \times 10^2 \times \dfrac{60}{360} - \pi \times 5^2 \times \dfrac{60}{360}$
　　$= \dfrac{100}{6}\pi - \dfrac{25}{6}\pi = \dfrac{25}{2}\pi \,(\mathrm{cm^2})$
(2) (어두운 부분의 둘레의 길이)
　　$=$ (부채꼴의 호의 길이)
　　　　　　　　　$+2 \times$ (정사각형의 한 변의 길이)

$$=2\pi \times 7 \times \frac{90}{360}+2\times 7$$
$$=\frac{7}{2}\pi+14(cm)$$

(어두운 부분의 넓이)
$$=(정사각형\ ABCD의\ 넓이)-(부채꼴\ BCD의\ 넓이)$$
$$=7\times 7-\pi \times 7^2 \times \frac{90}{360}$$
$$=49-\frac{49}{4}\pi(cm^2)$$

> **TIP** 특이한 모양의 도형의 넓이를 구할 때에는 넓이를 구할 수 있는 도형(삼각형, 사각형, 원, 부채꼴, …)들의 합 또는 차를 이용하여 구한다.

**10** 반원 O에서
$$\overset{\frown}{BC}=2\pi \times \frac{5}{2}\times \frac{180}{360}=\frac{5}{2}\pi(cm)$$
또, 부채꼴 BCD에서
$$\overset{\frown}{BD}=2\pi \times 5 \times \frac{90}{360}=\frac{5}{2}\pi(cm)$$
$$\therefore \overset{\frown}{BC}:\overset{\frown}{BD}=\frac{5}{2}\pi:\frac{5}{2}\pi=1:1$$

**11** (어두운 부분의 둘레의 길이)
$$=(정사각형의\ 둘레의\ 길이)$$
$$\qquad +(부채꼴의\ 호의\ 길이)\times 4$$
$$=6\times 4+\left(2\pi \times 3 \times \frac{90}{360}\right)\times 4$$
$$=24+6\pi(cm)$$

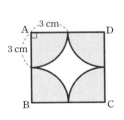

**12** (1) 오른쪽 그림에서 ㉠의 넓이는 부채꼴의 넓이에서 삼각형의 넓이를 뺀 것과 같으므로
$$\pi \times 6^2 \times \frac{90}{360}-\frac{1}{2}\times 6 \times 6$$
$$=9\pi-18(cm^2)$$
따라서 구하는 넓이는 ㉠의 넓이의 2배이므로
$$(어두운\ 부분의\ 넓이)=2\times(9\pi-18)$$
$$=18\pi-36(cm^2)$$

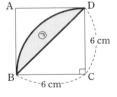

(2) (어두운 부분의 넓이)
$$=(지름의\ 길이가\ 12\ cm인\ 반원의\ 넓이)$$
$$\qquad +(지름의\ 길이가\ 10\ cm인\ 반원의\ 넓이)$$
$$\qquad -(지름의\ 길이가\ 2\ cm인\ 반원의\ 넓이)$$
$$=\frac{1}{2}\times \pi \times 6^2+\frac{1}{2}\times \pi \times 5^2-\frac{1}{2}\times \pi \times 1^2$$
$$=18\pi+\frac{25}{2}\pi-\frac{1}{2}\pi$$
$$=30\pi(cm^2)$$

**13** (어두운 부분의 넓이)
$$=(사각형\ ABCD의\ 넓이)$$
$$\quad -\{(사각형\ EFGD의\ 넓이)$$
$$\qquad\qquad +(반원의\ 넓이)\}$$
$$=8\times 8-\left(4\times 4+\frac{1}{2}\times \pi \times 4^2\right)$$
$$=48-8\pi(cm^2)$$

**14** (어두운 부분의 넓이)
$$=3\times \{(\square ABCD의\ 넓이)$$
$$\qquad -(반지름의\ 길이가\ 3\ cm인$$
$$\qquad\qquad 반원의\ 넓이)\}$$
$$=3\times \left(3\times 6-\frac{1}{2}\times \pi \times 3^2\right)$$
$$=54-\frac{27}{2}\pi(cm^2)$$

**15** $\overline{OO'}=12\ cm$이므로 두 원 O, O'의 반지름의 길이는 12 cm이다. 따라서 $\overline{OA}=\overline{OO'}=\overline{O'B}=\overline{OC}=\overline{O'C}$이고, △OCO'은 정삼각형이므로
$$\angle AOC=\angle BO'C=120°$$
$$\therefore \triangle AOC \equiv \triangle BO'C(SAS\ 합동)$$
따라서 △AOC=△BO'C이므로
위의 그림과 같이 어두운 부분을 이동시켜 생각하면
$$(어두운\ 부분의\ 넓이)=(부채꼴\ AOC의\ 넓이)$$
$$=\pi \times 12^2 \times \frac{120}{360}$$
$$=48\pi(cm^2)$$

| | | | |
|---|---|---|---|
| **1** ④ | **2** ∠BOC=2∠BAC 또는 ∠BAC=$\frac{1}{2}$∠BOC | **3** 30° | **4** 2 |
| **5** 1 : 1 | **6** 2 : 1 | **7** 35° | **8** $(96-16\pi)$ cm² | **9** (1) 32 cm² (2) 8π cm² |
| **10** 20π | **11** $(200-50\pi)$ cm² | **12** $(144-24\pi)$ cm² | **13** $8a^2-2a^2\pi$ | **14** $\left(\frac{9}{2}+\frac{9}{4}\pi\right)$ cm² | **15** $\left(\frac{25}{4}\pi-18\right)$ cm² |
| **16** 호의 길이 : 6배, 넓이 : 18배 | **17** 둘레의 길이 : $(28\pi+80)$ m, 넓이 : $(56\pi+160)$ m² | **18** 풀이 참조 |
| **19** $(400+64\pi)$ cm² | **20** 12π cm | **21** 53π m² | |

## 문제 풀이

**1** ① ∠AOD=∠GOE (맞꼭지각)

② 3∠AOB=2∠GOF

∴ ∠AOB=$\frac{2}{3}$∠GOF

③ 3$\widehat{AB}$=2$\widehat{GF}$이므로 $\widehat{AB}$=$\frac{2}{3}$$\widehat{GF}$

⑤ 3$\widehat{AB}$=2$\widehat{GF}$이므로 양변에 3을 곱하면

9$\widehat{AB}$=6$\widehat{GF}$

**2** 서술형

표현 단계 $\overrightarrow{AO}$와 원 O가 만나는 점을 D라 하고, ∠ABO=∠$x$, ∠ACO=∠$y$라 하자.

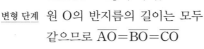

변형 단계 원 O의 반지름의 길이는 모두 같으므로 $\overline{AO}$=$\overline{BO}$=$\overline{CO}$

즉, △ABO와 △ACO는 이등변삼각형이므로

∠ABO=∠BAO=∠$x$ ...... ㉠

∠ACO=∠CAO=∠$y$ ...... ㉡

풀이 단계 △ABO에서 외각의 성질에 의하여

∠BOD=∠ABO+∠BAO=∠$x$+∠$x$=2∠$x$

△AOC에서 외각의 성질에 의하여

∠COD=∠ACO+∠CAO=∠$y$+∠$y$=2∠$y$

∴ ∠BOC=∠BOD+∠COD

$\qquad$ =2∠$x$+2∠$y$

$\qquad$ =2(∠$x$+∠$y$)

확인 단계 ㉠, ㉡에서 ∠BAC=∠$x$+∠$y$이므로

∠BOC=2∠BAC 또는 ∠BAC=$\frac{1}{2}$∠BOC

**3** $\widehat{AC}$ : $\widehat{BC}$=1 : 4이므로

∠AOC : ∠BOC=1 : 4

∴ ∠BOC=4∠$x$

$\overline{OA}$∥$\overline{BC}$이므로 ∠AOC=∠OCB=∠$x$ (엇각)이고,

△OBC는 $\overline{OB}$=$\overline{OC}$인 이등변삼각형이므로

∠OBC=∠OCB=∠$x$

따라서 △OBC에서

4∠$x$+∠$x$+∠$x$=180°, 6∠$x$=180°

∴ ∠$x$=30°

**4** 서술형

표현 단계 보조선 OD를 긋는다.

변형 단계

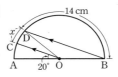

△ODB는 $\overline{OD}$=$\overline{OB}$인 이등변삼각형이다.

∴ ∠ODB=∠OBD

또한, $\overline{OC}$∥$\overline{BD}$이므로 ∠AOC=∠OBD(동위각)

즉, ∠OBD=∠ODB=20°이므로

∠DOB=180°-(20°+20°)=140°

∴ ∠DOC=20°

풀이 단계 부채꼴 COD와 부채꼴 DOB에서 호의 길이는 중심각의 크기에 정비례하므로

20° : 140°=$x$ : 14

확인 단계 ∴ $x$=2

**5** 보조선 OC를 그으면 △AOC는 $\overline{OA}$=$\overline{OC}$인 이등변삼각형이므로

∠OAC=∠OCA

$\overline{AC}$∥$\overline{OD}$이므로

∠BOD=∠OAC(동위각)

∠COD=∠OCA(엇각)

따라서 ∠COD=∠BOD이고, 한 원에서 중심각의 크기가 같은 두 현의 길이는 같으므로 $\overline{CD}$=$\overline{BD}$이다.

∴ $\overline{CD}$ : $\overline{BD}$=1 : 1

**6** 보조선 OB를 그으면 △OAM과 △OBM에서

$\overline{OA}$=$\overline{OB}$, $\overline{AM}$=$\overline{BM}$, $\overline{OM}$은 공통이므로

△OAM≡△OBM(SSS 합동)

따라서 ∠OMA=∠OMB=90°이므로

∠AOM=60°, ∠AOC=180°−60°=120°

한 원에서 호의 길이는 중심각의 크기에 정비례하므로

$\overarc{AC}:\overarc{AD}=120°:60°=2:1$

**7** ∠CPD=∠x라 하면

△OCP는 $\overline{CO}=\overline{CP}$인 이등변삼각

형이므로

∠COP=∠CPO=∠x

∴ ∠OCB=∠COP+∠CPO

　　　　 =∠x+∠x=2∠x

또, △OBC는 $\overline{OB}=\overline{OC}$인 이등변삼각형이므로

∠OBC=∠OCB=2∠x

△OBP에서

∠AOB=∠OBC+∠OPB

　　　　 =2∠x+∠x=3∠x

이고 ∠AOB=105°이므로 3∠x=105° ∴ ∠x=35°

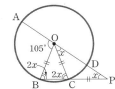

**8** 평행사변형의 밑변을 $\overline{CD}$라 할 때 높이, 즉 $\overline{AB}$와 $\overline{CD}$

사이의 거리는 원의 지름의 길이와 같다.

(어두운 부분의 넓이)

=(평행사변형의 넓이)−(원의 넓이)

=8×12−π×4²=96−16π(cm²)

> **TIP** 평행사변형의 넓이 구하기
> (평행사변형의 넓이)=(밑변의 길이)×(높이)

**9** (1) 오른쪽 그림과 같이 어두운

부분을 이동시켜서 생각하면

(어두운 부분의 넓이)

=2×(작은 정사각형의 넓이)

=2×(4×4)

=32(cm²)

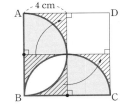

(2) (어두운 부분의 넓이)

=(반지름의 길이가 8 cm인 부채꼴 BAD의 넓이)

　　 −(지름의 길이가 8 cm인 반원의 넓이)

$=\pi\times 8^2\times\dfrac{90}{360}-\pi\times 4^2\times\dfrac{180}{360}$

=16π−8π

=8π(cm²)

**10** <sub></sub>서술형

표현 단계 정육각형의 한 외각의 크기가 $\dfrac{360°}{6}=60°$이므로

변형 단계 네 개의 부채꼴의 중심각의 크기는 모두 60°이다.

---

풀이 단계 (부채꼴 BCG의 넓이)$=\pi\times 2^2\times\dfrac{60}{360}=\dfrac{2}{3}\pi$

(부채꼴 GDH의 넓이)$=\pi\times 4^2\times\dfrac{60}{360}=\dfrac{8}{3}\pi$

(부채꼴 HEI의 넓이)$=\pi\times 6^2\times\dfrac{60}{360}=6\pi$

(부채꼴 IFJ의 넓이)$=\pi\times 8^2\times\dfrac{60}{360}=\dfrac{32}{3}\pi$

확인 단계 따라서 네 개의 부채꼴의 넓이의 합은

$\dfrac{2}{3}\pi+\dfrac{8}{3}\pi+6\pi+\dfrac{32}{3}\pi=20\pi$

**11** 구하는 어두운 부분의 넓이는 오

른쪽 그림의 ㉠의 넓이의 8배와 같다.

∴ (어두운 부분의 넓이)

$=\left(5\times 5-\pi\times 5^2\times\dfrac{90}{360}\right)\times 8$

$=\left(25-\dfrac{25}{4}\pi\right)\times 8=200-50\pi(cm^2)$

**12** <sub></sub>서술형

표현 단계 △EBC가 정삼각형이므로

∠ABE=90°−∠EBC=90°−60°=30°

변형 단계 이때 어두운 부분의 넓이는

(사각형 ABCD의 넓이)−(부채꼴 ABE의 넓이)

　　　　　　　　　　 −(부채꼴 DCE의 넓이)

로 구할 수 있으므로

풀이 단계 (어두운 부분의 넓이)

$=12\times 12-\left(\pi\times 12^2\times\dfrac{30}{360}\right)\times 2$

확인 단계 =144−24π(cm²)

**13** (어두운 부분의 넓이)

=(직사각형 ABCD의 넓이)

　 −2×(반지름의 길이가 $a$인 원의 넓이)

$=2a\times 4a-2\times\pi\times a^2=8a^2-2a^2\pi$

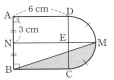

**14** $\overline{AB}$의 중점을 N이라 하고, 두 점 M, N을 연결한 선분이

$\overline{CD}$와 만나는 점을 E라 하자.

(어두운 부분의 넓이)

=(정사각형 ABCD의 넓이)$\times\dfrac{1}{2}$

　　　 +(부채꼴 CEM의 넓이)−(△NBM의 넓이)

$$=6\times6\times\frac{1}{2}+\pi\times3^2\times\frac{1}{4}-3\times9\times\frac{1}{2}$$
$$=\frac{9}{2}+\frac{9}{4}\pi\,(\text{cm}^2)$$

**15** 오른쪽 그림과 같이 △ACD의 내부의 나머지 부분의 넓이를 각각 $S_1$, $S_2$라 하자.

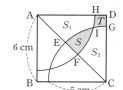

△ACD
$$=S_1+S_2+S+T$$
$$=\{(\text{부채꼴 FAH의 넓이})-S\}$$
$$\qquad\qquad+\{(\text{부채꼴 ECG의 넓이})-S\}+S+T$$
$$=2\times(\text{부채꼴 FAH의 넓이})-S+T$$

즉, $6\times6\times\frac{1}{2}=2\times\left(\pi\times5^2\times\frac{45}{360}\right)-S+T$이므로

$$18=\frac{25}{4}\pi-S+T$$

이때 $\frac{25}{4}\pi$는 약 19.6이므로 $\frac{25}{4}\pi>18$이다.

$$\therefore (S\text{와 }T\text{의 차})=\frac{25}{4}\pi-18\,(\text{cm}^2)$$

**16** 처음 부채꼴의 반지름의 길이를 $r$, 중심각의 크기를 $x°$라 하면 호의 길이와 부채꼴의 넓이는 각각

$$2\pi r\times\frac{x}{360},\ \pi r^2\times\frac{x}{360}$$

부채꼴의 반지름의 길이를 3배, 중심각의 크기를 2배로 늘릴 때, 호의 길이는 $2\pi\times3r\times\frac{2x}{360}$이므로

$$2\pi r\times\frac{x}{360}:2\pi\times3r\times\frac{2x}{360}=1:6$$

따라서 호의 길이는 처음 부채꼴의 호의 길이의 6배가 된다.

또한, 넓이는 $\pi\times(3r)^2\times\frac{2x}{360}$이므로

$$\pi r^2\times\frac{x}{360}:\pi\times(3r)^2\times\frac{2x}{360}=1:18$$

따라서 넓이는 처음 부채꼴의 넓이의 18배가 된다.

**17** 서술형

**표현 단계** (안쪽 반원 트랙의 반지름의 길이)$=5(\text{m})$
(바깥쪽 반원 트랙의 반지름의 길이)$=9(\text{m})$

**변형 단계** 둘레의 길이는
(안쪽 원의 둘레의 길이)
$\qquad\qquad+$(바깥쪽 원의 둘레의 길이)$+20\times4$,
넓이는 (곡선 트랙의 넓이)$+$(직선 트랙의 넓이)
로 구할 수 있으므로

**풀이 단계** (둘레의 길이)
$$=2\pi\times5+2\pi\times9+20\times4=28\pi+80\,(\text{m})$$

---

(넓이)$=(\pi\times9^2-\pi\times5^2)+20\times4\times2$
$$=81\pi-25\pi+160=56\pi+160\,(\text{m}^2)$$

**확인 단계** 따라서 둘레의 길이는 $(28\pi+80)$ m, 넓이는 $(56\pi+160)$ m²이다.

**18** 다음 그림과 같이 캔 4개를 끈으로 묶는 경우에 대하여 끈의 길이를 구하면

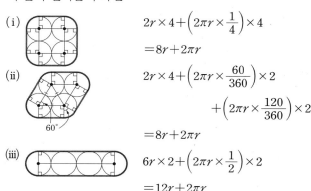

(ⅰ) $2r\times4+\left(2\pi r\times\frac{1}{4}\right)\times4$
$\qquad=8r+2\pi r$

(ⅱ) $2r\times4+\left(2\pi r\times\frac{60}{360}\right)\times2$
$\qquad\qquad+\left(2\pi r\times\frac{120}{360}\right)\times2$
$\qquad=8r+2\pi r$

(ⅲ) $6r\times2+\left(2\pi r\times\frac{1}{2}\right)\times2$
$\qquad=12r+2\pi r$

따라서 끈이 가장 적게 드는 경우는 (ⅰ), (ⅱ)의 경우이고, 끈의 길이는 $8r+2\pi r$이다.

**19** 원이 지나간 자리는 오른쪽 그림의 어두운 부분과 같다.

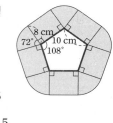

$\therefore$ (어두운 부분의 넓이)
$$=(\text{직사각형의 넓이})\times5$$
$$\qquad+(\text{부채꼴의 넓이})\times5$$
$$=(10\times8)\times5+\left(\pi\times8^2\times\frac{72}{360}\right)\times5$$
$$=400+64\pi\,(\text{cm}^2)$$

**20** 서술형

**표현 단계** 점 A의 이동에 따라 E~M까지 정하면 다음 그림과 같다.

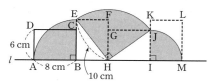

**변형 단계** 꼭짓점 A가 움직인 총 거리는 점 A에서 점 E, 점 E에서 점 J, 점 J에서 점 M까지 움직인 거리의 합이므로

(꼭짓점 A가 움직인 총 거리)$=\overset{\frown}{AE}+\overset{\frown}{EJ}+\overset{\frown}{JM}$

**풀이 단계** $\overset{\frown}{AE}=2\pi\times8\times\frac{90}{360}=4\pi\,(\text{cm})$

$\overset{\frown}{EJ}=2\pi\times10\times\frac{90}{360}=5\pi\,(\text{cm})$

$\overset{\frown}{JM}=2\pi\times6\times\frac{90}{360}=3\pi\,(\text{cm})$

**확인 단계** $\therefore\ \overset{\frown}{AE}+\overset{\frown}{EJ}+\overset{\frown}{JM}=4\pi+5\pi+3\pi=12\pi\,(\text{cm})$

## 21 서술형

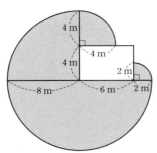

**표현 단계** 끈의 길이가 8 m이므로 강아지가 움직일 수 있는 땅은 오른쪽 그림의 어두운 부분과 같다.

**변형 단계** 즉, 강아지가 움직일 수 있는 땅은 반

지름의 길이가 각각 2 m, 4 m, 8 m인 사분원과 반지름의 길이가 8 m인 반원이다.

**풀이 단계** (구하는 넓이)

$$= \pi \times 2^2 \times \frac{1}{4} + \pi \times 4^2 \times \frac{1}{4} + \pi \times 8^2 \times \frac{3}{4}$$

$$= \pi + 4\pi + 48\pi$$

**확인 단계** $= 53\pi \, (\text{m}^2)$

---

# 3 STEP 최고 실력 완성하기

87~89쪽

| | | |
|---|---|---|
| **1** 20° | **2** 3배 | **3** $(48\pi - 64) \, \text{cm}^2$ |

**4** $(10\pi + 20) \, \text{cm}$  **5** (1) $(48\pi + 96) \, \text{cm}$ (2) $72\pi \, \text{cm}^2$

**6** 3.6초  **7** $8\pi r$  **8** 1:1  **9** 원  **10** 약 $43\pi^2$, $56.25\pi^2$, $225\pi$

**11** 정삼각형, 정오각형  **12** 풀이 참조

### 문제 풀이

**1** 보조선 OA를 그으면 △OAB와 △OAC에서

$\overline{OA}$는 공통, $\overline{OB} = \overline{OC}$

$\overparen{AB} = \overparen{AC}$이므로 $\angle AOB = \angle AOC$

$\therefore \triangle OAB \equiv \triangle OAC$ (SAS 합동)

따라서 $\angle OAB = \angle OAC = \frac{1}{2} \times 40° = 20°$이고,

$\triangle OCA$는 $\overline{OA} = \overline{OC}$인 이등변삼각형이므로

$\angle ACO = \angle OAC = 20°$

**2** $\angle CPD = \angle x$라 하면

$\triangle OCP$는 $\overline{CO} = \overline{CP}$인 이등변삼각형이므로

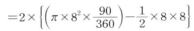

$\angle COP = \angle CPO = \angle x$

$\triangle OCP$에서

$\angle OCB = \angle COP + \angle CPO = \angle x + \angle x = 2\angle x$

또, $\triangle OBC$는 $\overline{OB} = \overline{OC}$인 이등변삼각형이므로

$\angle OBC = \angle OCB = 2\angle x$

$\triangle OBP$에서

$\angle AOB = \angle OBP + \angle OPB = 2\angle x + \angle x = 3\angle x$

따라서 $\angle AOB$는 $\angle COD$의 3배이고, 호의 길이는 중심각의 크기에 정비례하므로 $\overparen{AB}$의 길이는 $\overparen{CD}$의 길이의 3배이다.

**3** (부채꼴 DEO의 넓이) $= \pi \times 8^2 \times \frac{90}{360} = 16\pi \, (\text{cm}^2)$

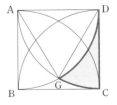

(㉠의 넓이)

$= 2 \times \{ ($부채꼴 AEO의 넓이$)$

$\qquad - ($삼각형 AOE의 넓이$) \}$

$= 2 \times \left\{ \left( \pi \times 8^2 \times \frac{90}{360} \right) - \frac{1}{2} \times 8 \times 8 \right\}$

$= 2 \times (16\pi - 32)$

$= 32\pi - 64 \, (\text{cm}^2)$

$\therefore$ (어두운 부분의 넓이)

$\quad = ($부채꼴 DEO의 넓이$) + ($㉠의 넓이$)$

$\quad = 16\pi + (32\pi - 64)$

$\quad = 48\pi - 64 \, (\text{cm}^2)$

**4** $\overline{AG} = \overline{GD} = \overline{AD}$ (원의 반지름)

이므로 $\triangle AGD$는 정삼각형이다.

따라서

$\angle DAG = 60°$,

$\angle CDG = 90° - 60° = 30°$

$\therefore \overparen{DG} = 2\pi \times 20 \times \frac{60}{360} = \frac{20}{3}\pi \, (\text{cm})$

$\overparen{CG} = 2\pi \times 20 \times \frac{30}{360} = \frac{10}{3}\pi \, (\text{cm})$

$\therefore$ (어두운 부분의 둘레의 길이)

$= \widehat{DG} + \widehat{CG} + \overline{CD}$

$= \dfrac{20}{3}\pi + \dfrac{10}{3}\pi + 20$

$= 10\pi + 20 (\text{cm})$

**5** (1) 어두운 부분의 둘레의 길이를 곡선 부분과 선분으로 나누어 생각해 보면

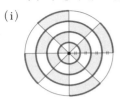 (i)  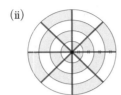 (ii)

(i) (곡선의 길이)

$= \dfrac{1}{2} \times$ (반지름의 길이가 12 cm인 원의 둘레의 길이)

$\quad +$ (반지름의 길이가 9 cm인 원의 둘레의 길이)

$\quad +$ (반지름의 길이가 6 cm인 원의 둘레의 길이)

$\quad +$ (반지름의 길이가 3 cm인 원의 둘레의 길이)

$= \dfrac{1}{2} \times 2\pi \times 12 + 2\pi \times 9 + 2\pi \times 6 + 2\pi \times 3$

$= 12\pi + 18\pi + 12\pi + 6\pi$

$= 48\pi (\text{cm})$

(ii) (선분의 길이) $=$ (원 O의 지름의 길이) $\times 4$

$\qquad\qquad\qquad\qquad = 24 \times 4 = 96 (\text{cm})$

(i), (ii)에서

(어두운 부분의 둘레의 길이) $= 48\pi + 96 (\text{cm})$

(2) 다음 그림과 같이 어두운 부분을 이동시켜서 생각하면

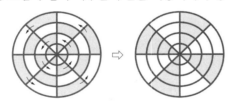

(어두운 부분의 넓이)

$= \dfrac{1}{2} \times$ (반지름의 길이가 12 cm인 원의 넓이)

$= \dfrac{1}{2} \times \pi \times 12^2 = 72 (\text{cm}^2)$

**6** 점 P는 1초에 $\dfrac{360°}{18} = 20°$, 점 Q는 1초에 $\dfrac{360°}{12} = 30°$ 회전한다. 두 점 P, Q가 $x$초 후에 처음 만난다고 하면 두 점의 회전한 각의 크기의 합은 $180°$이므로

$20°x + 30°x = 180°$  $\quad \therefore x = \dfrac{180°}{50°} = 3.6 (\text{초})$

**7**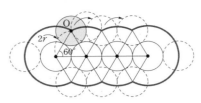

원의 중심이 움직인 거리는 위의 그림과 같이 반지름의 길이가 $2r$, 중심각의 크기가 $60°$인 부채꼴의 호의 길이 4개와 중심각의 크기가 $240°$인 부채꼴의 호의 길이 2개를 합한 것과 같다. 즉,

(원의 중심이 움직인 거리)

$= 4 \times \left(2\pi \times 2r \times \dfrac{60}{360}\right) + 2 \times \left(2\pi \times 2r \times \dfrac{240}{360}\right)$

$= \dfrac{8}{3}\pi r + \dfrac{16}{3}\pi r = 8\pi r$

**8** 원 O의 반지름의 길이를 $r$, 원 $O_1$, $O_2$, $\cdots$, $O_n$의 반지름의 길이를 각각 $r_1$, $r_2$, $\cdots$, $r_n$이라 하면

(원 O의 둘레의 길이) $= 2\pi r$

(나머지 원의 둘레의 길이의 합)

$= 2\pi r_1 + 2\pi r_2 + \cdots + 2\pi r_n = 2\pi(r_1 + r_2 + \cdots + r_n)$

이때 지름 AB의 길이는 $2r = 2(r_1 + r_2 + \cdots + r_n)$이고 원 O의 둘레의 길이는 $2\pi r = 2\pi(r_1 + r_2 + \cdots + r_n)$이므로 원 O의 둘레의 길이와 나머지 원의 둘레의 길이의 합은 서로 같다. 따라서 구하는 비는 1 : 1이다.

**9** ㉠, ㉡, ㉢에 공통으로 들어갈 도형은 원이다.

**10** 정삼각형의 한 변의 길이가 $10\pi$이므로 그 넓이는 공식에 의해 약 $43\pi^2$이다.

정사각형의 한 변의 길이가 $\dfrac{15}{2}\pi$이므로 그 넓이는

$\dfrac{225}{4}\pi^2 (= 56.25\pi^2)$이다.

원의 반지름의 길이를 $r$라고 하면 $2\pi r = 30\pi$에서 $r = 15$이므로 원의 넓이는 $225\pi$이다.

**12** 둘레의 길이가 같은 평면도형 중 넓이가 가장 큰 도형은 원이다.

| **1** 153 | **2** 5개 | **3** ④ | **4** ③ | **5** 십삼각형 | **6** ③ |
|---|---|---|---|---|---|
| **7** 100° | **8** 80° | **9** 70° | **10** 90° | **11** 125° | **12** 80° |
| **13** 540° | **14** ④ | **15** 32 | **16** 60° | **17** ④ | **18** $\frac{92}{3}\pi$ cm² |
| **19** 60 cm² | **20** $(288-72\pi)$ cm² | | **21** $(9\pi-12)$ cm² | | |

### 문제 풀이

**1** $a$각형의 한 꼭짓점에서 그을 수 있는 대각선의 개수는 $(a-3)$이므로 대각선이 15개인 다각형은

$a-3=15$  ∴ $a=18$

십팔각형의 대각선의 개수는

$$\frac{18\times(18-3)}{2}=\frac{18\times15}{2}=135$$

이므로 $b=135$

∴ $a+b=153$

**2** $\overline{AE}$와 길이가 같은 대각선은 $\overline{AC}$, $\overline{BD}$, $\overline{BF}$, $\overline{CE}$, $\overline{DF}$
의 5개이다.

**3** ④ 모든 변의 길이가 같은 사각형
은 마름모이지만, 내각의 크기
가 항상 같지는 않다.

**4** ③ 외각은 다각형의 각 꼭지점에서 한 변과 그 변에
이웃하는 변의 연장선이 이루는 각이다.

**5** 구하는 다각형을 $n$각형이라 하면

$$\frac{n(n-3)}{2}=65,\ n(n-3)=130=13\times10$$

∴ $n=13$

따라서 구하는 다각형은 십삼각형이다.

**6** ① ∠A+∠B+∠C=180°이고, ∠C+∠z=180°이
므로 ∠z=∠A+∠B

③ ∠C+∠z=180°

④ 다각형의 외각의 크기의 합은 360°이다.

**7** ∠DBF+30°=60°  ∴ ∠DBF=30°
따라서 △ABC에서 ∠x=70°+30°=100°

**다른 풀이**

△ADE에서 ∠AED=180°-(70°+60°)=50°

∠CFE=∠BFD=30°(맞꼭지각)

따라서 △CFE에서 ∠x=180°-(30°+50°)=100°

**8** ∠IBC+∠ICB=180°-130°=50°

∴ ∠A=180°-2(∠IBC+∠ICB)

$\quad$=180°-2×50°=80°

**9** ∠ACB=180°-(35°+75°)=70°

∴ ∠ACD=$\frac{1}{2}$∠C=35°

따라서 △ADC에서

∠$x$=35°+35°=70°

**10** ∠ECD+∠CDE=130°이므로

∠ECD+70°=130°  ∴ ∠ECD=60°

∠ACB=∠ECD=60°(맞꼭지각)

따라서 △ABC에서

∠$x$+∠ACB=150°, ∠$x$+60°=150°

∴ ∠$x$=90°

**11** 다각형의 외각의 크기의 합은 360°이므로

30°+65°+75°+55°+80°+(180°-∠$x$)=360°

∴ ∠$x$=125°

**12** 오른쪽 그림과 같이 보조선을 그
으면

∠$a$+∠$b$=180°-110°=70°

이므로

∠$c$+∠$d$

=360°-(65°+60°+∠$a$+∠$b$+50°+15°)

=100°

∴ ∠$x$=180°-(∠$c$+∠$d$)=180°-100°=80°

**13** 오른쪽 그림에서

∠$h$=∠$a$+∠$b$, ∠$g$=∠$i$+∠$j$

이므로

∠$a$+∠$b$+∠$c$+∠$d$+∠$e$

$\quad$+∠$f$+∠$g$

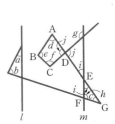

$$= \angle a + \angle b + \angle c + \angle d + \angle e + \angle f + \angle i + \angle j$$
$$= (\angle d + \angle e + \angle f + \angle j) + (\angle a + \angle b + \angle c + \angle i)$$
$$= (\text{사각형 ABCD의 내각의 크기의 합})$$
$$+ (\triangle \text{EFG의 내각의 크기의 합})$$
$$= 360° + 180° = 540°$$

**14** ④ 현의 길이는 중심각의 크기에 정비례하지 않는다.

**15** 한 원에서 호의 길이는 중심각의 크기에 정비례하므로
$$80 : x = 8 : 2 \qquad \therefore x = 20$$
$$80 : 120 = 8 : y \qquad \therefore y = 12$$
$$\therefore x + y = 20 + 12 = 32$$

**16** 부채꼴의 중심각의 크기는 호의 길이에 정비례하므로
$$\angle \text{AOB} : \angle \text{BOC} : \angle \text{COA} = 1 : 2 : 3$$
$$\therefore \angle \text{AOB} = 360° \times \frac{1}{1+2+3} = 60°$$

**17** ④ $\angle \text{AOD} = 3\angle \text{AOB}$이지만 현의 길이는 중심각의 크기에 정비례하지 않으므로
$$\overline{\text{AD}} \neq 3\overline{\text{AB}}$$

**18** (어두운 부분의 넓이)
$$= \pi \times 8^2 \times \frac{230}{360} - \pi \times 4^2 \times \frac{230}{360} = \frac{92}{3}\pi(\text{cm}^2)$$

**19** (어두운 부분의 넓이)
$$= (\overline{\text{AB}}\text{를 지름으로 하는 반원의 넓이})$$
$$+ (\overline{\text{AC}}\text{를 지름으로 하는 반원의 넓이})$$
$$+ (\text{삼각형 ABC의 넓이})$$
$$- (\overline{\text{BC}}\text{를 지름으로 하는 반원의 넓이})$$

$$= \frac{1}{2} \times \pi \times \left(\frac{15}{2}\right)^2 + \frac{1}{2} \times \pi \times 4^2$$
$$+ \frac{1}{2} \times 15 \times 8 - \frac{1}{2} \times \pi \times \left(\frac{17}{2}\right)^2$$
$$= 60(\text{cm}^2)$$

> **TIP** 오른쪽 그림에서
> 어두운 부분의 넓이는 삼각형 ABC의
> 넓이와 같다.
>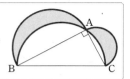

**20** 작은 원의 반지름의 길이를 $r$ cm라 하면
$$r + 2r + r = 12 \qquad \therefore r = 3$$
따라서 직사각형의 가로의 길이는
$$8r = 8 \times 3 = 24(\text{cm})$$
$$\therefore (\text{어두운 부분의 넓이})$$
$$= (\text{직사각형의 넓이}) - 8 \times (\text{원의 넓이})$$
$$= 12 \times 24 - 8 \times \pi \times 3^2$$
$$= 288 - 72\pi(\text{cm}^2)$$

**21** 보조선 OC를 그으면
$$\angle \text{AOC} = \angle \text{BOC} = \frac{1}{2} \times 180° = 90°$$
$$\therefore (\text{어두운 부분의 넓이})$$
$$= (\text{부채꼴 AOC의 넓이})$$
$$- (\text{삼각형 CDO의 넓이})$$
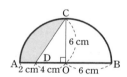
$$= \pi \times 6^2 \times \frac{90}{360} - \frac{1}{2} \times 4 \times 6$$
$$= 9\pi - 12(\text{cm}^2)$$

# 1 다면체와 회전체

## 1 STEP 주제별 실력다지기

95~98쪽

**1** ②　　　**2** ③　　　**3** ③　　　**4** ④　　　**5** ③　　　**6** 면 B

**7** (1) 점 I　(2) $\overline{GF}$　**8** 각 꼭짓점에 모인 면의 개수가 다르다.　**9** 면 A의 눈의 수 : 5, 면 B의 눈의 수 : 1　**10** ③

**11** ⑤　　　　　**12** 풀이 참조

---

### 최상위 06
### NOTE  정다면체의 꼭짓점과 모서리의 개수 구하기

정다면체의 모양을 떠올려서 꼭짓점과 모서리의 개수를 구하는 것은 도형이 복잡해질수록 어려워진다. 하지만 정다면체의 각 꼭짓점에 모이는 면의 개수가 같음을 이용하면 꼭짓점과 모서리의 개수를 쉽게 구할 수 있다.

오른쪽 그림과 같이 정이십면체는 한 꼭짓점에 5개의 정삼각형이 모인다. 즉, 정삼각형의 5개의 꼭짓점이 겹쳐서 하나의 꼭짓점이 만들어진다. 따라서 정이십면체의 꼭짓점의 개수는 $\dfrac{20 \times 3}{5} = 12$와 같이 계산할 수 있다.

마찬가지로 생각하면 정삼각형의 2개의 모서리가 겹쳐서 하나의 모서리가 만들어지므로 정이십면체의 모서리의 개수는 $\dfrac{20 \times 3}{2} = 30$과 같이 계산할 수 있다.

위와 같은 방법으로 정다각형의 꼭짓점과 모서리의 개수를 빠르고 정확하게 구할 수 있다.

**1**  ② 사각뿔은 면이 5개인 오면체이다.

**2**  각 다면체의 면의 개수를 구하면
① 5    ② 6    ③ 4    ④ 5    ⑤ 5
따라서 면의 개수가 가장 적은 것은 ③이다.

**3**  옆면의 모양이 직사각형이고, 두 밑면이 평행하고 합동이므로 구하는 다면체는 각기둥이다. 또, 팔면체이므로 각기둥의 밑면 2개를 빼면 6개의 옆면을 가진다. 따라서 밑면의 모양이 육각형이므로 육각기둥이다.

**4**  ④ 정다면체의 면의 모양은 정삼각형, 정사각형, 정오각형 중 하나이다.

> **TIP** 정다면체는 각 면이 모두 합동인 정다각형일 뿐만 아니라 각 꼭짓점에 모이는 면의 개수가 같다.

**5**  잘려진 단면은 △ACH이고, △ACH의 세 변은 모두 정육면체의 세 면의 대각선이므로
$\overline{AC}=\overline{CH}=\overline{AH}$
따라서 잘려진 단면인 △ACH는 정삼각형이다.

**6**  주어진 전개도로 정육면체를 만들면 오른쪽 그림과 같으므로 면 E와 서로 평행인 면은 면 B이다.

**7**  주어진 전개도로 정팔면체를 만들면 오른쪽 그림과 같으므로
(1) 꼭짓점 A와 겹쳐지는 점은 점 I이다.
(2) $\overline{CD}$와 겹쳐지는 선분은 $\overline{GF}$이다.

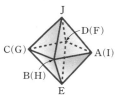

**8**
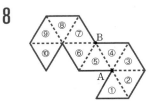

꼭짓점 A에는 ①, ②, ③, ④, ⑤의 5개의 면이 모이고, 꼭짓점 B에는 ④, ⑤, ⑥, ⑦의 4개의 면이 모인다.
따라서 이 전개도로 만든 입체도형은 각 꼭짓점에 모인 면의 개수가 다르므로 정다면체가 될 수 없다.

**9**  주어진 전개도로 입체도형을 만들면 면 A는 눈의 수가 2인 면과 평행하므로 면 A의 눈의 수는 5, 면 B는 눈의 수가 6인 면과 평행하므로 면 B의 눈의 수는 1이다.

**10**  ③ 회전체를 회전축에 수직인 평면으로 자르면 그 단면은 항상 원이다.

**11**
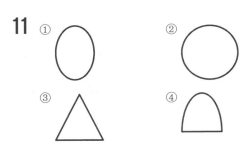

**12**
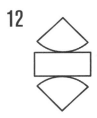

# 2<sup>STEP</sup> 실력 높이기

**1** 풀이 참조  **2** 이등변삼각형  **3** (1) 정삼각형 : 8, 정사각형 : 6  (2) 모서리 : 24, 꼭짓점 : 12

**4** 21  **5** ①  **6** 정팔면체  **7** ②  **8** 62

**9** ㄱ, ㄴ, ㄷ, ㄹ, ㅁ, ㅂ, ㅅ, ㅇ  **10** (1) $\overline{AB}$ (2) $\overline{DB}$ (3) $\overline{AC}$

## 문제 풀이

**1** 서술형

표현 단계 정다면체에서 한 면의 모양이 될 수 있는 것은 정삼각형, 정사각형, 정오각형, 정육각형, …이다.
정삼각형의 한 내각의 크기 : 60°
정사각형의 한 내각의 크기 : 90°
정오각형의 한 내각의 크기 : 108°
정육각형의 한 내각의 크기 : 120°
⋮

변형 단계 정다면체는 한 꼭짓점에 모이는 면의 개수가 같고, 한 꼭짓점에 모이는 각의 크기의 합은 360°보다 작아야 한다.

풀이 단계

| 면의 모양 | 한 꼭짓점에 모이는 면의 개수 | 한 꼭짓점에 모이는 각의 크기의 합 | 가능 여부 | 도형 |
|---|---|---|---|---|
| 정삼각형 | 3 | 60°×3=180° | ○ | 정사면체 |
| | 4 | 60°×4=240° | ○ | 정팔면체 |
| | 5 | 60°×5=300° | ○ | 정이십면체 |
| | 6 | 60°×6=360° | × | |
| 정사각형 | 3 | 90°×3=270° | ○ | 정육면체 |
| | 4 | 90°×4=360° | × | |
| 정오각형 | 3 | 108°×3=324° | ○ | 정십이면체 |
| | 4 | 108°×4=432° | × | |
| 정육각형 | 3 | 120°×3=360° | × | |

따라서 정다면체의 한 면이 정삼각형인 경우는 3가지, 정사각형인 경우는 1가지, 정오각형인 경우는 1가지가 있다.

확인 단계 한 꼭짓점에 모이는 면의 개수가 같고, 한 꼭짓점에 모이는 각의 크기의 합이 360°보다 작아야 하므로 정다면체는 정사면체, 정육면체, 정팔면체, 정십이면체, 정이십면체의 5개만이 존재한다.

**2** 정육각뿔에서 꼭짓점 V를 지나고 밑면에 수직인 평면으로 자른 단면은 △VAD, △VBE, △VCF, …이고, 이 삼각형은 두 변의 길이가 같은 이등

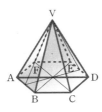

변삼각형이다.

**3** (1) 정육면체에서 삼각뿔을 잘라 내는 것이므로 잘린 단면은 정삼각형이고, 처음 정육면체의 각 면은 각 모서리의 중점을 연결한 정사각형이 남는다. 따라서 남은 입체도형에서 정삼각형과 정사각형의 개수를 차례대로 구하면
(정삼각형의 개수)=(정육면체의 꼭짓점의 개수),
(정사각형의 개수)=(정육면체의 면의 개수)
이므로 남은 입체도형의 면은 정삼각형 모양 8개, 정사각형 모양 6개이다.

(2) 정삼각형 8개와 정사각형 6개의 전체 모서리의 개수는
3×8+4×6=48
이때 각 모서리는 모두 접해 있으므로
(모서리의 개수)=$\frac{48}{2}$=24
또, 정삼각형 8개와 정사각형 6개의 전체 꼭짓점의 개수는
3×8+4×6=48
이때 네 꼭짓점이 한 꼭짓점에 겹쳐지므로
(꼭짓점의 개수)=$\frac{48}{4}$=12

**4** 서술형

표현 단계 원래의 입체도형인 정육면체에서 새로 추가되는 꼭짓점, 모서리, 면의 개수를 더하여 구하자.

변형 단계 정육면체에서 꼭짓점은 8개, 모서리는 12개, 면은 6개이다.
이때 새로운 입체도형에서는 삼각형이 8개 생겼으므로 새로 생긴 꼭짓점의 개수는 8×3=24,
모서리의 개수는 8×3=24, 면의 개수는 8이다.

풀이 단계 즉, 새로운 입체도형에서
꼭짓점의 개수 : 8-8+24=24
모서리의 개수 : 12+24=36
면의 개수 : 6+8=14
∴ $v$=24, $e$=36, $f$=14

확인 단계 ∴ $\frac{e}{v} \times f = \frac{36}{24} \times 14 = 21$

1. 다면체와 회전체  **51**

**5** 세 점 L, M, D를 지나는 평면으로 자르면 단면인 삼각형 LMD는 $\overline{DL}=\overline{DM}$인 이등변삼각형이다.

**6** 서술형

표현 단계 정육면체의 모든 면은 정사각형이다.

변형 단계 각 정사각형의 대각선의 교점을 연결하면 대각선의 교점이 새로운 입체도형의 꼭짓점이 된다.

풀이 단계 정사각형의 대각선의 교점은 모두 6개이므로 새로운 입체도형의 꼭짓점은 6개이다.

새로운 입체도형의 모서리는 두 밑면에 있는 꼭짓점에서 4개의 옆면에 있는 꼭짓점에 연결하면 총 8개의 모서리가 생기고 옆면에 있는 4개의 꼭짓점을 차례로 연결하면 4개의 모서리가 생기므로 모서리의 총 개수는 12이고, 그 길이가 모두 같다.

확인 단계 따라서 오른쪽 그림과 같이 꼭짓점은 6개, 모서리는 12개, 면은 8개인 정팔면체가 만들어진다.

**7** ② 원뿔을 회전축에 수직인 평면으로 자른 단면은 항상 원이다.

**8** 서술형

표현 단계 모든 면이 합동인 정다각형이고, 각 꼭짓점에 모이는 면의 수가 모두 같은 다면체는 정다면체이다.

변형 단계 정다면체 중 한 꼭짓점에 모이는 면의 개수가 5인 것은 정이십면체뿐이다.

풀이 단계 정이십면체의 꼭짓점은 12개, 모서리는 30개, 면은 20개이다.

확인 단계 ∴ $12+30+20=62$

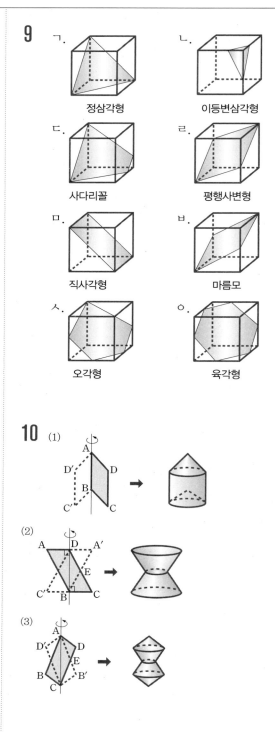

**9**

ㄱ. 정삼각형    ㄴ. 이등변삼각형

ㄷ. 사다리꼴    ㄹ. 평행사변형

ㅁ. 직사각형    ㅂ. 마름모

ㅅ. 오각형    ㅇ. 육각형

**10** (1)

(2)

(3)

| | | | | | |
|---|---|---|---|---|---|
| **1** 풀이 참조 | **2** 36 | **3** 7개 | **4** (1) 58 (2) 60 | **5** 120 | **6** 풀이 참조 |
| **7** 281개 | **8** ㉠ : 정사각뿔, ㉡ : 원뿔, ㉢ : 원기둥, ㉣ : 구 | | | **9** 풀이 참조 | |

**문제 풀이**

**1** 오른쪽 그림과 같은 모양의 저금통을 만들 수 있다.

**2** 큰 정육면체의 각 모서리에 있는 작은 정육면체들은 두 면 이상 색칠되어 있다. 이때 색칠된 면이 2개인 작은 정육면체들은 오른쪽 그림의 어두운 부분에 있는 정육면체들이므로 구하는 정육면체의 개수는 $3 \times 12 = 36$

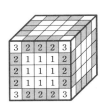

**3** 쌓을 수 있는 쌓기나무의 개수를 적어보면

(ⅰ) 가장 적게 사용한 경우    (ⅱ) 가장 많이 사용한 경우

총 쌓기나무의 수 : 16개    총 쌓기나무의 수 : 23개
따라서 구하는 쌓기나무의 수의 차는 $23 - 16 = 7$(개)

**4** 정이십면체의 면은 20개, 꼭짓점은 12개이므로 꼭짓점 부분을 자르면 그 부분에 정오각형이 12개 생기므로 새로 만들어진 입체도형은 정오각형인 면이 12개, 정육각형인 면이 20개로 총 32개의 면을 가지고 있다.
축구공 모양의 입체도형에서 한 모서리는 두 면을 공유하고, 한 꼭짓점은 세 면을 공유한다.
12개의 정오각형은 모서리와 꼭짓점이 각각 5개씩이고, 20개의 정육각형은 모서리와 꼭짓점이 각각 6개씩이다.
(1) 한 모서리는 두 면을 공유하므로
모서리의 총 개수는
$$\frac{(5 \times 12) + (6 \times 20)}{2} = \frac{180}{2} = 90$$
∴ (모서리의 개수) − (면의 개수)
$= 90 - 32 = 58$

(2) 한 꼭짓점은 세 면을 공유하므로
꼭짓점의 총 개수는
$$\frac{(5 \times 12) + (6 \times 20)}{3} = \frac{180}{3} = 60$$

**5** 이 입체도형은 팔각형 6개와 삼각형 8개로 이루어져 있다.
이 입체도형의 꼭짓점의 총 개수는 24이고, 임의의 한 꼭짓점에 대하여 이웃하는 3개의 꼭짓점에는 대각선을 그을 수 없다.
즉, 한 꼭짓점에서 다른 20개의 점과 연결하여 대각선 20개를 그을 수 있지만, 이 중에서 겉면에 놓이게 되는 대각선의 개수는 오른쪽 그림과 같이 10개이므로 한 꼭짓점에서 안쪽에 놓이게 되는 대각선의 총 개수는 $20 - 10 = 10$이다.

마찬가지로 나머지 점에서도 안쪽에 놓이게 되는 대각선을 10개씩 그을 수 있고 같은 대각선이 2개씩 생긴다.
따라서 안쪽에 놓이는 대각선의 총 개수는
$$\frac{24 \times 10}{2} = 120$$이다.

**6** 회전축을 중심으로 왼쪽 단면과 오른쪽 단면을 각각 돌린 후 두 입체도형을 합쳐 만든다.

(ⅰ)
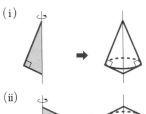

(ⅱ)
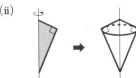

(ⅰ)+(ⅱ)

**7** 직육면체의 어느 한 점에서 보았을 때, 앞과 뒤, 왼쪽과 오른쪽, 위와 아래는 동시에 보이지 않는다. 따라서 오른쪽 그림과 같이 앞, 오른쪽, 위가 동시에 보일 때 정육면체의 개수가 최대로 많이 보인다.

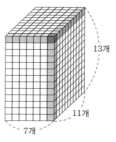

이때 보이는 면은
$(7 \times 13) + (11 \times 13) + (7 \times 11) = 311$(개)
이고, 두 면이 보이는 정육면체는
$6 + 10 + 12 = 28$(개)
세 면이 보이는 정육면체는 1개이므로

한 면이라도 보이는 정육면체는 최대
$311 - 28 - 2 = 281$(개)이다.

> **TIP** $(7 \times 13) + (11 \times 13) + (7 \times 11) = 311$과 같이 계산하면 두 면이 보이는 정육면체와 세 면이 보이는 정육면체를 각각 2번, 3번씩 세게 된다. 따라서 두 면이 보이는 정육면체의 개수와 세 면이 보이는 정육면체의 개수를 각각 1번, 2번씩 빼주어야 한다.

**8** ㉠ : 정사각뿔, ㉡ : 원뿔, ㉢ : 원기둥, ㉣ : 구

**9** 탁상용 달력 : 삼각기둥, 책 : 직육면체,
카메라 삼각대 : 삼각뿔, 냉장고 : 직육면체, 냄비 : 원기둥

# 2 겉넓이와 부피

**1** (1) 겉넓이 : 648 cm², 부피 : 1008 cm³  (2) 겉넓이 : 556 cm², 부피 : 888 cm³

**2** (1) 겉넓이 : 480 cm², 부피 : 455 cm³  (2) 겉넓이 : 600 cm², 부피 : 880 cm³

**3** 겉넓이 : 612 cm², 부피 : 648 cm³    **4** 288 cm²

**5** (1) 겉넓이 : $\left(\dfrac{140}{3}\pi+96\right)$ cm², 부피 : 80π cm³  (2) 겉넓이 : 202π cm², 부피 : 314π cm³

**6** 겉넓이 : 140π cm², 부피 : 147π cm³   **7** 겉넓이 : 148π cm², 부피 : 145π cm³   **8** 11개

**9** 겉넓이 : 150 cm², 부피 : 100 cm³   **10** $\dfrac{32}{3}$ cm³   **11** $\dfrac{125}{3}$ cm³   **12** $\dfrac{32}{3}$   **13** 120°

**14** (1) 겉넓이 : 90π cm², 부피 : 84π cm³  (2) 겉넓이 : 54π cm², 부피 : 57π cm³   **15** 192π cm³   **16** 1 cm

**17** 4 : 1      **18** 27개      **19** 240π cm³      **20** 900π cm²

---

최상위 **07**
**NOTE**  구의 부피를 이용해 구의 겉넓이 구하기

오른쪽 그림과 같이 구의 겉면을 매우 작은 조각들로 나누면 곡면이 아니라 다각형으로 볼 수 있다. 즉, 구를 무수히 많은 각뿔로 나누면 구의 겉넓이와 부피 사이이 관계를 알 수 있다.

(구의 부피)＝(모든 각뿔들의 부피의 합)

$\qquad=\left\{\dfrac{1}{3}\times(각뿔의\ 밑넓이)\times(각뿔의\ 높이)\right\}$의 합

$\qquad=\dfrac{1}{3}\times(각뿔의\ 밑넓이의\ 합)\times(각뿔의\ 높이)$

$\qquad=\dfrac{1}{3}\times(구의\ 겉넓이)\times(구의\ 반지름의\ 길이)$

반지름의 길이가 $r$인 구의 부피는 $\dfrac{4}{3}\pi r^3$이므로

$\dfrac{4}{3}\pi r^3=\dfrac{1}{3}\times(구의\ 겉넓이)\times r$, (구의 겉넓이)＝$4\pi r^2$이다.

즉, 구의 겉넓이와 부피 사이의 관계를 통해서 구의 부피를 이용해 구의 겉넓이를 구할 수 있다.

**1** (1) (밑넓이)$=\left(\dfrac{1}{2}\times10\times12\right)+\left(\dfrac{1}{2}\times6\times8\right)$

$\qquad\qquad=84(\mathrm{cm}^2)$

(옆넓이)$=(13+13+8+6)\times12=480(\mathrm{cm}^2)$

$\therefore$ (겉넓이)$=$(밑넓이)$\times2+$(옆넓이)

$\qquad\qquad=84\times2+480=648(\mathrm{cm}^2)$

(부피)$=$(밑넓이)$\times$(높이)

$\qquad\quad=84\times12=1008(\mathrm{cm}^3)$

(2) (밑넓이)$=(10\times8)-\left(\dfrac{1}{2}\times4\times3\right)=74(\mathrm{cm}^2)$

(옆넓이)$=(7+5+4+10+8)\times12=408(\mathrm{cm}^2)$

$\therefore$ (겉넓이)$=$(밑넓이)$\times2+$(옆넓이)

$\qquad\qquad=74\times2+408=556(\mathrm{cm}^2)$

(부피)$=$(밑넓이)$\times$(높이)

$\qquad\quad=74\times12=888(\mathrm{cm}^3)$

**2** (1) 겉넓이는 잘라 내기 전의 겉넓이와 같으므로

(겉넓이)$=$(밑넓이)$\times2+$(옆넓이)

$\qquad\qquad=(10\times7)\times2+(10+7+10+7)\times10$

$\qquad\qquad=480(\mathrm{cm}^2)$

(부피)$=$(잘라 내기 전 직육면체의 부피)

$\qquad\qquad\qquad-$(잘라 낸 직육면체의 부피)

$\qquad\quad=10\times7\times10-7\times5\times7=455(\mathrm{cm}^3)$

(2) 겉넓이는 잘라 내기 전의 겉넓이와 같으므로

(겉넓이)$=10\times10\times6=600(\mathrm{cm}^2)$

(부피)$=$(잘라 내기 전 정육면체의 부피)

$\qquad\qquad\qquad-$(잘라 낸 직육면체의 부피)

$\qquad\quad=10\times10\times10-4\times5\times6$

$\qquad\quad=880(\mathrm{cm}^3)$

**3** (겉넓이)$=$(밑넓이)$\times2+$(옆넓이)

$\qquad\qquad=(13\times8-10\times5)\times2$

$\qquad\qquad\qquad\qquad+(3+5+10+3)\times2\times12$

$\qquad\qquad=612(\mathrm{cm}^2)$

(부피)$=$(잘라 내기 전 직육면체의 부피)

$\qquad\qquad\qquad-$(잘라 낸 직육면체의 부피)

$\qquad\quad=(3+10)\times(5+3)\times12-5\times10\times12$

$\qquad\quad=648(\mathrm{cm}^3)$

**4** (바깥쪽 면의 겉넓이)$=(6\times6-2\times2)\times6$

$\qquad\qquad\qquad\qquad=192(\mathrm{cm}^2)$

(안쪽 면의 겉넓이)$=(2\times2\times4)\times6=96(\mathrm{cm}^2)$

$\therefore$ (겉넓이)$=192+96=288(\mathrm{cm}^2)$

**5** (1) (겉넓이)$=$(밑넓이)$\times2+$(옆넓이)

$\qquad\qquad=\left(\pi\times6^2\times\dfrac{100}{360}\right)\times2$

$\qquad\qquad\qquad\quad+\left(6\times2+2\pi\times6\times\dfrac{100}{360}\right)\times8$

$\qquad\qquad=\dfrac{140}{3}\pi+96(\mathrm{cm}^2)$

(부피)$=$(밑넓이)$\times$(높이)

$\qquad\quad=\left(\pi\times6^2\times\dfrac{100}{360}\right)\times8=80\pi(\mathrm{cm}^3)$

(2) (겉넓이)$=$(작은 원기둥의 옆넓이)

$\qquad\qquad\qquad\quad+$(큰 원기둥의 겉넓이)

$\qquad\qquad=2\pi\times2\times5+\{(\pi\times7^2)\times2+2\pi\times7\times6\}$

$\qquad\qquad=202\pi(\mathrm{cm}^2)$

(부피)$=$(큰 원기둥의 부피)$+$(작은 원기둥의 부피)

$\qquad\quad=(\pi\times7^2\times6)+(\pi\times2^2\times5)=314\pi(\mathrm{cm}^3)$

**6** (겉넓이)

$=\{($큰 원기둥의 밑넓이$)-($작은 원기둥의 밑넓이$)\}\times2$

$\qquad+($큰 원기둥의 옆넓이$)+($작은 원기둥의 옆넓이$)$

$=(\pi\times5^2-\pi\times2^2)\times2+(2\pi\times5\times7)+(2\pi\times2\times7)$

$=140\pi(\mathrm{cm}^2)$

(부피)$=$(큰 원기둥의 부피)$-$(작은 원기둥의 부피)

$\qquad\quad=\pi\times5^2\times7-\pi\times2^2\times7$

$\qquad\quad=147\pi(\mathrm{cm}^3)$

**다른 풀이**

(부피)$=$(밑넓이)$\times$(높이)

$\qquad\quad=(\pi\times5^2-\pi\times2^2)\times7=147\pi(\mathrm{cm}^3)$

**7** 직선 $l$을 회전축으로 하여
1회전 시킬 때 생기는 회전체는
오른쪽 그림과 같다.

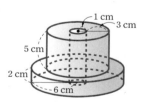

(겉넓이)

$=$(밑넓이)$\times2+$(옆넓이)

$=\{($아래 원기둥의 밑넓이$)-($안쪽 원기둥의 밑넓이$)\}\times2$

$\qquad+($아래 원기둥의 옆넓이$)+($위 원기둥의 옆넓이$)$

$\qquad\qquad\qquad\qquad+($안쪽 원기둥의 옆넓이$)$

$=(\pi\times6^2-\pi\times1^2)\times2$

$\qquad\qquad+(2\pi\times6\times2)+(2\pi\times4\times5)+(2\pi\times1\times7)$

$=148\pi(\mathrm{cm}^2)$

(부피)$=$(아래 원기둥의 부피)$+$(위 원기둥의 부피)

$\qquad\qquad\qquad\qquad-($안쪽 원기둥의 부피$)$

$\qquad\quad=(\pi\times6^2\times2)+(\pi\times4^2\times5)-(\pi\times1^2\times7)$

$\qquad\quad=145\pi(\mathrm{cm}^3)$

**8** 주어진 정육면체의 겉넓이는

$10 \times 10 \times 6 = 600 (\text{cm}^2)$

이고, 여기에 원기둥 모양의 구멍 하나를 뚫으면 그 겉넓이는 원기둥의 옆넓이만큼 더해지고,

(원기둥의 밑넓이)×2만큼 줄어든다.

즉, 구멍 하나를 뚫을 때마다 겉넓이는

$2\pi \times 1 \times 10 - \pi \times 1^2 \times 2 = 18\pi (\text{cm}^2)$

씩 늘어난다.

$n$개의 구멍을 뚫었을 때, 처음 정육면체의 겉넓이의 2배보다 커진다고 하면

$600 + 18n\pi > 2 \times 600, \ 18n\pi > 600$

$n > \dfrac{600}{18\pi} = 10.6157\cdots$

따라서 11개의 구멍을 뚫었을 때, 입체도형의 겉넓이가 처음으로 정육면체의 겉넓이의 2배보다 커진다.

**9** (겉넓이)

= (밑넓이) + (옆넓이)

$= (5 \times 5) + \left\{ \left( \dfrac{1}{2} \times 5 \times 12 \right) \times 2 + \left( \dfrac{1}{2} \times 5 \times 13 \right) \times 2 \right\}$

$= 150 (\text{cm}^2)$

$(\text{부피}) = \dfrac{1}{3} \times (\text{직육면체의 부피})$

$= \dfrac{1}{3} \times 5 \times 5 \times 12$

$= 100 (\text{cm}^3)$

**10** 입체도형의 밑넓이는 정사각형 ABCD의 넓이의 $\dfrac{1}{2}$이고 높이는 정육면체의 높이와 같으므로

$(\text{입체도형의 부피}) = \dfrac{1}{3} \times \left( \dfrac{1}{2} \times 4 \times 4 \right) \times 4$

$= \dfrac{32}{3} (\text{cm}^3)$

**11** 주어진 전개도로 만든 삼각뿔의 겨냥도는 오른쪽 그림과 같다. 이 삼각뿔은 밑면이 △BEF이고, 높이가 $\overline{DA}(=\overline{DC})$이므로

$(\text{부피}) = \dfrac{1}{3} \times \left( \dfrac{1}{2} \times 5 \times 5 \right) \times 10$

$= \dfrac{125}{3} (\text{cm}^3)$

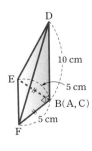

**12** 두 그릇에 담긴 물의 양이 같으므로 두 입체도형의 부피가 같다.

(왼쪽 삼각기둥의 부피)

$= \dfrac{1}{2} \times 8 \times (16-a) \times 3$

$= 12(16-a) (\text{cm}^3)$

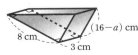

(오른쪽 삼각뿔의 부피)

$= \dfrac{1}{3} \times \left( \dfrac{1}{2} \times 16 \times 8 \right) \times 3$

$= 64 (\text{cm}^3)$

따라서 $12(16-a) = 64$이므로 $a = \dfrac{32}{3}$

**13** 옆면인 부채꼴의 호의 길이는 밑면인 원의 둘레의 길이와 같으므로

$2\pi \times 18 \times \dfrac{\angle x}{360°} = 2\pi \times 6 \qquad \therefore \ \angle x = 120°$

**다른 풀이**

밑면인 원의 반지름의 길이가 $r$, 원뿔의 모선의 길이가 $l$일 때, 전개도에서 옆면인 부채꼴의 중심각의 크기는

$\angle x = \dfrac{r}{l} \times 360°$이므로 $\angle x = \dfrac{6}{18} \times 360° = 120°$

**14** (1)

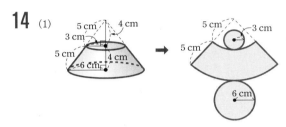

(밑넓이) = (작은 원의 넓이) + (큰 원의 넓이)

$= \pi \times 3^2 + \pi \times 6^2 = 45\pi (\text{cm}^2)$

(옆넓이) = (큰 부채꼴의 넓이) − (작은 부채꼴의 넓이)

$= \pi \times 6 \times 10 - \pi \times 3 \times 5 = 45\pi (\text{cm}^2)$

$\therefore$ (겉넓이) = (밑넓이) + (옆넓이)

$= 45\pi + 45\pi = 90\pi (\text{cm}^2)$

(부피) = (큰 원뿔의 부피) − (작은 원뿔의 부피)

$= \dfrac{1}{3} \times \pi \times 6^2 \times 8 - \dfrac{1}{3} \times \pi \times 3^2 \times 4$

$= 84\pi (\text{cm}^3)$

(2) (겉넓이) = (원뿔의 옆넓이) + (원기둥의 옆넓이)

$\qquad\qquad\qquad\quad + (\text{원기둥의 밑넓이})$

$= \pi \times 3 \times 5 + 2\pi \times 3 \times 5 + \pi \times 3^2$

$= 15\pi + 30\pi + 9\pi = 54\pi (\text{cm}^2)$

(부피) = (원뿔의 부피) + (원기둥의 부피)

$= \dfrac{1}{3} \times \pi \times 3^2 \times 4 + \pi \times 3^2 \times 5$

$= 57\pi (\text{cm}^3)$

**15** (부피) = (원기둥의 부피)

$\qquad\qquad - (\text{원뿔의 부피})$

$= \pi \times 6^2 \times 8 - \dfrac{1}{3} \times \pi \times 6^2 \times 8$

$= 192\pi (\text{cm}^3)$

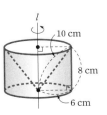

**16** 원기둥의 밑면의 반지름의 길이를 $r$라 하면

(원기둥의 부피)$=\pi\times r^2\times18=18\pi r^2(\text{cm}^3)$

(원뿔의 부피)$=\dfrac{1}{3}\times\pi\times3^2\times6=18\pi(\text{cm}^3)$

두 도형의 부피가 같으므로

$18\pi r^2=18\pi,\ r^2=1$

$\therefore r=1(\text{cm})\ (\because r>0)$

**17** (구의 부피)$=\dfrac{4}{3}\times\pi\times6^3=288\pi(\text{cm}^3)$

(원뿔의 부피)$=\dfrac{1}{3}\times\pi\times6^2\times6=72\pi(\text{cm}^3)$

$\therefore$ (구의 부피) : (원뿔의 부피)$=288\pi:72\pi$
$=4:1$

> **TIP** 오른쪽 그림과 같이 원기둥에 꼭 맞게 들어가는 구, 원뿔이 있을 때,
> (원뿔의 부피) : (구의 부피) : (원기둥의 부피)
> $=1:2:3$
> 이므로 밑면의 반지름의 길이가 구의 반지름의 길이와 같고 높이는 구의 지름의 길이와 같은 원뿔의 부피는 구의 부피의 $\dfrac{1}{2}$이다. 한편 원뿔의 밑넓이가 일정할 때, 높이가 절반으로 줄어들면 부피도 절반으로 줄어든다. 따라서 밑면의 반지름의 길이와 높이가 모두 구의 반지름의 길이와 같은 원뿔의 부피는 구의 부피의 $\dfrac{1}{4}$이다.

**18** 반지름의 길이가 $12\,\text{cm}$인 쇠공의 부피는

$\dfrac{4}{3}\times\pi\times12^3=2304\pi(\text{cm}^3)$

반지름의 길이가 $4\,\text{cm}$인 쇠공의 부피는

$\dfrac{4}{3}\times\pi\times4^3=\dfrac{256}{3}\pi(\text{cm}^3)$

따라서 만들 수 있는 반지름의 길이가 $4\,\text{cm}$인 쇠공의 개수를 $n$이라 하면

$\dfrac{256}{3}\pi\times n=2304\pi$ $\therefore n=27$

따라서 최대 27개까지 만들 수 있다.

다른 풀이

두 구의 반지름의 길이의 비가 $12:4=3:1$이므로 부피의 비는

$3^3:1^3=27:1$

따라서 반지름의 길이가 $4\,\text{cm}$인 쇠공은 최대 27개까지 만들 수 있다.

**19** 밑면인 원의 반지름의 길이를 $r\,\text{cm}$라 하면 구의 부피는

$\dfrac{4}{3}\pi r^3=120\pi$ $\therefore r^3=90$

(원기둥의 부피)$=\pi\times r^2\times2r=2\pi r^3$
$=180\pi(\text{cm}^3)$

(원뿔의 부피)$=\dfrac{1}{3}\pi\times r^2\times2r=\dfrac{2}{3}\pi r^3=60\pi(\text{cm}^3)$

$\therefore$ (원기둥의 부피)$+$(원뿔의 부피)$=180\pi+60\pi$
$=240\pi(\text{cm}^3)$

다른 풀이

지름의 길이에 관계없이

(원뿔의 부피) : (구의 부피) : (원기둥의 부피)
$=1:2:3$

이므로 구의 부피가 $120\pi\,\text{cm}^3$일 때, 원뿔과 원기둥의 부피는 각각 $60\pi\,\text{cm}^3$, $180\pi\,\text{cm}^3$이므로

(원기둥의 부피)$+$(원뿔의 부피)$=180\pi+60\pi$
$=240\pi(\text{cm}^3)$

**20** 구의 반지름의 길이를 $r\,\text{cm}$라 하면

(구의 부피)$=$(줄어든 물의 양)이므로

$\dfrac{4}{3}\pi r^3=\pi\times15^2\times20,\ r^3=3375$

따라서 $r=15$이므로 구의 겉넓이는

$4\pi r^2=4\pi\times15^2=900\pi(\text{cm}^2)$이다.

| | | | | |
|---|---|---|---|---|
| **1** $\frac{47}{6}$ cm³ | **2** 겉넓이 : 96 cm², 부피 : 48 cm³ | **3** 1296 cm³ | **4** 2 cm | **5** $\frac{8}{3}$ |
| **6** $40\pi$ cm² | **7** 겉넓이 : $140\pi$ cm², 부피 : $112\pi$ cm³ | **8** $88\pi$ cm³ | **9** $33\pi$ cm² | **10** $56\pi$ cm³ |
| **11** $\frac{31}{3}\pi$ | **12** $85\pi$ cm² | **13** 8 : 3 | **14** $\frac{110}{3}\pi$ cm³ | **15** 10분 |
| **16** 35분 | | | | |
| **17** 1 : 26 | **18** $1008\pi$ cm³ | **19** $\frac{32}{3}\pi$ cm³ | **20** 2 cm | **21** 3 : 2 : 1 |
| **22** 6 : $\pi$ : 2 | | | | |
| **23** $32\pi$ cm² | **24** $\pi$ | | | |

**문제 풀이**

**1** 구하는 입체도형의 부피는 정육면체의 부피에서 삼각뿔 B−PQR의 부피를 뺀 것과 같다.

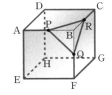

정육면체의 한 모서리의 길이가 2 cm이므로

$\overline{BP}=\overline{BQ}=\overline{BR}=1$(cm)

삼각뿔 B−PQR의 부피는 △PQB를 밑면으로, $\overline{BR}$를 높이로 생각하면

$V=\frac{1}{3}\times\left(\frac{1}{2}\times\overline{BP}\times\overline{BQ}\right)\times\overline{BR}=\frac{1}{6}$(cm³)

∴ (구하는 부피)$=2\times2\times2-\frac{1}{6}=\frac{47}{6}$(cm³)

**2** (겉넓이)=(밑면인 정사각형의 넓이)
$\qquad\qquad+4\times$(옆면인 이등변삼각형의 넓이)

$=6\times6+4\times\left(\frac{1}{2}\times6\times5\right)=36+60$

$=96$(cm²)

(부피)$=\frac{1}{3}\times$(밑넓이)$\times$(높이)

$\qquad=\frac{1}{3}\times6\times6\times4=48$(cm³)

**3** 밑면이 □NFGC이고, 높이가 $\overline{MN}$인 사각기둥이므로

(부피)$=\left\{\frac{1}{2}\times(6+12)\times12\right\}\times12=1296$(cm³)

**TIP** 오른쪽 그림과 같은 정육면체에 대하여 두 점 M, N이 각각 $\overline{AE}$, $\overline{BF}$의 중점일 때, 밑면이 △BNC이고, 높이가 $\overline{AB}$인 삼각기둥의 부피는 정육면체의 부피의 $\frac{1}{4}$이다.

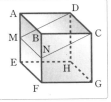

**4** 서술형

**표현 단계** 점선을 따라 접으면 오른쪽 그림과 같은 삼각뿔이 된다.

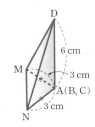

(삼각뿔의 부피)

$=\frac{1}{3}\times$(밑넓이)$\times$(높이)

**변형 단계** △BNM을 밑면으로 하는 삼각뿔의 부피와 △DMN을 밑면으로 하는 삼각뿔의 부피는 같다.

**풀이 단계** (i) △BNM을 밑면으로 하는 삼각뿔의 부피는

(삼각뿔의 부피)

$=\frac{1}{3}\times\triangle BNM\times$(선분 AD의 길이)

$=\frac{1}{3}\times\left(\frac{1}{2}\times3\times3\right)\times6=9$(cm³)

(ii) △DMN을 밑면으로 하는 삼각뿔의 밑넓이는

$\triangle DMN=6\times6-\left(2\times\frac{1}{2}\times6\times3+\frac{1}{2}\times3\times3\right)$

$=\frac{27}{2}$(cm²)

이고, 점 A(C)에서 △DMN에 내린 수선의 길이는 △DMN을 밑면으로 하는 삼각뿔의 높이이므로 이 수선의 길이를 $h$ cm라 하면

(삼각뿔의 부피)$=\frac{1}{3}\times\triangle DMN\times h$

$=\frac{1}{3}\times\frac{27}{2}\times h=\frac{9}{2}h$

(i), (ii)에서 $\frac{9}{2}h=9$ ∴ $h=2$

**확인 단계** 따라서 점 A(C)에서 △DMN에 내린 수선의 길이는 2 cm이다.

**5** 서술형

**표현 단계** [그릇 1, 2]에 담겨 있는 물의 양이 같으므로 물의 부피가 같다.

**변형 단계** [그릇 1]의 물의 양은 삼각뿔의 부피와 같고, [그릇 2]의 물의 양은 삼각기둥의 부피와 같다.

풀이 단계 물의 양을 $V$라 하면 [그릇 1]에서

$$V=\frac{1}{3}\times\left(\frac{1}{2}\times4\times3\right)\times8=16(\mathrm{cm}^3)$$

[그릇 2]에서 $V=\frac{1}{2}\times4\times x\times3=6x(\mathrm{cm}^3)$

[그릇 1, 2]에 담겨 있는 물의 양은 서로 같으므로

$6x=16$

확인 단계 $x$의 값은 $\frac{8}{3}$이다.

**6** 입체도형의 높이를 $h$, 겉넓이를 $S$, 부피를 $V$라 하면

$V=($큰 원기둥의 부피$)-($작은 원기둥의 부피$)$

이므로

$$16\pi=\pi\times\left(\frac{5}{2}\right)^2\times h-\pi\times\left(\frac{3}{2}\right)^2\times h$$

$16\pi=4\pi h$  $\therefore h=4(\mathrm{cm})$

$\therefore S=2\times\{($큰 원기둥의 밑넓이$)-($작은 원기둥의 밑넓이$)\}$
$\qquad+($큰 원기둥의 옆넓이$)+($작은 원기둥의 옆넓이$)$

$$=2\times\left\{\pi\times\left(\frac{5}{2}\right)^2-\pi\times\left(\frac{3}{2}\right)^2\right\}+(5\pi\times4)+(3\pi\times4)$$

$$=40\pi(\mathrm{cm}^2)$$

**7** 서술형

표현 단계 $($겉넓이$)=($밑넓이$)+($옆넓이$)$
$($부피$)=($큰 원뿔의 부피$)-($작은 원뿔의 부피$)$

변형 단계 $($원뿔대의 밑넓이$)=\pi\times4^2+\pi\times8^2$
$($원뿔대의 옆넓이$)=\pi\times8\times10-\pi\times4\times5$
$($큰 원뿔의 부피$)=\frac{1}{3}\times\pi\times8^2\times6$
$($작은 원뿔의 부피$)=\frac{1}{3}\times\pi\times4^2\times3$

풀이 단계 $($원뿔대의 겉넓이$)=(16\pi+64\pi)+(80\pi-20\pi)$
$\qquad\qquad\qquad\qquad=140\pi(\mathrm{cm}^2)$
$($원뿔대의 부피$)=128\pi-16\pi=112\pi(\mathrm{cm}^3)$

확인 단계 겉넓이 : $140\pi\ \mathrm{cm}^2$, 부피 : $112\pi\ \mathrm{cm}^3$

**8** $($부피$)=($원기둥의 부피$)$
$\qquad\qquad-($원뿔의 부피$)$
$\qquad=\pi\times4^2\times6$
$\qquad\quad-\frac{1}{3}\times\pi\times2^2\times6$
$\qquad=88\pi(\mathrm{cm}^3)$

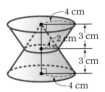

**9**

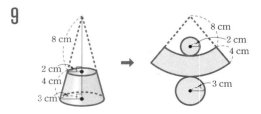

$($겉넓이$)=($밑넓이$)+($옆넓이$)$
$\qquad\quad=(\pi\times2^2+\pi\times3^2)+(\pi\times3\times12-\pi\times2\times8)$
$\qquad\quad=33\pi(\mathrm{cm}^2)$

**10** 회전축을 중심으로 오른쪽 단면과 왼쪽 단면을 각각 돌린 후 두 입체도형을 합쳐서 그리면 다음과 같다.

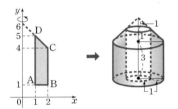

이 회전체는 두 개의 원뿔대를 붙여 놓은 것과 같다.

$($회전체의 부피$)=2\times($원뿔대의 부피$)$

$($원뿔대의 부피$)$
$=($큰 원뿔의 부피$)-($작은 원뿔의 부피$)$
$=\frac{1}{3}\times\pi\times4^2\times6-\frac{1}{3}\times\pi\times2^2\times3=28\pi(\mathrm{cm}^3)$

$($회전체의 부피$)=2\times28\pi=56\pi(\mathrm{cm}^3)$

**11** 1회전 시켜서 생기는 입체도형은 다음과 같다.

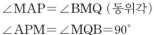

$($회전체의 부피$)$
$=($바깥쪽 원기둥의 부피$)+($큰 원뿔의 부피$)$
$\qquad-($안쪽 원기둥의 부피$)-($작은 원뿔의 부피$)$
$($바깥쪽 원기둥의 부피$)=\pi\times2^2\times3=12\pi$
$($큰 원뿔의 부피$)=\frac{1}{3}\times\pi\times2^2\times2=\frac{8}{3}\pi$
$($안쪽 원기둥의 부피$)=\pi\times1^2\times4=4\pi$
$($작은 원뿔의 부피$)=\frac{1}{3}\times\pi\times1^2\times1=\frac{1}{3}\pi$
$($회전체의 부피$)=12\pi+\frac{8}{3}\pi-4\pi-\frac{1}{3}\pi=\frac{31}{3}\pi$

**12** 원뿔의 밑면의 반지름의 길이를 $r\ \mathrm{cm}$라 하면
원 O의 둘레의 길이는 원뿔의 밑면인 원의 둘레의 길이의
2.4배이므로 $2\pi r\times2.4=2\pi\times12$  $\therefore r=5$
$\therefore ($원뿔의 겉넓이$)=($밑넓이$)+($옆넓이$)$
$\qquad\qquad\qquad\quad=\pi\times5^2+\pi\times5\times12=85\pi(\mathrm{cm}^2)$

**13** $\triangle\mathrm{AMP}$와 $\triangle\mathrm{MBQ}$에서
$\overline{\mathrm{AP}}=\overline{\mathrm{MQ}}=8(\mathrm{cm})$
$\angle\mathrm{MAP}=\angle\mathrm{BMQ}$ (동위각)
$\angle\mathrm{APM}=\angle\mathrm{MQB}=90°$

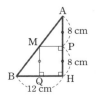

이므로

$\triangle \text{AMP} \equiv \triangle \text{MBQ}$ (ASA 합동)

$\therefore \overline{\text{MP}} = \overline{\text{BQ}} = \overline{\text{QH}} = \frac{1}{2} \times 12 = 6(\text{cm})$

따라서 원기둥의 밑면의 반지름의 길이는 6 cm이므로

$(\text{원뿔의 부피}) = \frac{1}{3} \times \pi \times 12^2 \times 16 = 768\pi(\text{cm}^3)$

$(\text{원기둥의 부피}) = \pi \times 6^2 \times 8 = 288\pi(\text{cm}^3)$

$\therefore (\text{원뿔의 부피}) : (\text{원기둥의 부피}) = 768\pi : 288\pi$

$= 8 : 3$

## 14 서술형

**표현 단계** 주어진 통나무의 밑면의 반지름의 길이를 $r$ cm라 하고, 원뿔과 원기둥의 높이를 각각 $2h$ cm, $3h$ cm라 하자.

**변형 단계** $(\text{원래의 통나무의 부피})$

$= (\text{원뿔의 부피}) + (\text{원기둥의 부피})$

$= \frac{1}{3} \times \pi r^2 \times 2h + \pi r^2 \times 3h = \frac{11}{3}\pi r^2 h(\text{cm}^3)$

$(\text{깎아서 만든 원뿔의 부피})$

$= \frac{1}{3} \times \pi r^2 \times 5h = \frac{5}{3}\pi r^2 h(\text{cm}^3)$

즉, $\frac{11}{3}\pi r^2 h - \frac{5}{3}\pi r^2 h = 20\pi$이므로

$2\pi r^2 h = 20\pi \qquad \therefore h = \frac{10}{r^2}$

**풀이 단계** $(\text{원래 통나무의 부피}) = \frac{11}{3}\pi r^2 h = \frac{11}{3}\pi r^2 \times \frac{10}{r^2}$

**확인 단계** $= \frac{110}{3}\pi(\text{cm}^3)$

## 15

$(\text{측우기의 부피}) = \frac{1}{3} \times \pi \times 6^2 \times 10 = 120\pi(\text{cm}^3)$

측우기에 빗물이 1분에 $12\pi$ cm³씩 채워지고 있으므로 빗물이 완전히 다 채워지는 데까지 걸리는 시간은

$\frac{120\pi}{12\pi} = 10(\text{분})$

## 16 서술형

**표현 단계** 물통의 남은 부분의 부피는 높이가 15 cm인 원뿔대의 부피이다.

**변형 단계** $(\text{원뿔대의 부피})$

$= (\text{큰 원뿔의 부피}) - (\text{작은 원뿔의 부피})$

$= \frac{1}{3} \times \pi \times 10^2 \times 30 - \frac{1}{3} \times \pi \times 5^2 \times 15$

$= 1000\pi - 125\pi = 875\pi(\text{cm}^3)$

**풀이 단계** 더 필요한 시간을 $x$분이라 하면

$(\text{작은 원뿔의 부피}) : (\text{원뿔대의 부피})$

$= 125\pi : 875\pi = 1 : 7$이므로

$1 : 7 = 5 : x \qquad \therefore x = 35$

**확인 단계** 따라서 35분이 더 필요하다.

## 17

$(\text{작은 원뿔의 부피}) = \frac{1}{3} \times \pi \times 8^2 \times 6 = 128\pi(\text{cm}^3)$

$(\text{원뿔대의 부피}) = (\text{큰 원뿔의 부피}) - (\text{작은 원뿔의 부피})$

$= \frac{1}{3} \times \pi \times 24^2 \times 18 - 128\pi$

$= 3328\pi(\text{cm}^3)$

$\therefore (\text{작은 원뿔의 부피}) : (\text{원뿔대의 부피})$

$= 128\pi : 3328\pi = 1 : 26$

## 18

180° 회전 시킨 회전체의 모양은 오른쪽 그림과 같다.

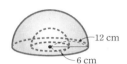

$(\text{부피}) = \frac{1}{2} \times \left( \frac{4}{3}\pi \times 12^3 \right) - \frac{1}{2} \times \left( \frac{4}{3}\pi \times 6^3 \right)$

$= 1008\pi(\text{cm}^3)$

## 19

원기둥의 밑면인 원의 반지름의 길이를 $r$ cm라 하면 높이는 $8r$ cm이므로

$(\text{원기둥의 부피}) = \pi \times r^2 \times 8r = 64\pi(\text{cm}^3)$

$r^3 = 8 \qquad \therefore r = 2$

따라서 공 한 개의 부피는 $\frac{4}{3}\pi \times 2^3 = \frac{32}{3}\pi(\text{cm}^3)$

## 20

남아 있는 물의 높이를 $x$ cm라 하면 빠져나간 물의 높이는 $(6-x)$ cm이다.

$(\text{원기둥에서 빠져나간 물의 양}) = (\text{쇠구슬의 부피})$이므로

$\pi \times 3^2 \times (6-x) = \frac{4}{3} \times \pi \times 3^3$

$6 - x = 4 \qquad \therefore x = 2$

따라서 남아 있는 물의 높이는 2 cm이다.

## 21

직사각형, 반원, 삼각형을 $\overline{\text{BC}}$를 회전축으로 하여 1회전 시키면 오른쪽 그림과 같은 회전체가 된다. 이때 직사각형 ABCD의 $\overline{\text{AB}} = x$라 하면

$\overline{\text{AD}} = 2x$이므로

원기둥의 부피 $V_1 = \pi \times x^2 \times 2x = 2\pi x^3$

구의 부피 $V_2 = \frac{4}{3}\pi x^3$

원뿔의 부피 $V_3 = \frac{1}{3} \times \pi \times x^2 \times 2x = \frac{2}{3}\pi x^3$

$\therefore V_1 : V_2 : V_3 = 2\pi x^3 : \frac{4}{3}\pi x^3 : \frac{2}{3}\pi x^3$

$= 3 : 2 : 1$

## 22 서술형

**표현 단계** 정육면체의 한 모서리의 길이가 $a$ cm이므로 구의 반지름의 길이는 $\dfrac{a}{2}$ cm이다.

또한, 사각뿔의 밑면의 한 변의 길이와 높이는 각각 $a$ cm이다.

**변형 단계** $V_1 = a \times a \times a = a^3 \, (\text{cm}^3)$

$V_2 = \dfrac{4}{3}\pi \times \left(\dfrac{a}{2}\right)^3 = \dfrac{a^3}{6}\pi \, (\text{cm}^3)$

$V_3 = \dfrac{1}{3} \times a \times a \times a = \dfrac{a^3}{3} \, (\text{cm}^3)$

**풀이 단계** $V_1 : V_2 : V_3 = a^3 : \dfrac{a^3}{6}\pi : \dfrac{a^3}{3}$

$\qquad\qquad\quad = 6a^3 : \pi a^3 : 2a^3$

**확인 단계** $\qquad\quad = 6 : \pi : 2$

## 23 반지름의 길이가 4 cm인 구의 $\dfrac{1}{4}$이므로 곡면 부분의 넓이는

$\dfrac{1}{4} \times (4 \times \pi \times 4^2) = 16\pi \, (\text{cm}^2)$

평면 부분의 넓이는

$\left(\dfrac{1}{2} \times \pi \times 4^2\right) \times 2 = 16\pi \, (\text{cm}^2)$

따라서 구하는 겉넓이는 $16\pi + 16\pi = 32\pi \, (\text{cm}^2)$

## 24 (구의 부피)$= \dfrac{4}{3} \times \pi \times 12^3$

$\qquad\qquad\qquad = 2304\pi \, (\text{cm}^3)$

$\therefore a = 2304\pi$

(정팔면체의 부피)

$=$ (정사각뿔의 부피)$\times 2$

$= \left\{\dfrac{1}{3} \times \left(\dfrac{1}{2} \times 24 \times 24\right) \times 12\right\} \times 2 = 2304 \, (\text{cm}^3)$

$\therefore b = 2304$

$\therefore \dfrac{a}{b} = \dfrac{2304\pi}{2304} = \pi$

**문제 풀이**

**1** (구하는 부피)=(정육면체 부피)−(삼각뿔의 부피)

$$=a^3-\frac{1}{3}\times\left(\frac{1}{2}\times a\times a\right)\times a=\frac{5}{6}a^3$$

**2** 4개의 삼각뿔 A−BCF, A−EFH, C−ADH, C−FGH의 부피는 모두 같으므로

(삼각뿔 C−AFH의 부피)

=(정육면체의 부피)−(삼각뿔 C−FGH의 부피)×4

$$=6^3-\left\{\frac{1}{3}\times\left(\frac{1}{2}\times6\times6\right)\times6\right\}\times4$$

$$=216-36\times4=72(\mathrm{cm}^3)$$

**3** 주어진 도형을 1회전 시키면 오른쪽 그림과 같은 입체도형이 된다. 이때 $\overline{BH}$의 길이를 $r\,\mathrm{cm}$라 하면

(△ABC의 넓이)$=\frac{1}{2}\times3\times4$

$$=\frac{1}{2}\times5\times r$$

$$\therefore r=\frac{12}{5}$$

위쪽 원뿔의 높이를 $h_1\,\mathrm{cm}$, 아래쪽 원뿔의 높이를 $h_2\,\mathrm{cm}$라 하면 회전체의 부피는

(위쪽 원뿔의 부피)+(아래쪽 원뿔의 부피)이므로

$$(부피)=\frac{1}{3}\times\pi\times\left(\frac{12}{5}\right)^2\times h_1+\frac{1}{3}\times\pi\times\left(\frac{12}{5}\right)^2\times h_2$$

$$=\frac{48}{25}\pi h_1+\frac{48}{25}\pi h_2=\frac{48}{25}\pi(h_1+h_2)$$

$$=\frac{48}{25}\pi\times5=\frac{48}{5}\pi(\mathrm{cm}^3)$$

**4** $12=12\times1\times1=6\times2\times1=4\times3\times1=3\times2\times2$이므로 가로로 $a$개, 세로로 $b$개, 높이로 $c$개 붙였다고 하면

(ⅰ) $a\times b\times c=12\times1\times1$일 때

(겉넓이)$=2\times(12+1+12)=50(\mathrm{cm}^2)$

(ⅱ) $a\times b\times c=6\times2\times1$일 때

(겉넓이)$=2\times(6+2+12)=40(\mathrm{cm}^2)$

(ⅲ) $a\times b\times c=4\times3\times1$일 때

(겉넓이)$=2\times(4+3+12)=38(\mathrm{cm}^2)$

(ⅳ) $a\times b\times c=3\times2\times2$일 때

(겉넓이)$=2\times(6+4+6)=32(\mathrm{cm}^2)$

따라서 겉넓이가 최소가 되는 직육면체의 겉넓이는 $32\,\mathrm{cm}^2$이다.

**5** 정육면체의 한 모서리의 길이를 $a\,\mathrm{cm}$라 하면

(정육면체의 부피)$=a^3=18(\mathrm{cm}^3)$

$\therefore$ (정팔면체의 부피)=(정사각뿔의 부피)×2

$$=\left\{\frac{1}{3}\times\left(\frac{1}{2}\times a\times a\right)\times\frac{a}{2}\right\}\times2$$

$$=\frac{1}{6}a^3$$

$$=\frac{1}{6}\times18$$

$$=3(\mathrm{cm}^3)$$

**6** 정육면체 모양의 쌓기나무의 각 면은 정사각형으로 이루어져 있다. 입체도형의 겉에 나타난 정사각형의 개수를 구해보면 윗면과 밑면에 나타난 정사각형의 개수는

$4\times4\times2=32$

옆면에 나타난 정사각형의 개수는 $4\times3\times4+2=50$

이때 쌓기나무의 한면인 정사각형의 넓이는

$3\times3=9(\mathrm{cm}^2)$

이므로 구하는 겉넓이는

$(32+50)\times9=738(\mathrm{cm}^2)$

**7** 주어진 전개도로 입체도형을 만들면 오른쪽 그림과 같다. 따라서 구하는 입체 도형의 부피는

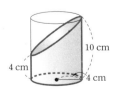

(원기둥의 부피)

        −(잘린 부분의 부피)

$$=\pi\times4^2\times10-\frac{1}{2}\times(\pi\times4^2\times6)$$

$$=160\pi-48\pi=112\pi(\mathrm{cm}^3)$$

**8** △DHC와 △FGD에서

$\overline{HC}=\overline{GD}=4(cm)$

$\angle DHC=\angle FGD=90°$

$\angle DCH=\angle FDG$ (동위각)

이므로

$\triangle DHC\equiv\triangle FGD$ (ASA 합동)

$\therefore \overline{FG}=\overline{DH}=\overline{GB}=3(cm)$

따라서 주어진 도형을 1회전 시키면 오른쪽 그림과 같은 입체도형이 된다.

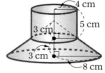

(원기둥의 부피)$=\pi\times 4^2\times 5$

$\qquad\qquad\qquad =80\pi(cm^3)$

(원뿔대의 부피)$=\frac{1}{3}\times\pi\times 8^2\times 6-\frac{1}{3}\times\pi\times 4^2\times 3$

$\qquad\qquad\qquad =112\pi(cm^3)$

따라서 구하는 회전체의 부피는

$80\pi+112\pi=192\pi(cm^3)$

**9** 음식물을 작은 알갱이로 분해할수록 알갱이의 겉넓이, 즉 음식물에 소화액이 닿는 부분이 넓어지게 되므로 소화가 더 잘된다.

**10** 가로, 세로, 높이가 각각 2 cm, 4 cm, 6 cm인 직육면체의 부피는 $2\times 4\times 6=48(cm^3)$이고, 가로, 세로, 높이가 각각 $\frac{1}{2}$씩 줄어든 직육면체의 부피는

$1\times 2\times 3=6(cm^3)$이다.

따라서 비누를 사용하면 사용할수록 비누의 크기가 줄어드는 속도는 빨라진다.

**11** 윗면의 반지름의 길이가 20 cm일 때 휴지 한 바퀴를 돌려서 사용하는 휴지의 길이는 40$\pi$ cm이지만, 윗면의 반지름의 길이가 10 cm가 되면 휴지 한 바퀴를 돌려서 사용하는 휴지의 길이는 20$\pi$ cm가 되므로 같은 길이의 휴지를 사용하려면 두 바퀴를 돌려야 한다. 따라서 윗면의 반지름의 길이가 줄어들수록 남은 휴지의 양은 급격히 줄어든다.

| | | | | | |
|---|---|---|---|---|---|
| **1** ② | **2** 삼각기둥 | **3** ㅁ, ㅅ | **4** 5 | **5** 면 IDJ | **6** 풀이 참조 |
| **7** 44 | **8** ③, ⑤ | **9** ①, ④ | **10** ②, ④ | **11** ⑤ | **12** $12\pi$ cm² |
| **13** $480\pi$ cm³ | **14** $66\pi$ cm² | **15** ② | **16** 105 cm³ | **17** $112\pi$ cm³ | **18** $216\pi$ cm² |
| **19** ③ | **20** $\dfrac{1600}{9}\pi$ cm² | **21** $432\pi$ cm³ | **22** $36\pi$ cm³ | **23** $125\pi$ cm² | |

### 문제 풀이

**1** 다면체와 그 옆면의 모양은 각각 다음과 같다.
① 사각뿔–삼각형 　　　③ 육각기둥–직사각형
④ 오각뿔–삼각형 　　　⑤ 오각기둥–직사각형

**2** (나), (다)에서 두 밑면이 평행하고 합동이므로 각기둥
또는 원기둥이고, (라)에서 옆면은 모두 직사각형이므로 각
기둥이다.
따라서 (가)에 의해 오면체가 되는 각기둥은 삼각기둥이다.

**3** 각 면이 모두 합동이고, 각 꼭짓점에 모인 면의 개수
가 같은 다면체는 정다면체이다.
따라서 보기에서 정다면체는 ㅁ. 정팔면체, ㅅ. 정사면체이다.

**4** 면의 개수가 가장 적은 정다면체는 정사면체이고, 꼭
짓점의 개수는 4이므로 $a=4$
면의 개수가 가장 많은 정다면체는 정이십면체이고, 면의
개수는 20이므로 $b=20$
$\therefore \dfrac{b}{a}=\dfrac{20}{4}=5$

**5** 주어진 전개도로 만들어지
는 입체도형은 오른쪽 그림과
같다.
따라서 면 HEG와 평행한 면은
면 IDJ이다.

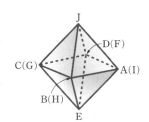

**6** ㄹ.

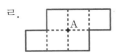

한 꼭짓점에 모이는 각의 크기의 합이 360°보다 작아야
하는데 꼭짓점 A에 모이는 각의 크기의 합이
$90°\times4=360°$가 되기 때문에 정육면체를 만들 수 없다.

**7** 꼭짓점, 모서리, 면의 개수는 각각 14, 21, 9이므로
$14+21+9=44$

**8** 한 꼭짓점에 모이는 면의 개수는 각각 다음과 같다.
① 정사면체 : 3 　　　② 정육면체 : 3
③ 정팔면체 : 4 　　　④ 정십이면체 : 3
⑤ 정이십면체 : 5

**9** ①  　　④

**10** ② 구를 자른 단면은 모두 원으로 모양은 같지만 크기
가 다르므로 합동이 아니다.
④ 원기둥을 밑면에 수직인 평면으로 자른 단면은 직사각
형이다.

①  　②  　③

④  　⑤

**11** 직선 $l$을 회전축으로 하여 1회전 시키면 다음과 같은
회전체가 된다.

① 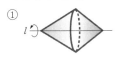 　　②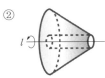

③ 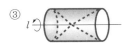 　　④

따라서 주어진 그림과 같은 회전체가 되는 것은 ⑤이다.

**12** 직선 $l$을 회전축으로 하여 1회전
시킨 회전체는 도넛 모양이고 원의
중심 O를 지나면서 회전축에 수직인
평면으로 자르면 그 단면은 오른쪽

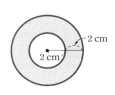

그림과 같다.
따라서 구하는 단면의 넓이는
$$\pi \times 4^2 - \pi \times 2^2 = 12\pi \, (\text{cm}^2)$$

**13** 구하는 입체도형의 부피를 $V$라 하면
$V = (\text{큰 원기둥의 부피}) - (\text{작은 원기둥의 부피})$
$\quad = \pi \times 7^2 \times 20 - \pi \times 5^2 \times 20 = 480\pi \, (\text{cm}^3)$

**14** 1회전 시킬 때 생기는 회전
체는 오른쪽 그림과 같다.
$(\text{회전체의 밑넓이})$
$= (\text{아래 원기둥의 밑넓이}) \times 2$
$= \pi \times 5^2 \times 2 = 50\pi \, (\text{cm}^2)$
$(\text{회전체의 옆넓이})$
$= (\text{위 원기둥의 옆넓이}) + (\text{아래 원기둥의 옆넓이})$
$= 2\pi \times 1 \times 3 + 2\pi \times 5 \times 1 = 16\pi \, (\text{cm}^2)$
$\therefore (\text{겉넓이}) = 50\pi + 16\pi = 66\pi \, (\text{cm}^2)$

**15** $(\text{부피}) = \dfrac{1}{3} \times (\triangle \text{ABF의 넓이}) \times \overline{\text{BC}}$
$\qquad\quad = \dfrac{1}{3} \times \left(\dfrac{1}{2} \times 5 \times 4\right) \times 3 = 10 \, (\text{cm}^3)$

**16** $(\text{부피}) = (\text{큰 사각뿔의 부피}) - (\text{작은 사각뿔의 부피})$
$\qquad\quad = \dfrac{1}{3} \times 6 \times 6 \times 10 - \dfrac{1}{3} \times 3 \times 3 \times 5 = 105 \, (\text{cm}^3)$

**17** 1회전 시킬 때 생기는 회전
체는 오른쪽 그림과 같으므로
$(\text{부피}) = (\text{원뿔의 부피})$
$\qquad\qquad + (\text{원기둥의 부피})$
$\quad = \dfrac{1}{3} \times \pi \times 3^2 \times 4 + \pi \times 5^2 \times 4 = 112\pi \, (\text{cm}^3)$

**18** $(\text{겉넓이}) = (\text{원뿔의 옆넓이}) + (\text{원기둥의 옆넓이})$
$\qquad\qquad\qquad + (\text{원기둥의 밑넓이})$
$\quad = \pi \times 6 \times 10 + 2\pi \times 6 \times 10 + \pi \times 6^2$
$\quad = 216\pi \, (\text{cm}^2)$

**19** 원 A의 둘레의 길이는 원뿔의 밑면인 원의 둘레의 길
이의 2배이다.
원뿔의 밑면의 반지름의 길이를 $r \, \text{cm}$라 하면
$2\pi \times 10 = 2\pi r \times 2 \qquad \therefore r = 5$
따라서 밑면의 반지름의 길이는 $5 \, \text{cm}$이다.

**20** 원뿔의 밑면인 원의 반지름의
길이를 $r \, \text{cm}$라 하면
$(\text{밑면인 원의 둘레의 길이})$
$= (\text{부채꼴의 호의 길이})$
이므로
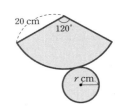
$2\pi r = 2\pi \times 20 \times \dfrac{120}{360} \qquad \therefore r = \dfrac{20}{3}$
$\therefore (\text{겉넓이}) = (\text{밑넓이}) + (\text{옆넓이})$
$\qquad\qquad = \pi \times \left(\dfrac{20}{3}\right)^2 + \pi \times \dfrac{20}{3} \times 20$
$\qquad\qquad = \dfrac{1600}{9}\pi \, (\text{cm}^2)$

> **TIP** 원뿔의 전개도에 대하여 옆면인 부채꼴의 반지름의 길이가 $l$, 중심
> 각의 크기가 $\angle x$이고 밑면인 원의 반지름의 길이가 $r$일 때,
> $r = \dfrac{\angle x}{360°} \times l$

**21** $(\text{부피}) = (\text{반구의 부피}) + (\text{원기둥의 부피})$
$\qquad\quad = \dfrac{4}{3} \times \pi \times 6^3 \times \dfrac{1}{2} + \pi \times 6^2 \times 8 = 432\pi \, (\text{cm}^3)$

**22** 정육면체의 한 모서리의 길이를 $a \, \text{cm}$라 하면 정육면
체의 부피가 $216 \, \text{cm}^3$이므로
$a^3 = 216 = 6^3 \qquad \therefore a = 6$
따라서 구의 반지름의 길이는 $\dfrac{1}{2} \times 6 = 3 \, (\text{cm})$이므로
$(\text{구의 부피}) = \dfrac{4}{3} \times \pi \times 3^3 = 36\pi \, (\text{cm}^3)$

**23** $([\text{그림 2}]\text{의 겉넓이})$
$\quad = \dfrac{1}{8} \times (\text{구의 겉넓이}) + 3 \times \left\{\dfrac{1}{4} \times (\text{원의 넓이})\right\}$
$\quad = \dfrac{1}{8} \times (4\pi \times 10^2) + 3 \times \left\{\dfrac{1}{4} \times (\pi \times 10^2)\right\}$
$\quad = 125\pi \, (\text{cm}^2)$

# 1 도수분포표와 그래프

## 1<sup>STEP</sup> 주제별 실력다지기

128~137쪽

**1** (1) 풀이 참조  (2) 20 %      **2** 15점      **3** ㄴ, ㅅ      **4** (1) 62.5 kg  (2) 30 %  (3) 5명

**5** (1) 165 cm  (2) 11명  (3) 28명  (4) 160 cm      **6** 4      **7** ㄹ, ㅂ

**8** (1) 10  (2) 34 %  (3) 80점  (4) 60점 이상 80점 미만, 46명      **9** (1) 36명  (2) 37.5 %

**10** (1) 8개  (2) 4할  (3) $\frac{4}{3}a$      **11** ①, ④      **12** (1) 풀이 참조  (2) 15  (3) 50 %

**13** (1) 7명  (2) 147.5 cm  (3) 40      **14** (1) 50명  (2) 16명  **15** (1) 남학생, 14명  (2) 600 cm  (3) 36 : 25

**16** (1) ㄴ  (2) ㄷ  (3) ㄹ  (4) ㄱ      **17** ②      **18** ㅂ, ㅇ      **19** 0.05      **20** 0.1

**21** 2 : 9      **22** 1 : 3      **23** $\frac{4x+3y}{7}$      **24** 20 %      **25** 60명

**26** (1) 12명  (2) 35  (3) 40 %      **27** (1) A : 100명, B : 200명  (2) 100  (3) 0

---

### 최상위 08
**NOTE** 도수분포다각형과 가로축으로 둘러싸인 부분의 넓이

오른쪽 그림과 같이 히스토그램 위에
도수분포다각형을 그렸을 때,
△ACB와 △ECD에 대하여 $\overline{AB}=\overline{DE}$,
∠ACB=∠ECD이고
∠ABC=∠EDC=90°이므로
∠BAC=∠DEC
∴ △ACB≡△ECD (ASA 합동)
따라서 △ACB와 △ECD의 넓이는 서로 같다.

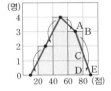

마찬가지로 생각하면 직사각형에서 도수분포다각형 바깥쪽에 있는 부분을 비어있는 안쪽 부분으로 이동시킬 수 있다. 즉, 도수분포다각형과 가로축으로 둘러싸인 부분의 넓이는 히스토그램의 직사각형의 넓이의 합과 같다.

**1** (1)

| 줄기 | 잎 |
|---|---|
| 0 | 7 8 7 |
| 1 | 2 0 9 2 |
| 2 | 5 4 7 7 0 1 |
| 3 | 7 8 |

(2) 줄기가 1이고 잎이 5 이상인 것은 19 m로 1개이고, 줄기가 2이고 잎이 3 이하인 것은 20 m, 21 m로 2개이므로 15 m 이상 23 m 이하를 던진 학생 수는

$1+2=3$(명)이다. 또한 전체 학생 수는 잎의 개수와 같으므로 $3+4+6+2=15$(명)이다.

따라서 15 m 이상 23 m 이하를 던진 학생은 전체의

$\dfrac{3}{15} \times 100 = 20$(%)이다.

> **TIP 백분율 구하기**
>
> 백분율(%)$= \dfrac{(비교하는\ 양)}{(전체의\ 양)} \times 100$

**2** 남학생의 점수의 합을 구하면

$55+64+61+69+78+77+70+86+82+90$
$=732$(점)

여학생의 점수의 합을 구하면

$58+51+64+62+73+75+72+84+85+93$
$=717$(점)

따라서 남학생의 점수의 합과 여학생의 점수의 합의 차는

$732-717=15$(점)이다.

**3** ㄴ. 계급의 가운데 값을 계급값이라 한다.

ㅅ. 계급의 개수가 너무 많거나 적으면 정확한 분포 상태를 파악하기 어렵다.

**4** (1) 45 kg 이상 50 kg 미만인 계급에 속하는 도수는

$30-(6+10+8+1)=5$(명)

따라서 도수가 가장 작은 계급은 60 kg 이상 65 kg 미만이므로 이 계급의 계급값은

$\dfrac{60+65}{2}=62.5$(kg)

(2) 몸무게가 55 kg 이상인 학생은 $8+1=9$(명)이므로 전체의 $\dfrac{9}{30} \times 100 = 30$(%)이다.

(3) 몸무게가 20번째로 무거운 학생이 속하는 계급은 45 kg 이상 50 kg 미만이므로 이 계급의 도수는 5명이다.

**5** 주어진 표에서 계급의 크기는 $147.5-142.5=5$(cm)

이고, 계급값이 $A$, 계급의 크기가 $a$인 계급은 $A-\dfrac{1}{2}a$ 이

상 $A+\dfrac{1}{2}a$ 미만이므로 도수분포표로 나타내면 다음과 같다.

| 키(cm) | 계급값(cm) | 도수(명) |
|---|---|---|
| 140$^{이상}$ ~ 145$^{미만}$ | 142.5 | 5 |
| 145 ~ 150 | 147.5 | 7 |
| 150 ~ 155 | 152.5 | 20 |
| 155 ~ 160 | 157.5 | 15 |
| 160 ~ 165 | 162.5 | 11 |
| 165 ~ 170 | 167.5 | 2 |
| 합계 | | 60 |

(1) 키가 가장 큰 학생이 속하는 계급은 165 cm 이상 170 cm 미만이므로 키가 가장 큰 학생의 키는 최소한 165 cm 이상이다.

(2) 키가 163 cm인 학생이 속하는 계급은 160 cm 이상 165 cm 미만으로 이 계급의 도수는 11명이다.

(3) 키가 155 cm 이상인 학생은

$15+11+2=28$(명)

(4) 키가 10번째로 큰 학생이 속하는 계급은 160 cm 이상 165 cm 미만이므로 키가 10번째로 큰 학생의 키는 최소한 160 cm 이상이다.

**6** 기록이 15.0초 이상 16.0초 미만인 학생은 $a$명, 기록이 16.0초 이상 17.0초 미만인 학생은 $b$명이므로 도수분포표로 나타내면 다음과 같다.

| 기록(초) | 도수(명) |
|---|---|
| 14.0$^{이상}$ ~ 15.0$^{미만}$ | 4 |
| 15.0 ~ 16.0 | $a$ |
| 16.0 ~ 17.0 | $b$ |
| 17.0 ~ 18.0 | 12 |
| 합계 | 60 |

기록이 16.0초 미만인 학생이 전체의 40 %이므로

$4+a=60 \times \dfrac{40}{100}$, $4+a=24$   $\therefore a=20$

또, 나연이네 반 전체 학생 수는 60명이므로

$4+20+b+12=60$   $\therefore b=24$

$\therefore |a-b|=|20-24|=4$

**7** ㄹ. 각 계급에 속하는 직사각형의 세로의 길이는 도수를 나타내므로 일정하지 않다.

ㅂ. 히스토그램에서 각 직사각형의 넓이는 각 계급의 도수에 정비례한다.

**8** 히스토그램을 도수분포표로 나타내면 다음과 같다.

| 계급(점) | 계급값(점) | 도수(명) |
|---|---|---|
| 30<sup>이상</sup>~ 40<sup>미만</sup> | 35 | 10 |
| 40 ~ 50 | 45 | 14 |
| 50 ~ 60 | 55 | 20 |
| 60 ~ 70 | 65 | 30 |
| 70 ~ 80 | 75 | 16 |
| 80 ~ 90 | 85 | 8 |
| 90 ~ 100 | 95 | 2 |
| 합계 | | 100 |

(1) 계급값이 55점인 계급은 50점 이상 60점 미만이고, 이 계급의 도수는 20명이므로 $a=20$

또, 계급값이 95점인 계급은 90점 이상 100점 미만이고, 이 계급의 도수는 2명이므로 $b=2$

$\therefore \dfrac{a}{b}=\dfrac{20}{2}=10$

(2) 전체 학생 수가 100명이고, 40점 이상 60점 미만인 학생은 $14+20=34$(명)이므로 40점 이상 60점 미만인 학생은 전체의 $\dfrac{34}{100}\times100=34$(%)이다.

(3) 성적이 상위 10 % 이내에 들려면 $100\times\dfrac{10}{100}=10$(명)

이내에 들어야 한다. 성적이 높은 쪽에서 열 번째인 학생이 속하는 계급은 80점 이상 90점 미만이므로 상위 10 % 이내에 들려면 최소한 80점을 받아야 한다.

(4) 20점부터 시작하여 계급의 크기가 20점인 도수분포표로 나타내면 다음과 같다.

| 계급(점) | 도수(명) |
|---|---|
| 20<sup>이상</sup>~ 40<sup>미만</sup> | 10 |
| 40 ~ 60 | 34 |
| 60 ~ 80 | 46 |
| 80 ~ 100 | 10 |
| 합계 | 100 |

따라서 도수가 가장 큰 계급은 60점 이상 80점 미만이고, 그 계급의 도수는 46명이다.

**9** (1) 70점 이상 80점 미만인 계급의 도수는
$80-(4+8+18+12+2)=36$(명)

(2) 성적이 70점 미만인 학생은 $4+8+18=30$(명)이므로 전체의 $\dfrac{30}{80}\times100=37.5$(%)이다.

**10** (1) 계급은 변량을 나눈 구간이므로 계급의 개수는 8개이다.

(2) 25분 이상 30분 미만인 계급의 도수는
$60-(4+6+16+10+8+6+2)=8$(명)
이므로 통학 시간이 20분 이상 걸리는 학생은

$8+8+6+2=24$(명)

따라서 $\dfrac{24}{60}=0.4$, 즉 전체의 4할이다.

(3) 직사각형의 가로의 길이가 일정하므로 직사각형의 넓이는 세로의 길이에 해당하는 도수에 정비례한다.

5분 이상 10분 미만인 계급의 도수는 6명, 25분 이상 30분 미만인 계급의 도수는 8명이므로 25분 이상 30분 미만인 계급에 해당하는 직사각형의 넓이를 $x$라 하면

$6:a=8:x$

따라서 $x$를 $a$에 대한 식으로 나타내면

$8a=6x,\ x=\dfrac{8}{6}a$ $\therefore x=\dfrac{4}{3}a$

**11** ① (계급의 계급값, 계급의 도수)의 순서쌍을 구하고, 선분으로 연결하면 도수분포다각형이 된다.

④ 히스토그램의 각 직사각형의 윗변의 중점을 차례로 연결하여 만든 것이 도수분포다각형이다.

**12** (1)

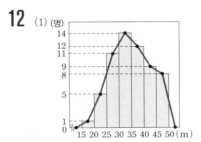

(2) 도수가 가장 큰 계급은 30 m 이상 35 m 미만이므로 이 계급의 계급값은 $\dfrac{30+35}{2}=32.5$(m)이다.

따라서 $a=32.5$

또, 도수가 가장 작은 계급은 15 m 이상 20 m 미만이므로 이 계급의 계급값은 $\dfrac{15+20}{2}=17.5$(m)이다.

따라서 $b=17.5$

$\therefore a-b=32.5-17.5=15$

(3) 던지기 기록이 20 m 이상 35 m 미만인 학생 수는
$5+11+14=30$(명)이므로 전체의
$\dfrac{30}{60}\times100=50$(%)이다.

**13** 도수분포다각형을 도수분포표로 나타내면 다음과 같다.

| 계급(cm) | 도수(명) |
|---|---|
| 140<sup>이상</sup>~ 145<sup>미만</sup> | 2 |
| 145 ~ 150 | 10 |
| 150 ~ 155 | 13 |
| 155 ~ 160 | 8 |
| 160 ~ 165 | 4 |
| 165 ~ 170 | 3 |
| 합계 | 40 |

(1) 키가 160 cm 이상인 학생은 4+3=7(명)이다.

(2) 키가 작은 쪽에서 10번째인 학생이 속하는 계급은 145 cm 이상 150 cm 미만이므로 이 계급의 계급값은 $\dfrac{145+150}{2}=147.5$(cm)

(3) 도수분포다각형과 가로축으로 둘러싸인 부분의 넓이는 히스토그램의 넓이와 같고, 히스토그램의 넓이는 (계급의 크기)×(도수의 총합)이다. 따라서 가로의 한 눈금의 길이가 1이므로 계급의 크기를 1로 두면 (도수분포다각형과 가로축으로 둘러싸인 부분의 넓이) $=1\times40=40$

**14** (1) 현정이네 반 전체 학생 수를 $x$명이라 하면 몸무게가 45 kg 이상 50 kg 미만인 학생이 전체의 $\dfrac{1}{5}$이고, 이 계급의 도수가 10명이므로 $x\times\dfrac{1}{5}=10$  ∴ $x=50$

따라서 전체 학생 수는 50명이다.

(2) 몸무게가 60 kg 이상인 학생 수를 $a$명이라 하면 60 kg 미만인 학생 수는 $4a$명이고, 전체 학생 수가 50명이므로

$a+4a=50$, $5a=50$  ∴ $a=10$

즉, 60 kg 미만인 학생 수는

$4\times a=4\times10=40$(명)

이므로 몸무게가 50 kg 이상 55 kg 미만인 학생을 $b$명이라 하면

$4+10+b+10=40$  ∴ $b=16$

따라서 50 kg 이상 55 kg 미만인 계급의 도수는 16명이다.

다른 풀이

(2) 50 kg 이상 55 kg 미만인 계급의 도수를 $a$명, 65 kg 이상 70 kg 미만인 계급의 도수를 $b$명이라 하자.

학급 전체 학생 수는 50명이므로

$4+10+a+10+6+b=50$,

$30+a+b=50$, $a+b=20$  ······ ㉠

몸무게가 60 kg 미만인 학생 수는

$4+10+a+10=24+a$(명), 몸무게가 60 kg 이상인 학생 수는 $6+b$(명)이고, 몸무게가 60 kg 미만인 학생 수가 60 kg 이상인 학생 수의 4배이므로

$24+a=4\times(6+b)$,

$24+a=24+4b$, $a=4b$  ······ ㉡

㉡을 ㉠에 대입하면

$a+b=4b+b=5b=20$  ∴ $b=4$

∴ $a=4\times b=4\times4=16$

따라서 50 kg 이상 55 kg 미만인 계급의 도수는 16명이다.

**15** (1) 키가 145 cm 이상 155 cm 미만인 여학생과 남학생은 각각 14+8=22(명), 12+24=36(명)이다.

따라서 키가 145 cm 이상 155 cm 미만인 학생은 남학생이 14명 더 많다.

(2)

| 남학생보다 여학생이 더 많은 계급(cm) | 계급값(cm) |
|---|---|
| 135$^{이상}$ ~ 140$^{미만}$ | 137.5 |
| 140 ~ 145 | 142.5 |
| 145 ~ 150 | 147.5 |
| 170 ~ 175 | 172.5 |

따라서 남학생보다 여학생이 더 많은 계급의 계급값의 합은

$137.5+142.5+147.5+172.5=600$(cm)

(3) 도수분포다각형과 가로축으로 둘러싸인 부분의 넓이는 도수의 총합에 비례하므로 남학생과 여학생의 도수의 총합을 구하여 그 비를 구하면 된다.

남학생의 도수의 총합은

$8+12+24+14+10+4=72$(명)이고,

여학생의 도수의 총합은

$2+10+14+8+4+6+4+2=50$(명)

이므로 남학생과 여학생 각각의 도수분포다각형과 가로축으로 둘러싸인 부분의 넓이의 비는

$72:50=36:25$

> **TIP** 도수분포다각형과 가로축으로 둘러싸인 부분의 넓이는 (계급의 크기)×(도수의 총합)의 값과 같으므로 계급의 크기가 같을 때, 도수분포다각형과 가로축으로 둘러싸인 부분의 넓이의 비는 도수의 총합의 비와 같다.

**16** (1) 성적이 우수한 학생이 많으면 그래프는 성적이 높은 쪽인 오른쪽으로 치우친 그래프가 그려진다. : ㄴ

(2) 어려운 문제가 많이 출제되었으므로 성적이 낮은 쪽인 왼쪽에 많이 분포한다. 따라서 왼쪽으로 치우친 그래프가 그려진다. : ㄷ

(3) 아침, 저녁으로 출퇴근하는 자동차가 많기 때문에 M자 형 곡선이 생긴다. : ㄹ

(4) 성적이 고른 반의 성적은 가운데에 가장 많은 학생이 분포하기 때문에 대칭형 곡선이 생긴다. : ㄱ

**17** 자료가 가장 고르게 분포되어 있는 경우의 도수분포곡선은 대칭형으로 나타나며, 대칭형 중에서도 폭이 좁을수록 분포가 고르다.

즉, ②와 ⑤는 모두 대칭형이지만, ⑤보다 ②의 폭이 더 좁으므로 ②가 가장 고르게 분포되어 있다고 할 수 있다.

**18** ㄴ. (어떤 계급의 도수)
=(도수의 총합)×(그 계급의 상대도수)

ㅇ. 전체 도수가 다른 두 자료에서는 도수가 크다고 해서 상대도수도 크다고 할 수 없다.

**19** 1반 학생 중 A형인 학생의 상대도수는

$a=\dfrac{5}{20}=0.25$

2반 학생 중 O형인 학생의 상대도수는

$b=\dfrac{8}{40}=0.2$

$\therefore a-b=0.25-0.2=0.05$

**20** (도수의 총합)$=\dfrac{(\text{그 계급의 도수})}{(\text{어떤 계급의 상대도수})}$

$\qquad\qquad\qquad =\dfrac{8}{0.4}=20(\text{명})$

$\therefore a=\dfrac{2}{20}=0.1$

**다른 풀이**

도수와 상대도수는 정비례 관계이므로 도수가 8명에서 2명으로 $\dfrac{1}{4}$이 되었으므로 상대도수도 $\dfrac{1}{4}$이 된다.

따라서 $a=0.4\times\dfrac{1}{4}=0.1$

**21** 전체 학생 수의 비가 $3:1$이므로 두 반의 전체 학생 수를 각각 $3a$명, $a$명이라 하고, 어떤 계급의 도수의 비가 $2:3$이므로 도수를 각각 $2b$명, $3b$명이라 하면 상대도수의 비는

$\dfrac{2b}{3a}:\dfrac{3b}{a}=\dfrac{2}{3}:3=2:9$

**22** A, B 두 중학교의 1학년 학생 수를 $a$명이라 하면

A 중학교의 1학년 학생의 상대도수는 $\dfrac{a}{1350}$

B 중학교의 1학년 학생의 상대도수는 $\dfrac{a}{450}$

따라서 1학년 학생의 상대도수의 비는

$\dfrac{a}{1350}:\dfrac{a}{450}=1:3$

**23** 두 반을 합반했을 때, 전체 학생 수는

$40+30=70(\text{명})$

1반에서 혈액형이 A형인 학생 수는 $40x$명, 2반에서 혈액형이 A형인 학생 수는 $30y$명이므로 두 반에서 혈액형이 A형인 학생은

$(40x+30y)$명

따라서 두 반을 합반했을 때, 혈액형이 A형인 학생의 상대도수는

$\dfrac{40x+30y}{70}=\dfrac{4x+3y}{7}$

**24** 키가 140 cm 이상 145 cm 미만인 계급의 상대도수를 $x$라 하면 키가 140 cm 이상인 학생은 전체의 32 %이므로

$(x+0.2)\times100=32$ $\qquad \therefore x=0.12$

또, 상대도수의 총합은 1이므로 키가 130 cm 이상 135 cm 미만인 계급의 상대도수를 $y$라 하면

$y=1-(0.06+0.18+0.24+0.12+0.2)=0.2$

따라서 키가 130 cm 이상 135 cm 미만인 학생은 전체의 $0.2\times100=20(\%)$이다.

**25** 계급의 도수는 학생 수이므로 정수이다.

즉, (도수의 총합)×(어떤 계급의 상대도수)가 정수이어야 하므로 도수의 총합은 상대도수의 분모들의 공배수이어야 한다.

따라서 전체 학생 수가 될 수 있는 수 중에서 가장 작은 수는 상대도수의 분모 10, 5, 4, 6, 12의 최소공배수이므로

$2^2\times3\times5=60(\text{명})$이다.

$$
\begin{array}{r|lllll}
2 & 10 & 5 & 4 & 6 & 12 \\ \hline
2 & 5 & 5 & 2 & 3 & 6 \\ \hline
3 & 5 & 5 & 1 & 3 & 3 \\ \hline
5 & 5 & 5 & 1 & 1 & 1 \\ \hline
& 1 & 1 & 1 & 1 & 1
\end{array}
$$

> **TIP** 세 자연수 $a$, $b$, $c$에 대하여
> $\dfrac{1}{a}\times N$, $\dfrac{1}{b}\times N$, $\dfrac{1}{c}\times N$이 모두 자연수가 되려면 $N$은 $a$의 배수, $b$의 배수, $c$의 배수이어야 한다. 즉, $N$은 세 자연수 $a$, $b$, $c$의 공배수이어야 한다.

**26** 상대도수의 분포표로 나타내면 다음과 같다.

| 성적(점) | 상대도수 |
|---|---|
| 40<sup>이상</sup> ~ 50<sup>미만</sup> | 0.1 |
| 50 ~ 60 | 0.2 |
| 60 ~ 70 | |
| 70 ~ 80 | 0.2 |
| 80 ~ 90 | 0.15 |
| 90 ~ 100 | 0.05 |
| 합계 | 1 |

(1) 수학 성적이 60점 이상 70점 미만인 계급의 상대도수는

$1-(0.1+0.2+0.2+0.15+0.05)=0.3$

따라서 구하는 학생 수는

$40\times0.3=12(\text{명})$

(2) 각 계급의 상대도수는 그 계급의 도수에 정비례하므로 도수가 가장 큰 계급은 상대도수가 가장 큰 계급인 60점 이상 70점 미만이고 계급값은

$\dfrac{60+70}{2}=65(\text{점})$ $\qquad \therefore a=65$

도수가 가장 작은 계급은 상대도수가 가장 작은 계급인 90점 이상 100점 미만이고 계급값은

$\dfrac{90+100}{2}=95(\text{점})$ $\qquad \therefore b=95$

$\therefore 2a-b=2\times65-95=35$

(3) 수학 성적이 70점 이상인 학생의 비율은

$0.2+0.15+0.05=0.4$

이므로 전체의 $0.4 \times 100=40(\%)$이다.

**27** (1) A 중학교에서 영어 성적이 70점 이상 80점 미만인 계급의 상대도수는 0.45이고, 그 계급의 도수는 45명이므로

(전체 학생 수)$=\dfrac{45}{0.45}=100$(명)

또, B 중학교에서 영어 성적이 70점 이상 80점 미만인 계급의 상대도수는 0.3이고, 그 계급의 도수는 60명이므로

(전체 학생 수)$=\dfrac{60}{0.3}=200$(명)

(2) A 중학교에서 영어 성적이 80점 이상 90점 미만인 계급의 상대도수는

$1-(0.1+0.2+0.45+0.05)=0.2$

또, B 중학교에서 영어 성적이 90점 이상 100점 미만인 계급의 상대도수는 0.1이다.

따라서 A 중학교에서 상위 25 % 이내에 들려면

$0.05+0.2=0.25$이므로 80점 이상 받아야 하고, B 중학교에서 상위 10 % 이내에 들려면 90점 이상 받아야 한다.

즉, $x=80$, $y=90$이므로

$|x-2y|=|80-2 \times 90|$

$\qquad\quad =100$

(3) 상대도수의 그래프와 가로축으로 둘러싸인 부분의 넓이는 (계급의 크기)$\times$(상대도수의 총합), 즉

(계급의 크기)$\times 1$이므로 계급의 크기가 같으면 상대도수의 그래프와 가로축으로 둘러싸인 부분의 넓이는 서로 같다.

따라서 $a=b$이므로 $a-b=0$이다.

# 2 STEP 실력 높이기

| | | | | | | | | | |
|---|---|---|---|---|---|---|---|---|---|
| **1** 6명, 8명 | **2** 30권 | **3** 5 | **4** 42.5 % | **5** $x=8$, $y=3$ | **6** 7명 |
| **7** 80 | **8** 1 | **9** 6시간 이상 8시간 미만 | **10** 5 | **11** 8배 |
| **12** 117 | **13** 30 | **14** 20점 | **15** ①, ③ | **16** 10명 | **17** 6명 |
| **18** 9 : 11 | **19** 5명 | **20** 6시간 이상 7시간 미만 | **21** 5배 | **22** 50명 |
| **23** 6명 | **24** $a=275$, $b=65$, $c=12$, $d=900$, $e=40$ | **25** $x=2$ | **26** 50명 | **27** ①, ④ |
| **28** 0 | **29** $\dfrac{bc}{a}$ | **30** 1학년 | **31** 2 | **32** $\dfrac{10a+11b}{21}$ | **33** 48명 |
| **34** 9명 | | | | | |

## 문제 풀이

**1** 은정이네 모둠과 현정이네 모둠의 학생 수는 각각 잎의 개수와 같으므로 6명, 8명이다.

**2** 책을 가장 많이 읽은 학생은 43권을 읽었고, 가장 적게 읽은 학생은 13권을 읽었으므로 30권을 더 많이 읽었다.

**3** $a+2a+8+3a+2=40$, $6a+10=40$
$6a=30$ ∴ $a=5$

**4** 80점 이상 90점 미만인 학생은 15명이고, 90점 이상 100점 미만인 학생은 2명이므로 80점 이상인 학생은
$15+2=17$(명)
따라서 80점 이상인 학생은 전체의
$\dfrac{17}{40}\times100=42.5$(%)이다.

**5** 서술형
표현 단계 전체 학생 40명의 82.5 %는 $40\times\dfrac{82.5}{100}=33$(명)
변형 단계 수학 성적이 80점 미만인 학생 수는 33명이므로
$2+3+6+9+x+5=33$ ...... ㉠
80점 이상인 학생 수는 $40-33=7$(명)이므로
$y+4=7$ ...... ㉡
풀이 단계 ㉠에서 $25+x=33$ ∴ $x=8$
㉡에서 $y=3$
확인 단계 ∴ $x=8$, $y=3$

**6** 서술형
표현 단계 전체 학생 50명의 78 %는 $50\times\dfrac{78}{100}=39$(명)이므로
변형 단계 160 cm 미만인 학생은 39명, 160 cm 이상인 학생은 $50-39=11$(명)이다.

풀이 단계 $11-4=7$(명)
확인 단계 따라서 구하는 학생 수는 7명이다.

**7** 몸무게가 36 kg 이상 44 kg 미만인 계급의 도수는 전체 도수 40명의 25 %이므로
$2+a=40\times\dfrac{25}{100}$, $2+a=10$ ∴ $a=8$
$b=40-(2+8+18+2)=10$
∴ $ab=8\times10=80$

**8** 계급의 크기는 인접한 계급값의 차와 같으므로
$3-1=2$(시간) ∴ $a=2$
즉, 계급의 크기가 2시간이므로
$b-3=2$(시간) ∴ $b=5$
∴ $|2a-b|=|2\times2-5|=|-1|=1$

**9** 공부 시간이 5번째로 많은 학생이 속하는 계급의 계급값은 7시간이고, 계급의 크기는 2시간이므로 구하는 계급은 6시간 이상 8시간 미만이다.

**10** 서술형
표현 단계 전체 학생 수가 50명이므로
$3+11+a+b+7=50$ ∴ $a+b=29$ ...... ㉠
변형 단계 영어 성적이 70점 이상인 학생 수는
$a+b+7=29+7=36$(명)이므로
풀이 단계 계급값이 75점인 학생 수 $a$는
$a=\dfrac{1}{3}\times36=12$
㉠에서 $12+b=29$ ∴ $b=17$
확인 단계 ∴ $|a-b|=|12-17|=5$

**11** 서술형
표현 단계 영어 성적이 80점 이상인 학생 수는 $(b+7)$명이고, 영어 성적이 60점 미만인 학생 수는 3명이다.

변형 단계 $b+7=17+7=24$이므로

풀이 단계 $24÷3=8$

확인 단계 따라서 8배이다.

**12** 계급의 크기가 3이고, 계급값이 7.5인 계급은

$7.5-\dfrac{3}{2}$ 이상 $7.5+\dfrac{3}{2}$ 미만이므로

$a=7.5-\dfrac{3}{2}=6$, $b=7.5+\dfrac{3}{2}=9$

$∴ a^2+b^2=6^2+9^2=117$

**다른 풀이**

계급의 크기가 3이므로 $b-a=3$ ······ ㉠

계급값이 7.5이므로 $\dfrac{a+b}{2}=7.5$ ······ ㉡

㉠에서 $b=a+3$이므로 ㉡에 $b$대신 $a+3$을 대입하면

$\dfrac{a+(a+3)}{2}=7.5$, $a+(a+3)=15$

$2a+3=15$, $2a=12$ $∴ a=6$

$∴ b=a+3=6+3=9$

$∴ a^2+b^2=6^2+9^2=117$

**13** 서술형

표현 단계 계급의 크기는 10점, 도수가 가장 큰 계급은 70점
이상 80점 미만이므로 계급값은

$\dfrac{70+80}{2}=75$(점), 세 번째로 성적이 우수한 학생

이 속하는 계급은 80점 이상 90점 미만이므로

계급값은 $\dfrac{80+90}{2}=85$(점)이다.

변형 단계 즉, $x=10$, $y=75$, $z=85$이므로

풀이 단계 $2x-y+z=20-75+85$

확인 단계 $\qquad\qquad =30$

**14** 학생의 성적을 표로 나타내면 다음과 같다.

| 학생 | 성적(점) |
|---|---|
| A | 85 |
| B | 80 |
| C | 70 |
| D | 75 |
| E | 90 |

점수가 가장 높은 학생은 E이고, 점수가 가장 낮은 학생은
C이므로 구하는 차는 $90-70=20$(점)

**다른 풀이**

점수가 가장 높은 학생은 E, 점수가 가장 낮은 학생은 C이
고, E는 B보다 10점이 높고, C는 B보다 10점이 낮다.
따라서 두 학생 E와 C의 점수 차는 $10-(-10)=20$(점)

**15** 삼각형의 넓이는 밑변의 길이와 높이로 결정된다.

삼각형 $a{\sim}l$의 밑변의 길이는 모두 같으므로 높이가 같으
면 넓이가 같다.

$a=b$, $c=d=g=h=k=l$, $e=f=i=j$

**16** 도수분포다각형을 도수분포표로 나타내면 다음과 같다.

| 계급(점) | 계급값(점) | 도수(명) |
|---|---|---|
| $40^{이상} \sim 50^{미만}$ | 45 | 2 |
| 50 ~ 60 | 55 | 5 |
| 60 ~ 70 | 65 | 8 |
| 70 ~ 80 | 75 | |
| 80 ~ 90 | 85 | 4 |
| 90 ~ 100 | 95 | 1 |
| 합계 | | 30 |

70점 이상 80점 미만인 계급의 학생 수를 $x$명이라 하면 전
체 학생 수가 30명이므로

$2+5+8+x+4+1=30$ $∴ x=10$

따라서 70점 이상 80점 미만인 학생 수는 10명이다.

**17** 전체 학생 수가 30명이므로 수학 성적이 70점 이상 80
점 미만인 학생 수는 $30-(2+7+9+4+2)=6$(명)

**18** 도수분포다각형의 가장
높은 꼭짓점에서 가로축에 수
선을 그으면 오른쪽 그림과 같
이 두 다각형으로 나누어진다.
이때 도수분포다각형과 가로축
으로 둘러싸인 부분의 넓이는

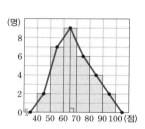

히스토그램의 직사각형의 넓이의 합과 같다.
따라서 수선의 왼쪽 부분의 넓이를 $A$라 하면

$A=10×(2+7)+5×9=135$

수선의 오른쪽 부분의 넓이를 $B$라 하면

$B=5×9+10×(6+4+2)=165$

$∴ A:B=135:165=9:11$

**19** 전체 학생 수를 $x$명이라 하면 2시간 이상 4시간 미만
인 학생은 $4+5=9$(명)이므로

$\dfrac{9}{x}×100=18$ $∴ x=50$

따라서 구하는 도수는

$50-(2+4+5+7+8+10+9)=5$(명)

**20** TV 시청 시간이 8시간 이상인 학생 수는 5명, 7시간
이상인 학생 수는 $5+9=14$(명), 6시간 이상인 학생 수는
$5+9+10=24$(명)이므로 TV 시청 시간이 23번째로 많은
학생은 6시간 이상 7시간 미만인 계급에 속한다.

**21** 직사각형의 넓이는 도수에 정비례한다. 가장 큰 도수는 10명, 가장 작은 도수는 2명이므로 가장 큰 직사각형의 넓이는 가장 작은 직사각형의 넓이의 5배이다.

**22** 서술형
표현 단계 전체 학생 수를 $x$명이라 하자.
변형 단계 17초 미만인 학생 수는 $6+10+15=31$(명)이고,
전체의 62 %이므로 $\dfrac{31}{x}\times100=62$
풀이 단계 $3100=62x$ ∴ $x=50$
확인 단계 따라서 전체 학생 수는 50명이다.

**23** 서술형
표현 단계 전체 학생 50명의 26 %는 $50\times\dfrac{26}{100}=13$(명)이므로
변형 단계 기록이 18초 이상인 학생은 13명이고,
풀이 단계 17초 미만인 학생은 31명이다.
확인 단계 따라서 기록이 17초 이상 18초 미만인 학생 수는
$50-13-31=6$(명)

**24** 도수분포표를 완성해 보면 다음과 같다.

| 국어 성적(점) | 계급값(점) | 도수(명) | (계급값)×(도수) |
|---|---|---|---|
| $50^{이상}\sim\ 60^{미만}$ | 55 | 5 | $a=275$ |
| 60 ~ 70 | $b=65$ | 10 | 650 |
| 70 ~ 80 | 75 | $c=12$ | $d=900$ |
| 80 ~ 90 | 85 | 9 | 765 |
| 90 ~ 100 | 95 | 4 | 380 |
| 합계 | | $e=40$ | 2970 |

∴ $a=275$, $b=65$, $c=12$, $d=900$, $e=40$

**25** $A(x)=(x$를 계급값으로 가지는 계급에 속하는 학생 수)
에 계급값 55, 65, 75, 85, 95를 각각 대입하면
$A(55)=5$, $A(65)=10$, $A(75)=12$, $A(85)=9$,
$A(95)=4$
따라서 $p=10$, $q=75$, $r=95$이므로
$px+q=r$에 대입하여 풀면
$10x+75=95$, $10x=20$
∴ $x=2$

> **TIP** 새로운 기호가 주어진 경우 수를 잘 대입하고 기호의 의미를 알맞게 해석하여 문제를 해결해야 한다.

**26** 150 cm 이상 155 cm 미만인 계급의 남학생의 도수가 3명, 상대도수가 0.1이므로
$($전체 남학생 수$)=\dfrac{(도수)}{(상대도수)}=\dfrac{3}{0.1}=30$(명)

150 cm 이상 155 cm 미만인 계급의 여학생의 도수가 3명, 상대도수가 0.15이므로
$($전체 여학생 수$)=\dfrac{(도수)}{(상대도수)}=\dfrac{3}{0.15}=20$(명)
따라서 나연이네 반 학생은 모두 $30+20=50$(명)이다.

**27** $($어떤 계급의 상대도수$)=\dfrac{(그\ 계급의\ 도수)}{(도수의\ 총합)}$이므로
$A=\dfrac{5}{20}=0.25$, $E=20\times0.2=4$, $B=20\times0.3=6$
$5+B+D+E=20$에서 $D=5$
따라서 $B+D=11$, $C=\dfrac{5}{20}=0.25$

**28** 60점 이상 70점 미만인 계급의 상대도수는 0.25이므로 국어 성적이 60점 이상 70점 미만인 학생은 전체의
$0.25\times100=25(\%)$
∴ $a=25$
80점 이상 90점 미만인 계급의 상대도수는 0.25이므로 국어 성적이 80점 이상 90점 미만인 학생은 전체의
$0.25\times100=25(\%)$
∴ $b=25$
∴ $a-b=25-25=0$

**29** 수학 성적이 60점 이상 70점 미만인 계급의 도수는 $a$명, 상대도수는 $b$이므로 전체 도수는 $\dfrac{a}{b}$명이다.
수학 성적이 70점 이상 80점 미만인 계급의 상대도수는
$c\div\dfrac{a}{b}=\dfrac{bc}{a}$

**30** 서술형
표현 단계 각 학년의 상대도수를 비교한다.
변형 단계 1학년 학생 중에서 독서 시간이 90분 이상인 학생 수는 $6+4=10$(명)
2학년 학생 중에서 독서 시간이 90분 이상인 학생 수는 $8+4=12$(명)
풀이 단계 $($어떤 계급의 상대도수$)=\dfrac{(그\ 계급의\ 도수)}{(도수의\ 총합)}$
이므로 각 학년의 상대도수를 구해 보면
1학년 : $\dfrac{10}{40}=0.25$, 2학년 : $\dfrac{12}{50}=0.24$
확인 단계 따라서 독서 시간이 90분 이상인 학생의 비율은 1학년이 더 높다.

**31** 1, 2, 3반의 70점 이상인 학생 수는 각각 $(10\times0.4x)$명, $(20\times0.1x)$명, $(30\times0.2x)$명이고, 세 반의 전체 학생에 대하여 과학 성적이 70점 이상인 계급의 상

대도수는 0.4이므로

$\dfrac{(\text{과학 성적이 } 70\text{점 이상인 학생 수})}{(\text{전체 학생 수})}$

$= \dfrac{10 \times 0.4x + 20 \times 0.1x + 30 \times 0.2x}{10 + 20 + 30}$

$= \dfrac{4x + 2x + 6x}{60}$

$= \dfrac{12x}{60}$

$= \dfrac{1}{5}x = 0.4$

$\therefore x = 2$

## 32 서술형

표현 단계 $(\text{어떤 계급의 상대도수}) = \dfrac{(\text{그 계급의 도수})}{(\text{도수의 총합})}$

이므로

변형 단계 $(\text{어떤 계급의 도수})$

$= (\text{도수의 총합}) \times (\text{그 계급의 상대도수})$

풀이 단계 A 학급에서 수학 성적이 80점 이상인 학생 수는 $50a$명이고, B 학급에서 수학 성적이 80점 이상인 학생 수는 $55b$명이다.

따라서 $\dfrac{50a + 55b}{50 + 55} = \dfrac{50a + 55b}{105}$

확인 단계 $\quad\quad\quad\quad = \dfrac{10a + 11b}{21}$

## 33
상대도수의 총합은 1이므로 20분 이상 25분 미만인 계급의 상대도수는

$1 - \left( \dfrac{1}{4} + \dfrac{1}{3} + \dfrac{1}{16} + \dfrac{1}{4} \right) = \dfrac{5}{48}$

따라서 현정이네 반 전체 학생 수가 될 수 있는 수 중에서 가장 작은 수는 상대도수의 분모 4, 3, 16, 48의 최소공배수이므로

$2^4 \times 3 = 48(\text{명})$이다.

```
2 ) 4  3  16  48
2 ) 2  3   8  24
2 ) 1  3   4  12
2 ) 1  3   2   6
3 ) 1  3   1   3
    1  1   1   1
```

## 34 서술형

표현 단계 상대도수의 총합이 1이므로

변형 단계 $(60\ \text{m 이상 } 70\ \text{m 미만인 계급의 상대도수})$

$= 1 - (0.10 + 0.14 + 0.16 + 0.22 + 0.14 + 0.06)$

풀이 단계 $= 1 - 0.82$

$= 0.18$

확인 단계 $(60\ \text{m 이상 } 70\ \text{m 미만인 계급의 학생 수})$

$= 50 \times 0.18$

$= 9(\text{명})$

# 3<sup>STEP</sup> 최고 실력 완성하기

| 1 46 % | 2 ②, ⑤ | 3 16배 | 4 25명 | 5 55 % | 6 46 |
|---|---|---|---|---|---|
| 7 161 | 8 $x=9,\ y=13,\ z=6$ | | 9 $x=0,\ y=5$ | 10 $\dfrac{am+bn}{m+n}$ | |

## 문제 풀이

**1** 전체 남학생 수는 $1+2+9+6+4+2+1=25$(명),
전체 여학생 수는 $3+4+5+7+5+1=25$(명)
이므로 지훈이네 반 전체 학생 수는 $25+25=50$(명)이다.
던지기 기록이 20 m 이상 30 m 미만인 남학생은
$2+9=11$(명), 여학생은 $5+7=12$(명)이므로
20 m 이상 30 m 미만인 학생은 전체의
$\dfrac{11+12}{50}\times100=46(\%)$이다.

**2** ① 남학생과 여학생의 수가 25명으로 같으므로 두 도수
분포다각형과 가로축으로 둘러싸인 부분의 넓이가 같
다. 따라서 색칠하지 않은 부분을 공통으로 뺀 부분인
어두운 두 부분의 넓이도 같다.
② 전체적으로 남학생의 그래프가 여학생의 그래프보다 오
른쪽으로 더 치우쳐 있으므로 남학생의 던지기 기록의
합이 더 크다.
③ 남학생 중에서 8번째로 멀리 던진 학생은 30 m 이상
35 m 미만인 계급에 속하고, 여학생 중에서 가장 멀리
던진 학생은 35 m 이상 40 m 미만인 계급에 속하므로
남학생 중에서 8번째로 멀리 던진 학생의 기록은 여학
생의 최고기록보다 낮다.
⑤ 도수의 총합이 같으므로 두 도수분포다각형과 가로축으
로 둘러싸인 부분의 넓이는 같다.

**3** 남학생과 여학생 전체의 던지기 기록을 도수분포표로
나타내면 다음과 같다.

| 기록(m) | 도수(명) |
|---|---|
| 10<sup>이상</sup> ~ 15<sup>미만</sup> | 3 |
| 15  ~ 20 | 5 |
| 20  ~ 25 | 7 |
| 25  ~ 30 | 16 |
| 30  ~ 35 | 11 |
| 35  ~ 40 | 5 |
| 40  ~ 45 | 2 |
| 45  ~ 50 | 1 |
| 합계 | 50 |

히스토그램에서 직사각형의 넓이는 도수에 정비례하므로
각 계급의 도수를 비교해 보면 25 m 이상 30 m 미만인 계
급의 도수가 16명으로 가장 크고, 45 m 이상 50 m 미만인
계급의 도수가 1명으로 가장 작다. 따라서 가장 큰 직사각
형의 넓이는 가장 작은 직사각형의 넓이의 16배이다.

**[4~6]** 성적별 맞힌 문제 번호를 조사해 보면 다음과 같다.

| 성적(점) | 맞힌 문제 번호 | 도수(명) |
|---|---|---|
| 0 | | 2 |
| 4 | 1번 또는 2번 | 5 |
| 5 | 3번 | 8 |
| 8 | 1번과 2번 | 11 |
| 9 | (1번과 3번) 또는 (2번과 3번) | 9 |
| 13 | 1번과 2번과 3번 | 5 |
| 합계 | | 40 |

**4** 2개 이상의 문제를 맞힌 학생은 8점, 9점, 13점을 받
은 학생이므로 $11+9+5=25$(명)이다.

**5** 3번 정답자는 5점, 9점, 13점을 받은 학생이므로
$8+9+5=22$(명)이다.
따라서 전체의 $\dfrac{22}{40}\times100=55(\%)$이다.

**6** 1번 정답자의 수가 최소일 때는 8점, 13점을 받은 학
생만 1번을 맞힌 경우이므로 1번 정답자는
$11+5=16$(명) 이상이다.
즉, $a=16$
2번 정답자의 수가 최대일 때는 4점, 8점, 9점, 13점을 받
은 학생이 모두 2번을 맞힌 경우이므로 2번 정답자는
$5+11+9+5=30$(명) 이하이다.
즉, $b=30$
$\therefore a+b=46$

**7** 상대도수의 총합은 1이므로

$b=1-(0.02+0.1+0.28+0.24+0.14+0.06)$

$\quad=0.16$

1반과 2반의 전체 도수의 비는 4 : 5이고, 50점 이상 60점 미만인 계급의 도수의 비는 1 : 1이므로 50점 이상 60점 미만인 계급의 상대도수의 비는

$(1반) : (2반)=\dfrac{1}{4} : \dfrac{1}{5}=5 : 4$

즉, $a : 0.16=5 : 4$에서 $a=0.2$

1반에서 70점 이상 80점 미만인 계급의 상대도수는

$c=1-(0.05+0.15+0.2+0.3+0.1+0.025)$

$\quad=0.175$

$\therefore 10a-100b+1000c=2-16+175=161$

**8** (가)에서 $x=1.5z$이므로 $z=\dfrac{2}{3}x$ ...... ㉠

(나)에서 $\dfrac{x}{50}\times 2=\dfrac{y}{50}+0.1$, $2x=y+5$

$\therefore y=2x-5$ ...... ㉡

도수의 총합이 50명이므로 $5+x+12+y+5+z=50$

$\therefore x+y+z=50-(5+12+5)=28$ ...... ㉢

㉢에 ㉠, ㉡을 대입하면

$x+(2x-5)+\dfrac{2}{3}x=28$, $11x=99$

$\therefore x=9$

$\therefore y=2\times 9-5=13$, $z=\dfrac{2}{3}\times 9=6$

**9** 도수의 총합이 20명이므로

$2+4+x+3+5+y+1=20$

즉, $x+y=5$ ...... ㉠

성적의 합이 108점이므로

$1\times 2+3\times 4+4\times x+5\times 3+6\times 5+8\times y+9\times 1=108$

$4x+8y=40$

$\therefore x+2y=10$ ...... ㉡

㉠에서 $y=5-x$이므로 ㉡에 $y$ 대신 $5-x$를 대입하면

$x+2(5-x)=10$, $x+10-2x=10$ $\therefore x=0$

$\therefore y=5-x=5-0=5$

> **TIP** 변량의 총합 구하기
> (변량의 총합)$=\{(변량)\times(도수)\}$의 총합

**10** 두 반의 학생 수를 각각 $mk$명, $nk$명이라 하면 두 반의 독서반 학생의 상대도수는 각각 $a$, $b$이므로 두 반의 독서반 학생 수는 각각 $amk$명, $bnk$명이 된다.

따라서 두 반 전체 학생에 대한 독서반 학생의 상대도수는

$\dfrac{(am+bn)k}{(m+n)k}=\dfrac{am+bn}{m+n}$

| 1 6명 | 2 880 kg | 3 풀이 참조 | 4 20 | 5 2 | 6 $a=80, b=65$ |
|---|---|---|---|---|---|
| 7 8명 | 8 40명 | 9 0.36 | 10 41 : 39 | 11 6 | 12 68초 |
| 13 0.35 | 14 $\frac{a}{b}$명 | 15 $\frac{25}{3}$ | 16 $x=\frac{1}{10}$ | 17 12 | 18 20명 |
| 19 3명 | 20 20 | | | | |

**문제 풀이**

**1** 줄기가 3인 잎 중에서 5보다 작은 잎의 수는 4개이고, 줄기가 2인 잎의 수는 2개이므로 몸무게가 35 kg보다 가벼운 학생 수는 4+2=6(명)이다.

**2** 27+21+32+37+34+30+34+45+43+45+40
　　+46+48+45+58+55+54+57+60+69
=880(kg)

**3**

| 몸무게(kg) | 도수(명) |
|---|---|
| 20$^{이상}$~ 30$^{미만}$ | 2 |
| 30 ～ 40 | 5 |
| 40 ～ 50 | 7 |
| 50 ～ 60 | 4 |
| 60 ～ 70 | 2 |
| 합계 | 20 |

**4** 11 이상 13 미만인 계급의 도수를 $x$라 하면
{(계급값)×(도수)}의 총합은
$6×1+8×2+10×5+12×x+14×2=220$
$100+12x=220$, $12x=120$
∴ $x=10$
따라서 도수의 총합은
$1+2+5+10+2=20$

**5** 주어진 영어 성적 자료와 도수분포표를 비교하여 표로 나타내면 다음과 같다.

| 성적(점) | 각 계급에 속하는 자료(점) | 도수(명) |
|---|---|---|
| 50$^{이상}$~ 60$^{미만}$ | 55, 50 | 2 |
| 60 ～ 70 | 65, 60, 65, ☐ | 4 |
| 70 ～ 80 | 70, 70, 75, 70, 75 | $c=5$ |
| 80 ～ 90 | 80, 85, 85, 80, 80, ☐ | 6 |
| 90 ～ 100 | 90, 95, 95 | $d=3$ |
| 합계 | | 20 |

따라서 $c-d=5-3=2$

**6** $a-b=15$이므로 $a>b$이다.
따라서 $a$는 80점 이상 90점 미만인 계급에 속하고, $b$는 60점 이상 70점 미만인 계급에 속한다. 가능한 $a$와 $b$를 표로 나타내면 다음과 같다.

| $a$ | 80 | 80 | 85 | 85 |
|---|---|---|---|---|
| $b$ | 60 | 65 | 60 | 65 |
| $a-b$ | 20 | 15 | 25 | 20 |

따라서 $a$와 $b$의 값은 각각
$a=80, b=65$

**7** 히스토그램에서 직사각형의 넓이는 도수에 정비례한다. 25분 이상 30분 미만인 계급의 직사각형의 넓이와 30분 이상 35분 미만인 계급의 직사각형의 넓이의 비가 8 : 3이므로 도수의 비도 8 : 3이다.
따라서 2반의 30분 이상 35분 미만인 계급의 도수가 3명이므로 25분 이상 30분 미만인 계급의 도수는 8명이다.

**8** 두 자료에서 계급의 크기가 같으므로 도수분포다각형과 가로축으로 둘러싸인 부분의 넓이와 히스토그램에서 직사각형의 넓이의 합은 학생 수에 정비례한다.
2반의 학생 수는
$2+4+7+10+8+3+1=35$(명)
이므로 1반의 학생 수를 $x$명이라 하면
$8 : 7=x : 35$　　∴ $x=40$
따라서 1반의 학생 수는 40명이다.

**9** 통학 시간이 25분 이상 걸리는 학생 수는 각각
1반은 $40-(3+5+8+9)=15$(명)
2반은 $35-(2+4+7+10)=12$(명)
따라서 1반과 2반을 합반했을 때, 통학 시간이 25분 이상 걸리는 학생들의 상대도수는
$\frac{15+12}{40+35}=\frac{27}{75}=0.36$

**10** 도수분포다각형의 가로축의 눈금이 5이고, 20분 이상 25분 미만인 계급은 가로의 길이가 각각 $\frac{5}{2}$로 오른쪽과 왼쪽으로 나누어지므로 왼쪽 부분의 넓이를 $A$라 하면

$A = 5 \times (3+5+8) + \frac{5}{2} \times 9 = 102.5$

오른쪽 부분의 넓이를 $B$라 하면 통학 시간이 25분 이상 걸리는 학생 수가 15명이므로

$B = \frac{5}{2} \times 9 + 5 \times 15 = 97.5$

$\therefore A : B = 102.5 : 97.5 = 41 : 39$

**11** $a = (\text{계급값}) = \frac{A+B}{2} = \frac{12}{2} = 6$

**12** 10초부터 계급의 크기가 6초가 되도록 계급을 나누면 10초 이상 16초 미만인 계급부터 52초 이상 58초 미만인 계급까지 나누어지기 때문에 처음 계급의 계급값과 마지막 계급의 계급값의 합은

$\frac{10+16}{2} + \frac{52+58}{2} = 13 + 55 = 68(\text{초})$

> **TIP 계급값 구하기**
> 계급 'a 이상 b 미만'에서 계급의 크기가 k일 때, 계급값은 $a+\frac{k}{2}$ 또는 $b-\frac{k}{2}$와 같이 구할 수도 있다.

**13** 1반부터 3반까지의 학생 전체에 대한 O형의 상대도수는

$\frac{(\text{1반, 2반, 3반의 O형인 학생 수})}{(\text{1반, 2반, 3반의 전체 학생 수})}$

$= \frac{15+12+15}{39+41+40}$

$= \frac{42}{120} = 0.35$

**14** $(\text{도수의 총합}) = \frac{(\text{그 계급의 도수})}{(\text{어떤 계급의 상대도수})}$이므로

1학년 5반의 전체 학생 수는 $\frac{a}{b}$명이다.

**15** 30 kg 이상 35 kg 미만인 계급의 도수가 2명, 전체 도수가 25명이므로 상대도수는

$A = \frac{2}{25} = 0.08$

40 kg 이상 45 kg 미만인 계급의 상대도수가 0.16이므로

$C = 25 \times 0.16 = 4$

45 kg 이상 50 kg 미만인 계급의 상대도수가 0.32이므로

$D = 25 \times 0.32 = 8$

$2+B+C+D+5 = 25$에서 $B = 6$

$\therefore \frac{C}{A \times B} = \frac{4}{0.08 \times 6} = \frac{4}{0.48} = \frac{25}{3}$

**16** $D = 25 \times 0.32 = 8$, $E = \frac{5}{25} = 0.2$, $F = 1$이므로

$8x + 0.2 = 1$에서

$8x = 0.8$  $\therefore x = \frac{1}{10}$

**17** 40 kg 미만인 학생은 $2+6 = 8$(명)

$\frac{8}{25} \times 100 = 32(\%)$  $\therefore a = 32$

45 kg 이상인 학생은 $8+5 = 13$(명)

$\frac{13}{25} \times 100 = 52(\%)$  $\therefore b = 52$

$\therefore |b-2a| = |52 - 2 \times 32| = 12$

**18** 70점 미만인 학생이 전체의 80 %이므로 60점 이상 70점 미만인 계급의 상대도수를 $a$라 하면

$(0.12 + 0.28 + a) \times 100 = 80$, $(0.4 + a) \times 100 = 80$

$40 + 100a = 80$, $100a = 40$

$\therefore a = 0.4$

$\therefore (\text{60점 이상 70점 미만인 학생 수}) = 50 \times 0.4$
$= 20(\text{명})$

**19** 수학 성적이 60점 미만인 학생의 상대도수가

$0.12 + 0.28 = 0.4$

이므로 60점 이상인 학생의 상대도수는

$1 - 0.4 = 0.6$

따라서 60점 이상인 학생 수는 $50 \times 0.6 = 30$(명)이므로 계급값이 75점인 계급, 즉 70점 이상 80점 미만인 계급의 학생 수는 $30 \times \frac{1}{10} = 3$(명)

**20** 주어진 그래프를 도수분포표로 나타내면 다음과 같다.

| 수학 성적(점) | 계급값(점) | 상대도수 | 도수(명) |
|---|---|---|---|
| 40<sup>이상</sup> ~ 50<sup>미만</sup> | 45 | 0.12 | 6 |
| 50 ~ 60 | 55 | 0.28 | 14 |
| 60 ~ 70 | 65 | 0.4 | 20 |
| 70 ~ 80 | 75 | 0.06 | 3 |
| 80 ~ 90 | 85 | 0.08 | 4 |
| 90 ~ 100 | 95 | 0.06 | 3 |
| 합계 | | 1 | 50 |

성적이 높은 쪽에서 10번째인 학생은 70점 이상 80점 미만인 계급에 속하므로 $a = 75$

성적이 낮은 쪽에서 10번째인 학생은 50점 이상 60점 미만인 계급에 속하므로 $b = 55$

$\therefore a - b = 75 - 55 = 20$

## 개념 확장

최상위수학

수학적 사고력 확장을 위한
심화 학습 교재

**심화 완성**

# 개념부터
# 심화까지

수학은 개념이다